AC

CRENCE

| 2 | 4 | 6 | 8 | 10 |

Lieues d'annlie

COLLECTION
FOLIO CLASSIQUE

Madeleine de Scudéry

Clélie,

histoire romaine

Textes choisis, présentés,
établis et annotés par Delphine Denis

Professeur à l'Université de Paris-Sorbonne

Gallimard

PRÉFACE

Si Clélie *n'a pas tout à fait sombré dans le* Lac d'Indifférence, *c'est à la* Carte de Tendre, *insérée entre les pages du roman, que nous le devons. Certains se souviennent peut-être des trois fleuves qui organisaient d'ouest en est l'espace de la gravure* — Reconnaissance, Inclination, Estime. *Campés le long de leurs rives, sous des noms un peu désuets, des villages jalonnaient les chemins de* Tendre *ou s'en écartaient irrémédiablement :* Complaisance, Grand Esprit, Probité, Respect, Empressement, Petits Soins, Jolis Vers, *et puis* Indiscrétion, Négligence, Perfidie, Tiédeur, Oubli *même... On devinait aussi, au loin, des* Terres inconnues, *repoussées aux frontières nord de la carte et barrées par les récifs menaçants de la* Mer dangereuse. *Elles n'exhalent plus aujourd'hui le parfum d'interdit qu'elles avaient alors, mais peuvent encore nous faire rêver... La géographie complexe de* Tendre *contribua en tout cas largement au grand succès de l'œuvre, dont la publication échelonnée de 1654 à 1660 constitua en son temps un phénomène de librairie. Éloges et sarcasmes en orchestrèrent la publicité, relayée dans les correspondances privées par de nombreux témoignages enthousiastes ou simplement curieux : tandis que la jeune*

Mme de Lafayette, depuis ses terres d'Auvergne, attend avec impatience chaque volume qu'elle dévore aussitôt, à Paris cette fois, autour des presses d'Augustin Courbé, certains se seraient arraché à prix d'or les feuilles à peine sèches de Clélie... *Légende ou réalité, toujours est-il que ce fut pour l'époque un véritable* best-seller : *l'éditeur tira bon profit du fermage concédé aux terres de Romanie — comme les baptisera ironiquement Furetière dans sa* Nouvelle allégorique.

Le voyage vers le pays de Tendre *auquel invite le roman n'en est pourtant pas l'unique parcours de lecture possible. Car l'ambition avouée de* Clélie, *composée sur le modèle de la « fable » épique, est de plus large amplitude : l'œuvre construit un univers non seulement riche et cohérent dans sa diversité, mais lui-même formé de mondes distincts entre lesquels elle ménage d'étonnantes passerelles. Les emprunter pour observer, du carrefour qu'elles surplombent, les lignes de fuite du roman n'est pas le moindre intérêt d'une lecture à tort réputée difficile et coûteuse.*

Clélie en effet a quitté voici plus de deux siècles les rayons de nos bibliothèques privées : reléguée dans des conservatoires savants — bibliothèques nationales ou universitaires —, elle se consulte en silence, dans le meilleur des cas, ce qui n'est pas lire. En proposant de rouvrir quelques pages des dix volumes du roman, nous aimerions à tout le moins faire justice de fausses évidences, souvent fossilisées en lieux communs de la critique. Non, le texte n'en est pas « illisible ». Ce serait même son apparente facilité d'écriture, qu'autrefois certains qualifièrent de « languissante » ou « molle » qui pourrait dégoûter nos palais modernes habitués à de plus fortes saveurs. Non, le travestissement à l'antique des mœurs contemporaines, pour peu *qu'on en comprenne la démarche, n'est pas déguisement puéril. Non, le tissage d'une intrigue sentimentale (les amours contrariées d'Aronce et de Clélie) sur trame d'Histoire publique (l'avènement de la République à Rome, au VIe siècle av. J.-C.) n'a rien de risible ni de surprenant, si l'on sait qu'en 1669 le très érudit évêque d'Avranches, Pierre-Daniel Huet, écrivait :* « Ce que l'on appelle proprement romans sont des histoires feintes d'aventures amoureuses, écrites en prose avec art, pour le plaisir et l'instruction des lecteurs. » *Non encore, nul ridicule dans la prétention de l'œuvre à former les mœurs civiles comme à fournir à ses lecteurs un élégant manuel de savoir-vivre, et l'on ajouterait volontiers, savoir-lire, savoir-écrire.*

Faisons donc quelques pas sur les chemins désormais exotiques d'un roman avec lequel notre modernité a peut-être un peu vite ou trop naïvement cessé de dialoguer. Lorsque paraît le premier tome de Clélie, *le précédent roman scudérien venait à peine de s'achever avec la publication en 1653 du dixième volume d'*Artamène ou Le Grand Cyrus. *Dans cette dernière livraison s'enchâssait l'importante* « Histoire de Sapho », *où les contemporains reconnurent aussitôt la figure idéalisée de Madeleine de Scudéry et de ses amis proches. Ébauche ou négatif du royaume de Tendre, une contrée, dite* « pays des Sauromates » *avait été élue par l'héroïne pour y vivre à l'écart du monde, en compagnie de son cher Phaon. Au sein des vastes étendues du roman se voyait déjà circonscrit un lieu secret, protégé : celui de l'invention de soi — et Madeleine de Scudéry s'identifiera dès lors à cette nouvelle* Sapho —, *de l'amitié réservée au seul mérite de l'esprit, de la création poétique enfin, confiée au patronage mythique de la première plume fémi-*

nine selon l'histoire littéraire — cette Sappho de Mytilène à qui l'auteur avait emprunté son personnage. Que le roman suivant porte pour titre le prénom d'une héroïne de l'Histoire tout court n'est certes pas simple souci de variété...

AUTEUR, AUTORITÉ, AUTORISATIONS

À qui en attribuer le projet, et sa réalisation ? Sur la page de titre de Clélie, dédiée à la belle-fille de la duchesse de Longueville (sœur du Grand Condé et elle-même frondeuse notoire), un nom d'auteur s'étalait en lettres capitales : « MR DE SCUDÉRY, GOUVERNEUR DE NOTRE-DAME DE LA GARDE » à Marseille, avait déjà signé les deux romans précédents (Cyrus, de 1649 à 1653, et dès 1641 Ibrahim ou L'Illustre Bassa), ainsi que deux volumes de « Harangues héroïques » sous le titre de Femmes illustres (1642 et 1644). De Madeleine, sa cadette de six ans, nulle trace sur la tranche d'aucun livre... Le frère de cette discrète Madeleine, en revanche, s'était déjà fait bruyamment remarquer : comme dramaturge, il s'était acquis les faveurs des Parisiens dans les genres majeurs du théâtre ; surtout, il avait ouvert la Querelle du Cid en prenant les armes contre Corneille (1637). Membre de l'Académie depuis 1650, il s'était donc depuis longtemps fait un nom, auréolé d'une réputation inégalement enviable de « Matamore des lettres », assuré un public ainsi que des réseaux de relations solides et influents. De cette position, sa sœur avait profité dès ses premiers séjours parisiens. Elle-même s'était rapidement fait connaître et apprécier, tant des milieux mondains que littéraires. Reçus notamment à l'hôtel de Clermont et à l'hôtel de Rambouillet,

*amis de l'influent Valentin Conrart, secrétaire de
l'Académie française, de Jean Chapelain encore,
autre lettré avec lequel il faut compter, en relation
avec Pierre-Daniel Huet, Antoine Godeau, La Mesnardière et bien d'autres, Georges et Madeleine
sont au cœur de la vie littéraire du temps. Après
un peu moins de trois ans passés à Marseille, où
Georges avait exercé dans de pénibles conditions
matérielles ses fonctions de chef de garnison, le retour définitif des Scudéry à Paris, en 1647, ne fit
que consolider cette place en vue. Pourquoi alors
ne pas avoir apposé les deux signatures sur des romans peut-être initialement conçus à quatre
mains, sans doute peu à peu pris en charge par la
seule Madeleine — c'est l'opinion actuelle de la critique, et ce fut l'avis unanimement partagé des
contemporains ? Les raisons de cette extrême
« modestie » — serait-ce prudence ? — sont bien
élucidées. Le nom de Georges tout d'abord pouvait
utilement servir la bonne fortune de Cyrus puis de
Clélie, et rattacher de surcroît ces œuvres au
discours théorique qu'avait, pionnière en son
temps, formulé la Préface d'Ibrahim. Par ce texte
capital en effet, le genre romanesque, jusque-là
en défaut de considération savante, boudé par les
doctes mais fort prisé des honnêtes gens, se voyait
doté pour la première fois en France d'une poétique clairement exposée, soutenue par le modèle de
l'épopée, elle-même située au sommet de la hiérar-
chie littéraire : resserrement de l'action dans l'espace et le temps — mais amplitude a contrario de
l'univers représenté, au moyen des histoires intercalées et du récit rétrospectif —, arrière-plan historique assurant le vraisemblable de la fable, sur quoi
greffer les « innocents mensonges » de la fiction,
rang élevé des protagonistes engagés dans les*

affaires publiques de la guerre, conférant au roman sa dimension héroïque, enfin caution d'illustres devanciers (Héliodore pour le roman grec, Honoré d'Urfé pour L'Astrée, et en arrière-plan les réflexions du Tasse sur le poème héroïque). Tous ces éléments de définition fondaient en légitimité un genre moderne, associant, pour ces années 1640-1650, le « nom d'auteur » de Georges de Scudéry à ceux de ses rivaux à succès, un La Calprenède, un Desmarets de Saint-Sorlin, un Gomberville... Mais au-delà de ces considérations en quelque sorte stratégiques, il convient de rappeler que la signature propre de Madeleine était doublement périlleuse, voire interdite. Comme femme avant tout, puisque l'accès aux flancs escarpés du Parnasse reste jalousement gardé par les auteurs masculins — et la naissance des « femmes de lettres » est très exactement concomitante de cette période. Comme femme du monde qui plus est, quoique de petite noblesse, dans la mesure où les bénéfices bien réels du prestige social de Madeleine, accueillie dans les meilleures sociétés et plus tard à la Cour, pouvaient être ruinés par l'affirmation intempestive d'une « profession » mal compatible avec la figuration d'un amateurisme éclairé, d'essence aristocratique. Enfin, le moyen de « faire la savante » dans un temps où la silhouette honnie du Pédant se prête à tant d'efficaces caricatures, de satires acides ? Pas plus que Mme de Lafayette ne signa ses œuvres, Madeleine de Scudéry n'avoua jamais publiquement sa création romanesque, tout en multipliant par ailleurs les signes objectifs de sa compétence lettrée. Duplicité inévitable pour l'époque, à qui tente de concilier bienséances mondaines, contraintes et réalités culturelles, ambition personnelle... L'élection du pseudonyme de Sapho, *entre fiction et* *vérité, s'inscrit dans cette ambiguïté-là, sans s'y résumer. On comprend dès lors assez aisément la part faite, dans* Clélie, *aux débats centrés sur la condition féminine : l'exemple scandaleux de la cruelle Tullie, épouse du tyran Tarquin, permet d'affronter la question cruciale de l'ambition politique des femmes, et de leurs revendications ; conversations et histoires intercalées développent, à travers études de cas et réflexions générales, les thèmes du mariage, de la gloire et de l'héroïsme féminins, de l'honnêteté selon les sexes, des relations entre hommes et femmes déclinées de l'amour à l'amitié, elle-même « galante » ou « tendre »... De ce point de vue, la comparaison entre* Cyrus *et* Clélie *est éclairante, et plaide en faveur d'une attribution presque intégrale de ce dernier roman à la seule Madeleine — sans préjuger à l'inverse de son rôle antérieur dans la rédaction du* Grand Cyrus.*

Peut-être, au demeurant, la question est-elle trop rigidement posée. Car les pratiques de collaboration littéraire, en ce siècle, sont à la fois bien attestées, et plus souples dans leurs modalités qu'on ne se l'imagine volontiers, de la répartition stricte des tâches entre différents intervenants (inventio, dispositio, clocutio : choix du sujet, composition de l'intrigue, écriture) aux interventions ponctuelles, pour ne rien dire de l'informelle « influence » née de fréquentations régulières. Qu'il nous faille, pour divers motifs, indexer sous le nom de Madeleine de Scudéry le roman de Clélie *n'interdit pas de garder à l'esprit cette forme de création accueillante aux paroles venues d'ailleurs, aux suggestions amicales, aux sollicitations du dehors.*

LE « FEUILLETÉ » ROMANESQUE

Pareille générosité s'observe également dans la matière romanesque. De l'Histoire de Rome à la chronique du Marais — quartier récent de Paris où se sont édifiées les demeures de la bourgeoisie fraîchement enrichie, et de la moyenne noblesse — en passant par les hauts lieux de la Fronde dans Paris insurgé, le lecteur circule et doit ajuster son regard à ces jeux de superposition, où aucune strate d'interprétation n'annule la précédente.

« Histoire romaine », tout d'abord, Clélie *puise aux sources de l'ancienne annalistique, et glane ici ou là dans des compilations plus tardives. Fidèle à la tradition épique — celle aussi du roman grec — qu'avait défendues la Préface d'Ibrahim, le texte s'ouvre au cœur de l'action :* in medias res, *selon la formule consacrée. La scène est à Capoue, en Campanie, l'an 509 avant Jésus-Christ. Alors que les noces d'Aronce et de Clélie doivent enfin être célébrées, un tremblement de terre sépare de nouveau les amants, rouvrant ainsi le cycle de leurs amours traversées. Il faudra attendre la fin de l'œuvre, on s'en doutait (et les lecteurs d'autrefois se seraient offusqués du contraire !) pour que nos vertueux héros soient définitivement réunis. L'intrigue amoureuse, campée sur fond d'enlèvements, de rivalités, de jalousies inquiètes, de douces confidences, est conduite dans un cadre grandiose : 509 avant Jésus-Christ, c'est en effet la date mémorable de la chute des Tarquin à Rome, après le viol de Lucrèce, celle aussi de l'avènement de la République. Avec le siège d'Ardée, cité à laquelle Tarquin a déclaré la guerre, puis celui de Rome après le soulèvement populaire qui oppose le roi déchu et son allié*

*Porsenna, père d'Aronce, aux républicains détermi-
nés, nous relisons dans le roman quelques-unes
des pages les plus célèbres de l'Histoire de Rome.
Madeleine de Scudéry pouvait s'appuyer sur des
sources si connues qu'elles appartenaient à la
culture lettrée de ses contemporains. L'*Histoire romaine* de Nicolas Coëffeteau, modèle de prose éloquente de surcroît, avait répandu dès 1621 la
connaissance de l'Antiquité latine, à partir notamment de la compilation tardive de Florus (Epi-
tome), très utilisée. Maintes fois réédité, l'ouvrage
fournissait au public curieux une excellente introduction à cette période. Le retour aux textes originaux en fut d'autant plus aisé. Au premier chef, le
récit de Tite-Live, qui relatait aux livres I et II le
règne des premiers rois de la Ville, la chute de
Tarquin le Superbe, l'instauration de la République,
l'alliance enfin conclue entre Rome et Porsenna : or
en 1653, soit un an tout juste avant la parution du
premier tome de* Clélie, *Pierre Du Ryer avait publié
une importante traduction de ces annales romaines, sous le titre de* Décades. *Madeleine de Scudéry
avait pleine liberté d'y puiser, puis de broder sur
cette trame historique. Si le nom d'Arruns est bien
attesté dans les sources, il ne fait l'objet que de brè-
ves mentions et ne joue aucun rôle dans l'enchaînement des faits : les amours d'Aronce et de Clélie
mêlent donc avec bonheur le vrai et le faux, l'Histoire et le romanesque. Quant aux récits enchâssés,
ils sont tantôt forgés de toutes pièces (« Histoire d'Artaxandre », « Histoire de Plotine »), tantôt amplifiés
et réécrits sur fond historique (« Histoire de Tarquin
le Superbe », « Histoire de Lucius Junius Brutus »).
Pour compléter enfin sa documentation, Madeleine
de Scudéry recourt à la traduction des* Vies parallèles
de Plutarque par Amyot, auteur qu'elle avait déjà mis

à profit dans Le Grand Cyrus. *La* Vie de Publicola, *notamment aux chapitres XXIV à XXVI, lui
offrait des éléments d'information supplémentaire,
auxquels il faut ajouter les livres IV et V des* Antiquités romaines *de Denys d'Halicarnasse. Ce dernier texte cependant n'avait été traduit qu'en latin :
ouvrage de consultation savante, donc, et non de
lecture cultivée. Il faut alors conclure qu'ou bien
Madeleine de Scudéry savait le latin — ce qu'elle
était bien en peine de concéder, on l'a vu —, ou
bien profita de conseils éclairés, autant dire d'une
collaboration partielle. L'une et l'autre des deux
hypothèses demeurent aussi plausibles qu'indéci-
dables. On verra que Madeleine de Scudéry dispo-
sait tout près d'elle, en la personne de Paul
Pellisson rencontré récemment, d'un « passeur »
doué entre les deux cultures, savante et mondaine.*

*C'est donc un épisode particulièrement drama-
tique de l'Histoire de Rome que la romancière
choisit pour cadre : scènes guerrières, descriptions
d'une ville en émeute, famines, espionnages et
complots, confèrent au récit le caractère épique
requis. Les actes de bravoure des patriotes républicains formaient vignette dans l'imaginaire du
temps : Horatius Coclès résistant à une troupe
d'ennemis sur le pont Sublicien, Mutius Scævola
la main dans le bûcher, stoïque devant Porsenna,
l'allié du tyran Tarquin, Brutus haranguant le peuple après le suicide de Lucrèce... Le courage et la
fermeté d'âme des héroïnes féminines enchérissent
sur ces exploits : Lucrèce, Clélie et ses compagnes
sont elles aussi dignes de figurer dans cette galerie
de glorieux Romains, et les gravures de François
Chauveau qui ornent les pages du roman ne se pri-
vent pas d'en fixer pour l'œil la geste mémorable.*

Temps de crise, qui exacerbe les passions et inspire aux grandes âmes le désir d'actions inouïes. Or, en filigrane de la scène antique, s'esquisse la silhouette d'un autre théâtre tout aussi illustre. Nous sommes à Paris, dans les années 1649 à 1653 où paraît Cyrus et s'ébauche Clélie : ce sont surtout celles de la Fronde, dont les derniers soubresauts s'achèvent précisément en 1653-1654, avec le retour triomphal de Mazarin à Paris et le sacre de Louis XIV. Autres émeutes, autres combats, autres alliances et revirements, mais déjà, pour l'Histoire en train de s'écrire, semblables images à retenir : la Cour en fuite, Paris assiégé par l'armée du roi, les assauts du faubourg Saint-Antoine puis à l'Hôtel de Ville... Des ambitieux de haut lignage, prêts à toutes les manœuvres, tel le futur cardinal de Retz. Des héros au grand cœur, princes du sang : le Grand Condé, son frère Conti, son beau-frère Longueville. Et surtout, à leurs côtés, quelques figures d'Amazones, telle la blonde duchesse de Longueville ou la Grande Mademoiselle faisant tirer le canon sur les soldats de son royal cousin... Dans Le Grand Cyrus déjà, les événements de la Fronde se lisaient en surimpression derrière les aventures du héros éponyme et de sa bien-aimée Mandane, couple dans lequel les contemporains avaient voulu reconnaître non les traits, mais la noble stature de Condé et de sa sœur, à qui le roman était dédié. Entrés de longue date dans la clientèle des Longueville, Georges et Madeleine de Scudéry étaient restés fidèles à leurs protecteurs jusque dans leur disgrâce, assez en tout cas pour que Georges, trop compromis, dût faire retraite en Normandie fin 1654. La dédicace de Clélie à la belle-fille de Mme de Longueville réaffirme publiquement cette loyauté, non sans quelque courage.

*Comment alors ne pas entendre, derrière les cla-
meurs de Rome insurgée, le vacarme de la Fronde
dans les rues de Paris ? Pareille analyse n'est pas
une proposition facile pour chercheurs en mal de
« référents », d'Histoire et d'actualisation. Bien au
contraire, elle épouse au plus près les pratiques de
déchiffrement auxquelles s'adonnent avec délices les
lecteurs du temps. La fable romanesque telle qu'on
la goûte alors, non seulement cache sous son voile
un enseignement moral d'essence supérieure, mais
encore se prête à une « application » historique immédiate, dont on recherche moins la conformité de
détail que l'ingéniosité du détournement opéré, et
la pertinence de ce chiffrage. Il ne s'agit donc pas
d'identifier sans reste le personnel romanesque de*
Clélie *aux protagonistes de l'Histoire récente : ce
serait faire peu de cas de la finesse d'interprétation
des lecteurs, et du dispositif complexe imaginé par
l'auteur.*

*Car à ce va-et-vient entre ancienne annalistique
et événements politiques contemporains, s'ajoute
encore une autre strate de lecture. Celle qui, plon-
gée dans la chronique immédiate, puise dans la
sphère mi-privée, mi-publique, des « particuliers
amis » de Madeleine de Scudéry. Au premier rang
desquels, nous l'avons croisé, Paul Pellisson. La
rencontre de la romancière avec ce dernier est de
toute fraîche date. Elle remonte à l'été 1653, lors
d'une promenade à Romène où Mme Aragonnais,
voisine et amie de Madeleine, avait convié Pellisson
sur recommandation de Valentin Conrart. Origi-
naire de Béziers, doté d'une solide formation d'humaniste (il avait étudié à Toulouse, se destinant à
une profession de juriste), alors âgé de trente ans à
peine, Pellisson venait d'achever sa* Relation contenant l'histoire de l'Académie française *qui allait*

lui valoir aussitôt l'estime et la reconnaissance de ce corps : il obtint en effet la promesse de siéger au premier fauteuil vacant, l'Académie étant au complet à cette date. Chose faite dès la fin de l'année 1653. Placé par cette fonction institutionnelle au centre de la vie intellectuelle nationale, Pellisson prend soin dans le même temps de s'acquérir des appuis dans le monde. La rencontre avec Madeleine de Scudéry, peut-être initialement souhaitée à cette fin, lui ouvrira aussi les chemins alors insoupçonnés de Tendre, *pour une amitié de plus de quarante ans : à l'échelle d'une vie entière. Les contemporains en jasèrent, parfois admiratifs devant la constance de ce lien, plus souvent méchantes langues. Seuls la laideur bien réelle des deux amis, l'âge déjà avancé de Madeleine et sa réputation sans tache purent faire obstacle aux supputations malveillantes. Et, dira-t-on, qu'importe après tout ? Ce serait en effet affaire privée, sans pertinence pour notre propos, si de cette affection naissante les protagonistes eux-mêmes n'avaient fait matière à littérature... Car, très vite, billets échangés, hommages croisés (il lui fait parvenir sa* Relation, *elle lui envoie le tome X de* Cyrus), *jeux d'esprit (énigmes, acrostiches, récits allégoriques, madrigaux galants) forment le tissu écrit d'une conversation dûment mise en scène, présentée à l'approbation admirative du petit cercle du Marais que Madeleine de Scudéry reçoit le samedi, tantôt dans son modeste logement rue de Beauce, plus souvent à quelques pas, chez l'une ou l'autre de ses amies plus fortunées. Le départ de son frère en 1654 laisse bientôt à Madeleine l'entière liberté de ses fréquentations : les divertissements du Samedi, où se hasardent parfois certains de ses fidèles protecteurs, prennent alors assez d'importance pour faire quelque bruit sur la scène parisienne. Or, à Pellisson qui a demandé combien de temps mettrait un voyageur déterminé pour rallier, depuis le pays de* Particulière Amitié, *les contrées de* Tendre, *Madeleine de Scudéry a publiquement répondu, mais d'abord au sein de son petit groupe : elle a esquissé le croquis d'une* Carte *pour éclairer les pas de ce diligent explorateur, et calculé que six mois constituaient une durée plausible, proposant ainsi à Pellisson les termes d'un contrat de mise à l'épreuve. Six mois pour parvenir à* Tendre *sans faire fausse route ni quitter* Petits Soins *pour* Négligence, Billet doux *pour* Indiscrétion, Sensibilité *pour* Oubli, *c'est bien assez, au moins, pour s'acquitter auprès de* Sapho *d'une série de travaux d'écriture ou de nouvelles tâches historiographiques. Aussi Pellisson, récent historien d'une illustre institution, se fit-il le « chroniqueur » du Samedi, triant, archivant, ordonnant copie des plus notables événements du groupe, de leurs productions, de leurs débats. Activité bien réelle que Madeleine de Scudéry suivit de près et accompagna de ses suggestions et corrections. Il nous en reste un étonnant manuscrit, récemment publié : ce sont les* Chroniques du Samedi, *dont la composition s'échelonne de 1653 à 1654. Œuvre à plusieurs mains, cependant guidée par un dessein d'ensemble et une intrigue centrale, texte au statut problématique — un manuscrit achevé, mais sans publication imprimée prévue : ni brouillon préparatoire donc, ni simple « portefeuille » à usage privé —, les* Chroniques *permettent à bien des égards de mettre en perspective l'invention de* Clélie. *Il faudrait une lecture attentive, scrupuleuse, pour en suivre le détail : la première ébauche de la* Carte de Tendre *et son contexte d'élaboration y sont méticuleusement*

consignés, les essais littéraires des fidèles du
Samedi — de Jolis Vers à Billet galant, *en passant
par une satire héroï-comique et les minutes d'un
championnat d'improvisation poétique !* — *y trouvent place, confirmant par comparaison la constitution du roman en recueil narrativisé. Mais plus
encore, c'est le principe même d'une lecture à clés
que manuscrit et fiction interrogent et modélisent.*

UN ROMAN À CLÉS ?

Dans les Chroniques du Samedi *en effet, les
amis de Madeleine de Scudéry ont adopté des pseudonymes dont le groupe connaît le chiffre :* Sapho
bien sûr, mais aussi Acante-*Pellisson,* Théodamas-
Conrart, Polyandre-*Sarasin, parmi bien d'autres, y
figurent ainsi masqués, empruntant parfois leur
nom au personnel romanesque de* Cyrus. *Le choix
de cette désignation, que commentent parfois les
notes marginales du manuscrit, témoigne des jeux
de travestissement du groupe, très conscient des
effets de fictionnalisation induits par ce procédé, et
du bénéfice poétique escompté : la convention galante des billets et madrigaux adressés aux* Iris,
Tircis *et autres improbables bergers se voit ici en
quelque sorte motivée de l'intérieur, par le pacte ta-
cite noué entre les membres du* Samedi *et le
recours à un répertoire commun de pseudonymes,
en l'occurrence l'œuvre de* Sapho *en personne.
Scellé par cette connivence, qui exclut dans le même
temps fâcheux et indiscrets, le lien amical est donc
aussi clairement publié que préservé dans le — relatif — secret de ce baptême. L'équation n'est cependant pas parfaite, là non plus.* Madeleine de Scudéry
ne se confond pas avec la reine Sapho *qui édicte*

pour rire les lois de Tendre, *pas plus qu'elle ne
pouvait être intégralement identifiée au personnage
romanesque inventé pour* Cyrus. *Mais la démarche
n'est pas sans fondement, qui consiste à rechercher
dans l'entourage de l'auteur les originaux d'un Amilcar, Herminius, Anacréon. Au contraire, le principe
même des désignations indirectes observées dans
les* Chroniques *en confirme la justesse. Sans faire
l'objet d'un chiffrage systématique ni toujours cohérent dans ses niveaux d'élucidation (de l'Histoire
à la gazette mondaine), les romans scudériens relè-
vent sans conteste de ces œuvres à clés déjà dotées
d'une importante tradition littéraire, dont* L'Astrée
*formait l'un des maillons forts à la charnière des
XVIe et XVIIe siècles.*

*Les recherches érudites ont pu dès lors, avec
succès, peu à peu retrouver les allusions à la chronique contemporaine délivrées dans* Cyrus *et* Clélie.
*Victor Cousin, qui prétendit avoir découvert une clé
manuscrite de* Cyrus — *le soupçon de supercherie
n'en fut jamais complètement levé — fut dès 1858
le premier à chercher dans le roman une image
plus ou moins fidèle de la « société française au
XVIIe siècle », comme le titre de son étude le procla-
mait. Bien longtemps après, à sa suite, de nombreux
savants (Alain Niderst, Jean Mesnard, Jacqueline
Plantié notamment) se sont efforcés d'établir les
clés de ces romans, qu'il s'agisse des personnalités
représentées, de leurs aventures, des lieux décrits…
L'enquête est probante, et l'on ne peut qu'être frappé
par la porosité de ces textes que n'isole aucune poétique de « l'art pour l'art » jalousement close sur
elle-même, fermée aux sollicitations du monde et de
l'Histoire. Mais elle ne prend sens qu'à condition de
ne pas « replier l'œuvre sur le référent », selon la
sage formule de Bernard Beugnot : la mise en garde*

reste d'actualité. S'en tenir en effet à cette lecture référentielle, pensant avoir épuisé la signification du texte dans la somme des noms propres ou des dates qu'il recèle serait à l'évidence une pauvre et myope manière de le comprendre et le servir. Pis encore, à vouloir rabattre à toute force l'une sur l'autre, on court le risque de se scandaliser des hiatus, distorsions, embellissements, que l'œuvre fait subir à ses modèles. Ce serait de nouveau mal en évaluer le projet : il ne s'agit pas de reproduire fidèlement le réel — aucune des poétiques du temps ne l'a vraiment pensé ni souhaité —, mais à la fois d'en styliser les traits essentiels, par-delà le contingent et l'accessoire, et d'en proposer si faire se peut une figure imitable, modèle de conduite tout autant que d'invention littéraire. Les « miroirs » que Stendhal promenait au long des chemins, définissant en ces termes l'entreprise romanesque, constituent ici une véritable institution civile : miroirs si l'on veut, mais alors à la manière des anciens traités qui, sous ce titre, faisaient l'éloge du parfait Prince, Courtisan ou Chrétien. Non pas reflet inerte d'une réalité décevante, mais mise en forme, figuration active du monde.

Clélie *mérite donc une lecture attentive à ce feuilleté où la leçon morale prend corps sur fond d'Histoire et d'anecdotes. Si l'œuvre prétend avant tout ménager le vraisemblable, source du plaisir esthétique, elle n'interdit nullement aux lecteurs curieux de se livrer aux jeux de devinettes, leur proposant de reconnaître dans cette peinture figurée une représentation plus juste, en définitive une compréhension enrichie du monde évoqué. Le personnage de Clélie le montre, à l'évidence. Comme version moderne d'un héroïsme au féminin, adouci par les valeurs de* Tendre *chères à Madeleine de*

Scudéry, il trouvait à s'incorporer dans quelques femmes illustres de l'Histoire ancienne et moderne ; dans le portrait de la jeune fille, nous retrouvons aussi les qualités essentielles par lesquelles l'auteur avait souhaité se peindre « au naturel » : modestie et bonté, constance et fidélité aux liens contractés (l'amour n'étant peut-être que l'avatar romanesque de l'amitié tendre), mélancolie propre aux âmes d'exception, source d'une sensibilité positive, capacité encore à pénétrer les plis et replis du cœur humain pour en tenter l'« anatomie » morale... Ainsi encore le personnage d'Amilcar hérite-t-il doublement de L'Astrée, auquel il doit son nom et emprunte, par la médiation du berger Hylas, quelques traits de caractère passés en proverbe (inconstance, gaieté insouciante), tout en offrant par ses amours enjouées avec Plotine un contrepoint au modèle mélancolique du couple Clélie-Aronce — version critique de leur perfection héroïque —, non sans renvoyer enfin, du côté de la chronique amicale cette fois, à la personnalité du poète Jean-François Sarasin, hôte du Samedi depuis 1653...

Inutile d'en multiplier les exemples : ces interprétations, on l'a dit, peuvent se superposer sans se détruire. Ou bien faire l'objet pour chacun d'un choix assumé et argumentable. Madeleine de Scudéry avait parfaitement conscience des enjeux de ces manières de lire. Elle les jugeait même assez importants pour en orchestrer le débat théorique, certes non de l'extérieur, sous forme de traité, mais au cœur de son œuvre romanesque. Clélie lui en offrit l'occasion dès le premier tome. L'« Histoire d'Artaxandre » racontée par Amilcar met en scène l'ensemble du processus littéraire. Du côté de l'invention d'une part, puisque le narrateur y raconte ses pro-

pres aventures sous le voile de « noms supposés »
(dont Plotine fournit aussitôt la clé). De la réception d'autre part : dès le récit achevé et les pseudonymes déchiffrés, la conversation qui s'engage pose
avec netteté les termes d'une alternative à dépasser
en dernière analyse. Au goût des enjoués, modernes
amateurs d'« histoires véritables » et de portraits à
clés, répond celui des mélancoliques pour qui seule
importe la leçon morale dispensée par le récit vraisemblable, indépendamment de ses actualisations
biographiques.

UNE « INSTITUTION CIVILE »

Loin de toute naïveté, le roman fait ainsi retour
sur ses modalités d'écriture et de lecture : là n'est
pas la moindre modernité de Clélie. Plus nettement
que dans Cyrus en effet, les conversations abordent
volontiers des sujets de poétique générale — parfois
rémunérables sur le plan des pratiques de sociabilité.
Pour les avoir publiés ailleurs, nous n'avons pas
reproduit dans cette édition des passages qui cons-
tituèrent en leur temps une étape majeure de la
réflexion théorique : art épistolaire, principes de la
composition romanesque, défense et illustration de
la poésie galante rattachée à ses modèles par le biais
d'une histoire littéraire vulgarisée, intérêt et nouveauté du portrait en prose témoignent d'un effort
sans précédent pour exposer aux lecteurs de romans des choix esthétiques mûrement réfléchis et
mis à l'épreuve. L'œuvre poursuit de la sorte son
projet d'institution civile, dont on mesure l'am-
pleur de vues. Car la formation morale mobilise ici
toutes les ressources d'une pédagogie bien entendue. Prolongeant l'entreprise d'Honoré d'Urfé, récits

et conversations explorent la vaste combinatoire de la casuistique amoureuse dans laquelle les conduites humaines prennent sens et se soumettent au jugement éthique. Comme dans L'Astrée *encore, le lecteur apprend de* Clélie *le bel usage, tant langagier que mondain, et plus profondément encore peut méditer sur la juste et bonne manière de vivre ensemble, hommes et femmes. À travers la notion de galanterie, centrale dans l'œuvre, Madeleine de Scudéry conduit une réflexion capitale sur les diverses formes des échanges humains, leurs écueils et leurs richesses. La* Carte de Tendre *se déploie sans doute à cette plus large échelle : au-delà d'une représentation allégorique de l'aventure amoureuse, elle propose cette figuration condensée du lien social dont le roman s'efforce de développer tous les aspects. On l'a souvent noté, et les contemporains y furent les premiers sensibles,* Cyrus *et* Clélie *participèrent pleinement au vaste mouvement de théorisation de l'« honnêteté », dont ils surent poser et défendre les valeurs — naturel, discrétion, tolérance, mesure, bienséance, ouverture, souci d'autrui... — plus tard illustrées par Molière ou La Fontaine.*

À cette dimension morale, inscrite dans les pas de L'Astrée, *s'ajoute comme on l'a vu la portée réflexive d'une œuvre soucieuse de promouvoir ses idéaux en matière artistique. L'institution civile ne saurait faire l'économie d'une formation au jugement esthétique : jusque-là interdite aux femmes qui ne bénéficient pas de l'enseignement des collèges, la culture lettrée passée à l'étamine des bienséances mondaines s'insinue dans le roman, empruntant des voies diverses. Par l'exemple d'abord, car* Clélie *constitue un véritable recueil de formes littéraires, des genres mondains les plus en vogue (billets, madrigaux, portraits, descriptions, devises, dialogues allégoriques, etc.) aux modèles éprouvés de la prose éloquente (harangues notamment). Par la critique ensuite, dans la mesure où le commentaire vient en expliciter les fondements théoriques. Sans pédanterie, il va de soi : le recours à la forme de la conversation mixte rend vraisemblable ce mode d'exposition, tout comme il en indique le juste ton. Non sans ambition pour autant, car ce savoir caché, souvent fort difficile à débusquer dans le texte, affleure dans de nombreuses pages, qu'il s'agisse des modèles allusivement convoqués, des débats antérieurs résumés à grands traits, ou des sources lettrées soigneusement camouflées derrière l'apparente facilité de la parole mondaine. Madeleine de Scudéry, en cela activement secondée par Pellisson qui partageait ce souci de diffusion et de promotion des belles-lettres — qu'on n'appelle pas encore* littérature *— fut sur ce point encore tout à fait consciente de contribuer à former le goût et la culture de ses lecteurs. Mieux, elle prit nettement position dans les débats critiques du temps, en faveur de la littérature moderne qui s'invente alors : où l'on retrouve, dans ses manifestations esthétiques, la notion de galanterie... C'est en ces termes qu'en effet les contemporains de la romancière désignèrent une certaine inflexion du goût, et classèrent les productions artistiques qui s'en réclamaient. Très vite, les œuvres galantes regroupèrent sous ce titre des textes dont seule la manière assurait l'unité. À bien des égards,* Clélie *participa à l'édification de ce Parnasse galant dont le cercle Scudéry chercha d'ailleurs à s'assurer la maîtrise.*

CLASSEMENTS ET PÉRIODISATION

Faire de ce texte le premier en date des « romans précieux », comme on l'a souvent affirmé, ne va donc pas de soi. Sauf à rappeler, mais la précaution est de taille, que la préciosité *est une catégorie littéraire d'invention récente et d'origine lourdement polémique — bien mal adaptée au projet de* Clélie. *Sauf, peut-être aussi, à postuler que la préciosité installe au sein du Royaume de Galanterie, voire à ses frontières, cet espace critique que délimite avec acuité la question du féminin dans un monde encore incertain sur la place à concéder aux femmes de prix. Madeleine de Scudéry, pour sa part, avait dessiné le territoire de Tendre d'un crayon plus léger : ouvert à tous ceux, hommes ou femmes, qui font de la sensibilité du cœur et du mérite de l'esprit les seuls titres de passeport pour goûter les douceurs de l'« amitié », ce pays rare est de nature foncièrement optimiste, d'aucuns diraient utopique...*

Faut-il alors voir en Clélie *le dernier des romans héroïques ? Pour Madeleine de Scudéry, à coup sûr, qui renonça à la forme épique au profit de la « nouvelle » : avec* Célinte *dès 1661, puis* Mathilde *en 1667, et* La Promenade de Versailles *en 1669, avant d'entamer un nouveau cycle créatif avec la série des* Conversations, *dix ans plus tard. Pour l'histoire littéraire, sans doute aussi : le tournant des années 1660 marque bien l'avènement d'un autre type de récits, exemplairement illustré par* La Princesse de Clèves *(1678-1679). Déjà Jean Regnauld de Segrais, dans* Les Nouvelles françaises ou Les Divertissements de la Princesse Aurélie *(1656-1657) avait appelé de ses vœux cette muta-*

tion : *un autre « vraisemblable » devrait présider à l'invention romanesque, pour lequel il faudrait renoncer à « l'éloignement des lieux » comme à « l'antiquité du temps », et faire choix de la brièveté.* Historique *ou* galante, *la forme moderne de ces récits — qualifiés alors de* nouvelle *ou d'*histoire *— prétend rompre avec le schéma narratif des décennies antérieures. C'est comme « histoire galante » que les contemporains commentèrent* La Princesse de Clèves, *comme « nouvelle historique » qu'il avaient lu* Dom Carlos *de Saint-Réal, en 1672 ; « nouvelle galante » encore,* Le Beau Polonais *de Jean de Préchac (1681), « histoire galante et véritable » son* Illustre Parisienne *de 1679, tandis que dès 1669 Mme de Villedieu avait publié une* Cléonice ou Le Roman galant, *titre immédiatement glosé par « nouvelle »...* Clélie *serait-il, avant l'heure, un roman galant encore prisonnier des cadres contraignants du modèle épique ? À considérer l'œuvre dans sa structure d'ensemble, la réponse par la négative s'impose. Mais que les histoires intercalées en risquent parfois les récentes formules, et cela très tôt dans le roman, n'est pas moins assuré. L'« Histoire d'Artaxandre » en fournit le meilleur exemple, s'il faut en croire son narrateur : « Ce que je m'en vais donc vous raconter, affirme Amilcar à l'orée de son récit, est une aventure amoureuse, une aventure nouvelle, une aventure galante, et une aventure véritable. » Œuvre de transition,* Clélie *écrirait ainsi l'un des ultimes chapitres de l'histoire du roman héroïque, tout en annonçant les transformations imminentes de la fiction narrative. Cette analyse a posteriori a le mérite de donner sens à une évolution objectivement repérable. Et s'il faut des repères chronologiques assurés, celui-ci en vaut d'autres.*

Mais situer Clélie *dans cette période charnière nécessite aussi de lui reconnaître la place particulière qu'elle occupe alors : moins celle d'un roman moribond que d'une œuvre-carrefour où se rencontrent des sources d'inspiration multiples, des tentations diverses. À la croisée de savoirs d'origine humaniste et d'une culture mondaine,* Clélie *se prête à une lecture aussi bien morale, allégorique, historique — et nous autres modernes pouvons encore trouver quelque piquant à ce complexe montage poétique, prendre plaisir à en contempler le miroitement. L'acuité et la finesse de l'analyse psychologique peuvent sembler à certains vaines subtilités, fadeurs lassantes : mais ceux-là sont-ils lecteurs de Mme de Lafayette, de Rousseau, de Stendhal, de Proust même ? De tous ceux en revanche qu'une réflexion aiguë, exigeante, généreuse, sur les atermoiements du cœur humain continue d'émouvoir,* Clélie *saura se faire entendre, fût-ce à voix basse.*

Au moins l'œuvre nous offre un point d'observation fascinant : à bien interroger les possibles du roman, c'est un peu de nos façons de lire et de comprendre qui s'éclairent.

Delphine DENIS
(juin 2003)

Clélie,
histoire romaine

PREMIÈRE PARTIE

LIVRE PREMIER

Il ne fut jamais un plus beau jour que celui qui devait précéder les noces de l'illustre Aronce, et de l'admirable Clélie[1] ; et depuis que le soleil avait commencé de couronner le printemps de roses et de lis, il n'avait jamais éclairé la fertile campagne de la délicieuse Capoue, avec des rayons plus purs, ni répandu plus d'or et de lumière dans les ondes du fameux Vulturne, qui arrose si agréablement un des plus beaux pays du monde[2]. Le ciel était serein, le fleuve était tranquille, tous les vents étaient renfermés dans ces demeures souterraines, d'où ils savent seuls les routes et les détours ; et les zéphirs mêmes n'avaient pas alors plus de force qu'il en fallait pour agiter agréablement les beaux cheveux de la belle Clélie, qui se voyant à la veille de rendre heureux le plus parfait amant[3] qui fut jamais, avait dans le cœur, et dans les yeux, la même tranquillité qui paraissait être alors en toute la nature.

Pour Aronce, quoiqu'il eût encore plus de joie que Clélie, parce qu'il avait encore plus d'amour, il ne laissait pas d'avoir quelquefois une certaine

agitation d'esprit, qui ressemblait à l'inquiétude
durant quelques moments. En effet il trouvait
qu'il n'eût pas témoigné assez d'ardeur, si la seule
espérance d'être heureux le lendemain l'eût entièrement satisfait ; ainsi il murmurait contre la
longueur des jours, quoiqu'il ne fût encore qu'aux
premiers jours du printemps ; et il regardait alors
les heures comme des siècles. Cette douce inquiétude, qui n'était causée que par une impatience
amoureuse, ne l'empêchait pourtant pas d'être de
fort agréable humeur, quoiqu'il eût d'ailleurs[1]
quelque chose dans l'esprit qui lui donnait de la
peine. En effet il s'imaginait toujours qu'il arriverait quelque accident qui retarderait encore son
bonheur, comme il avait été retardé.

Car il eût déjà épousé sa maîtresse, n'eût été
que le fleuve au bord duquel était une très belle
maison, où Clélius avait résolu de faire les noces
de sa fille, s'était accru d'une si terrible manière,
qu'il n'y avait pas eu moyen de songer à faire une
fête pendant un ravage si extraordinaire. Car ce
fleuve s'était débordé tout d'un coup, avec une
telle impétuosité que durant douze heures ses
eaux avaient augmenté de moment en moment.
De plus, le vent, les éclairs, le tonnerre, et une
pluie épouvantable[2], avaient encore ajouté tant
d'horreur à cette inondation, qu'on eût dit que
tout devait périr. L'eau du fleuve semblait se vouloir élever jusques au ciel ; et l'eau qui tombait
du ciel était si abondante, et si agitée, par les divers tourbillons qui s'entrechoquaient, que le
fleuve faisait autant de bruit que la mer ; et la
pluie en faisait même autant que la chute des
plus fiers torrents en peut faire. Aussi ce ravage
fit-il d'étranges[3] désordres dans cet aimable
pays ; car il démolit plusieurs bâtiments publics

et particuliers ; il déracina des arbres, couvrit les champs de sable et de pierres, aplanit des collines, creusa des campagnes[1], et changea presque toute la face de cette petite contrée. Mais ce qu'il y eut de remarquable, fut que lorsque cet orage fut passé, on vit que le ravage des eaux avait déterré les ruines de divers tombeaux magnifiques, dont les inscriptions étaient à moitié effacées ; qu'en quelques autres lieux, il avait découvert de grandes colonnes toutes d'une pièce, plusieurs superbes vases antiques d'agate, de porphyre, de jaspe, de terre samienne[2] et de plusieurs autres matières précieuses ; de sorte que cet endroit au lieu d'avoir perdu quelque chose de sa beauté, avait acquis de nouveaux ornements.

Aussi était-ce auprès de ces belles et magnifiques ruines, qu'Aronce et Clélie, conduits par Clélius, et par Sulpicie sa femme, et accompagnés d'une petite troupe choisie qui devait être aux noces de ces illustres amants qui se devaient faire le lendemain, se promenaient avec beaucoup de plaisir, Aronce ne se souvenant plus alors de toutes les peines que ses rivaux lui avaient données. Car le temps de son bonheur semblait être si proche, le jour était si beau, le lieu si agréable, la compagnie si divertissante et si enjouée, et Clélie était si belle, et lui était si favorable, qu'il n'était pas possible que ce qu'il y avait encore de fâcheux en sa fortune, le fût assez, pour l'empêcher d'avoir une joie excessive, bien qu'elle fût quelquefois interrompue, comme je l'ai déjà dit, par quelque inquiétude. C'est pourquoi, voulant alors témoigner à la belle et incomparable Clélie une partie des sentiments de joie qu'il avait dans l'âme, il la sépara adroitement de dix ou douze pas de cette agréable troupe qui les suivait, lui

semblant que ce qu'il disait à Clélie lorsqu'il
n'était entendu que d'elle, faisait beaucoup plus
d'impression dans son esprit. Mais lorsqu'il voulut passer d'une conversation générale, à une
conversation particulière, et qu'il tourna la tête
pour voir s'il était assez loin de ceux qui les suivaient, pour n'être entendu que de Clélie, il vit
paraître à l'entrée d'un petit bois, qui n'était qu'à
trente pas d'eux, le plus brave, et le plus honnête
homme de ses rivaux, qui s'appelait Horace[1] ; et
il l'y vit paraître accompagné de quelques-uns de
ses amis. Cette vue surprit sans doute Aronce ;
mais elle surprit pourtant encore plus Clélie, qui
craignant de voir arriver quelque funeste accident, quitta Aronce pour aller vers son père, afin
de l'obliger à faire ce qu'il pourrait, pour empêcher qu'Horace et cet heureux amant n'en vins-
sent aux mains.

Mais à peine eut-elle fait cinq ou six pas, qu'un
tremblement de terre effroyable, où[2] ce pays-là
est si sujet, commença tout d'un coup, et commença avec une telle impétuosité, que la terre
s'entrouvrant entre Aronce et Clélie, avec des mu-
gissements aussi effroyables que ceux de la mer
irritée, il en sortit en un instant une flamme si
épouvantable, qu'elle les déroba également à la
vue l'un de l'autre ; et tout ce que vit alors le malheureux Aronce, fut que la terre s'entrouvrant de
partout, il était environné de flammes ondoyan-
tes, qui faisant autant de figures différentes qu'on
en voit quelquefois aux nues, lui firent voir le plus
affreux objet du monde. Leur couleur bleuâtre,
entremêlée de rouge, de jaune, et de vert, qui s'en-
tortillaient ensemble de cent bizarres manières,
rendaient[3] la vue de ces flammes si affreuse,
que tout autre cœur[4] que celui d'Aronce aurait

succombé en une pareille rencontre[1]. Car cet abîme qui s'était entrouvert entre Clélie et lui, et qui les avait séparés avec tant de violence, avait quelque chose de si terrible à voir, que l'imagination ne saurait se le figurer. En effet une fumée épaisse et noire, ayant presque en un moment caché le soleil, et obscurci l'air, comme s'il eût été nuit, on voyait quelquefois sortir de ce gouffre une abondance étrange de flammes tumultueuses, qui se dilatant après dans l'air, étaient emportées comme des tourbillons de feu par les vents qui se levèrent alors de divers côtés. Ce qu'il y avait encore d'étonnant, était que dans le même temps que la foudre faisait retentir tous les lieux d'alentour d'un épouvantable bruit, on entendait mille tonnerres souterrains, qui par des secousses terribles, qui faisaient encore de nouvelles ouvertures à la terre, semblaient avoir ébranlé le centre du monde, et vouloir remettre la nature en sa première confusion. Mille pierres embrasées, sortant de ce gouffre enflammé, étaient élancées en haut avec des sifflements effroyables, et retombaient ensuite dans la campagne, ou près, ou loin, selon que l'impétuosité qui les poussait, ou leur propre poids les faisait retomber. En quelques endroits de la plaine, on voyait des flammes bouillonner comme des sources de feu ; et il s'exhalait de ces terribles feux, une odeur de soufre et de bitume, si incommode, qu'on en était presque suffoqué. Ce qu'il y avait encore de surprenant, était qu'au milieu de tant de feux, il y avait des endroits d'où il sortait des torrents qui en quelques lieux éteignaient la flamme, et augmentaient la fumée, et qui en quelques autres étaient eux-mêmes consumés par les feux qu'ils rencontraient. Mais ce qu'il y eut de plus terrible, fut qu'il sortit tout d'un coup de cet abîme, une si prodigieuse quantité de cendres embrasées, que l'air, la terre, et le fleuve, en furent presque entièrement ou remplis, ou couverts. Cependant comme de moment en moment la terre s'ébranlait toujours davantage, la maison où les noces d'Aronce et de Clélie se devaient faire fut abattue, le bourg tout entier où elle était située fut enseveli sous ses propres ruines ; plusieurs troupeaux dans la campagne furent étouffés ; grand nombre de gens périrent ; et on n'a jamais entendu parler d'un tel désordre. Car ceux qui étaient sur la terre, cherchaient de petits bateaux pour se mettre sur le fleuve, pensant y être plus sûrement[1], et ceux qui étaient sur le fleuve, abordaient en diligence, s'imaginant qu'ils seraient moins en péril sur la terre. Ceux des plaines, fuyaient aux montagnes ; et ceux des montagnes, descendaient dans les plaines. Ceux qui étaient dans les bois, tâchaient de gagner la campagne ; et ceux de la campagne, faisaient ce qu'ils pouvaient pour se sauver dans les bois, chacun s'imaginant que la place où il n'était pas, était plus sûre que celle où il était.

Cependant au milieu de ce tremblement de terre si épouvantable, de ces flammes si terribles, de ces effroyables tonnerres célestes et souterrains, de ces torrents impétueux, de cette épaisse fumée, de cette odeur de soufre et de bitume, de ces pierres enflammées, et de cette nue de cendres embrasées, qui fit périr tant de gens et tant de troupeaux aux lieux mêmes où la terre ne trembla point, au milieu, dis-je[2], d'un si grand péril, Aronce qui ne voyait rien de vivant que lui, ne songeait qu'à son aimable Clélie ; et appréhendant pour elle, tout ce qu'il n'appréhendait pas pour lui-même, il avait fait tout ce qu'il avait pu pour tâcher de la rejoindre. Mais il n'avait pas été maître de ses actions ; car lorsqu'il avait voulu aller d'un côté, l'ébranlement de la terre l'avait jeté de l'autre ; de sorte qu'il avait été contraint de se laisser conduire à la Fortune, qui le sauva d'un si grand péril. Cependant lorsque ce grand désordre fut passé, que ces flammes ensoufrées se furent éteintes, que la terre se fut raffermie en cet endroit, que le bruit fut cessé, que les ténèbres furent dissipées, après avoir duré le reste du jour et toute la nuit, Aronce se trouva au lever du soleil, sur un grand monceau de cendres et de cailloux, d'où il pouvait découvrir ce funeste paysage. Mais il fut bien étonné de ne voir plus ni la maison où il avait couché, ni le bourg où elle était, et de voir une partie d'un bois qui était proche de là renversé, et toute la campagne couverte de gens ou de troupeaux morts. De sorte que la crainte étant alors plus forte en son esprit que l'espérance, il descendit de dessus cette colline de cendres ; mais dès qu'il en fut descendu, il vit sortir d'un de ces tombeaux que le fleuve débordé avait découverts, Clélius, et Sulpicie, qui s'y étaient retirés ; car par un cas fortuit étrange, le tremblement de terre n'acheva pas de les détruire. D'abord Aronce eut une joie extrême de les voir ; il espéra même que Clélie les aurait suivis, et sortirait aussi de ce tombeau ; mais il n'en vit sortir que deux de leurs amis, et trois de leurs amies, si bien que s'avançant diligemment vers Sulpicie, de qui il était le plus proche, « Eh de grâce, lui dit-il, dites-moi où est l'aimable Clélie. — Hélas, lui répondit cette mère affligée, je m'avançais vers vous pour vous demander si vous ne saviez point ce qu'elle est devenue ; car enfin tout ce que j'en sais est que dans le même temps qu'elle vous a eu quitté pour s'avancer vers son père, j'ai vu Horace suivi de ceux qui l'accompagnaient qui venait vers elle ; et je n'ai plus vu un moment après que des tourbillons de flammes qui nous ont forcés Clélius et moi, de nous sauver dans un de ces tombeaux, avec ceux qui étaient le plus près de nous. »

À peine Sulpicie eut-elle achevé de prononcer ces paroles, qu'Aronce sans regarder ni Clélius, ni Sulpicie, ni ceux qui étaient avec eux, se mit à chercher parmi ces grands monceaux de cendres, sans savoir lui-même bien précisément ce qu'il cherchait ; et Clélius, Sulpicie, et ceux qui les suivaient, se mirent à chercher aussi bien que lui, s'ils ne trouveraient nulles marques de la vie, ou de la mort de Clélie. Mais plus ils cherchèrent, plus leur douleur augmenta ; car ils trouvèrent une amie de cette admirable fille, étouffée dans ces cendres brûlantes qui étaient tombées sur elle ; et ils virent auprès de son corps celui d'un amant qu'elle avait, qui avait eu le même destin. Ce lamentable objet, tout funeste qu'il était, obligea pourtant Aronce à porter envie à ce malheureux amant, puisque du moins il avait eu l'avantage de mourir auprès de sa maîtresse. Mais comme ces deux personnes n'étaient plus en état d'avoir besoin d'aucun secours, ils ne s'y arrêtèrent pas ; et Clélius ordonna seulement à deux de ses domestiques qu'il retrouva, de dégager ces corps de dedans ces cendres, et de demeurer auprès, jusques à ce qu'on pût les envoyer quérir ; ensuite de quoi il continua de chercher comme les autres ; mais ils cherchèrent tous inutilement. Cependant on voyait alors de partout des gens qui sortaient ou des bois qui étaient proches, ou des ruines de ces maisons qui étaient abattues, ou qui se relevant de terre, allaient chercher ou leurs parents, ou leurs amis ; car cet accident avait dispersé toutes les familles. Ainsi on en voyait qui pleuraient pour leurs pères, d'autres pour leurs enfants, d'autres pour leurs maisons ruinées[1], d'autres pour leurs troupeaux étouffés, et d'autres pour la seule crainte d'avoir perdu ce qu'ils cherchaient ; car encore que les tremblements de terre aient toujours été assez fréquents en cet aimable pays, la douleur de ceux qui s'étaient trouvés engagés en celui-ci n'en était pas moins grande.

Mais entre tant de malheureux, dont ce funeste paysage était tout couvert, Aronce, l'infortuné Aronce, était le plus désespéré ; son affliction était si forte, qu'il n'avait pas la liberté de s'en plaindre ; et ce fut véritablement en cette rencontre qu'il fut aisé de discerner la différence qu'il y a de la douleur d'un père et d'une mère à celle d'un amant. Car encore que Clélius et Sulpicie fussent en une peine extrême de leur fille, il était aisé de voir qu'Aronce souffrait incomparablement plus qu'eux, quoiqu'ils souffrissent beaucoup. Mais à la fin voyant qu'ils n'apprenaient rien de ce qu'ils cherchaient, ils jugèrent que comme ils étaient échappés, Clélie pourrait aussi être échappée ; ainsi ils crurent qu'il était à propos de s'en retourner à Capoue, afin de voir si quelqu'un ne l'y aurait point remenée[2]. Si bien que cette légère espérance ayant passé du cœur de Clélius dans celui d'Aronce, le rendit capable de songer à chercher les voies d'y retourner. Il est vrai que le hasard leur en fournit une ; car ils trouvèrent un chariot vide, que le tremblement de terre n'avait fait que renverser, et qu'engager sous des cendres comme on le remenait à Capoue. De sorte que l'ayant dégagé, et s'étant trouvé un

homme qui le savait conduire, ils se mirent dedans, après que les moins affligés de cette troupe
eurent donné ordre pour faire porter à Capoue les
corps de ces deux amants, et qu'ils eurent obligé
ceux avec qui ils étaient, à faire un léger repas à
la première habitation qu'ils trouvèrent. Car ce
qu'il y eut de remarquable en ce tremblement de
terre, fut qu'il ne s'étendit que depuis le bourg où
les noces d'Aronce se devaient faire, jusques à
Nole[1], et que depuis là jusques à Capoue, il n'y
eut autre mal que celui que la chute de ces cendres embrasées y fit en quelques endroits. La douleur d'Aronce redoubla pourtant en y arrivant,
lorsqu'il vit qu'il n'y apprenait nulle nouvelle de
sa chère Clélie, ni de son rival. Il est vrai qu'il ne
fut pas longtemps sans savoir qu'Horace n'était
point mort, parce qu'il fut averti par un homme
de sa connaissance, qu'un ami particulier d'Horace, qui se nommait Sténius, en avait reçu une
lettre le matin. De sorte que poussé par une curiosité que l'excès de sa passion rendait infiniment forte il fut le chercher chez lui, où il ne le
trouva pas ; mais comme on lui eut dit qu'il
s'était allé promener dans une grande place qui
était derrière un temple de Diane qui était à Capoue, il fut l'y trouver. Comme Sténius connaissait extrêmement Aronce, il le reçut avec civilité,
quoiqu'il fût rival de son ami ; si bien qu'Aronce
espérant qu'il ne lui refuserait pas ce qu'il voulait
lui demander, l'aborda aussi fort civilement. « Je
n'ignore pas Sténius, lui dit-il, que vous êtes plus
ami d'Horace que de moi ; aussi ne veux-je pas
vous proposer de trahir le secret qu'il vous a
confié ; mais sachant d'une certitude infaillible,
que vous en avez aujourd'hui reçu une lettre, je
viens vous conjurer, et vous conjurer avec ardeur,

de me vouloir dire seulement s'il ne vous apprend pas que Clélie soit vivante. Je ne vous demande pas, ajouta-t-il, que vous me disiez ni où il va, ni où il est présentement ; car comme je sais bien que l'honneur ne vous permet pas de me le dire, je crois qu'il ne me permet pas aussi de vous le demander ; et j'ai même si bonne opinion de vous, que je suis persuadé que je vous le demanderais inutilement ; c'est pourquoi je ne veux pas que la force de mon amour, m'oblige à vous faire une injuste proposition. Mais Sténius, tout ce que je veux de vous, est qu'en faveur d'un amant affligé vous me disiez seulement, "Clélie est vivante", sans me dire en quel lieu de la terre Horace la mène ; et pour vous y obliger, poursuivit-il, j'ai à vous dire que quand vous ne me le direz pas, je ne laisserai pas d'agir comme si je savais avec certitude que Clélie n'est pas morte, et que mon rival la tient sous sa puissance ; c'est pourquoi je crois que sans choquer la fidélité que vous devez à Horace, vous pouvez ne me refuser pas.

— Je ne vous nierai point, répliqua Sténius, que j'ai reçu aujourd'hui une lettre d'Horace, puisque vous le savez ; et je vous avouerai même que je l'ai présentement sur moi ; mais en même temps je vous dirai que je suis étrangement surpris, que vous me demandiez une chose que je ne dois pas faire, et que je veux même croire que vous ne feriez pas si vous étiez en ma place.

— Si je vous demandais quelque chose qui pût nuire à votre ami, répliqua Aronce, vous auriez raison de parler comme vous faites ; mais je ne vous demande que ce qui peut consoler un malheureux amant, sans que cette consolation puisse nuire à son rival ; et si vous aviez aimé, vous ne me refuseriez sans doute pas.

— Je ne sais ce que je ferais comme amant, reprit fièrement Sténius, mais je sais bien que comme ami d'Horace, je ne vous dois rien dire où il ait intérêt, et que je dois trouver fort étrange que vous m'ayez demandé une chose que je ne pourrais faire sans lâcheté.

— Pour vous la faire faire avec honneur, reprit Aronce en mettant l'épée à la main, il faut que vous souteniez aussi bien votre opinion par votre valeur, que par votre opiniâtreté, et que vous défendiez même la lettre d'Horace, puisque vous ne voulez pas que je sache si Clélie est vivante ou morte. »

À ces mots Sténius se reculant de quelques pas, mit l'épée à la main aussi bien qu'Aronce ; et devant que[1] des gens qui les voyaient faire de loin, pussent être à eux, Aronce eut non seulement désarmé et vaincu Sténius, mais il lui eut même arraché la lettre d'Horace ; après quoi il se retira diligemment chez Clélius, où il ouvrit cette lettre de son rival, qui était telle :

HORACE À STÉNIUS

Un tremblement de terre ayant mis la rigoureuse Clélie en ma puissance, je m'en vais chercher un asile à Pérouse[2], où vous m'enverrez toutes les choses que celui qui vous rend ma lettre vous dira, et où vous me manderez[3], pour augmenter ma satisfaction, quel aura été le désespoir de mon rival.

La lecture de cette lettre donna une si sensible joie à Aronce, qu'on ne la saurait exprimer ; car non seulement il apprenait que Clélie était vivante, mais il savait en même temps que son rival la menait en un lieu où l'honneur et la nature l'obli-

geaient d'aller, et où il n'eût peut-être pas été, s'il
eût su que sa maîtresse eût été ailleurs. Si bien
que disant promptement la chose à Clélius, et à
Sulpicie, il se résolut de partir dès le lendemain ;
et en effet il partit avec un équipage qui n'avait
rien de plus magnifique qu'un gendre de Clélius
le devait avoir, n'ayant que trois ou quatre esclaves avec lui. Il est vrai qu'il obligea un ami qu'il
avait fait à Capoue, et qui savait tout le secret de
sa fortune, de faire ce voyage, afin que s'il lui réus-
sissait heureusement, il pût lui faire partager son
bonheur. Cet agréable ami, qui se nommait
Célère, étant donc toute la consolation d'Aronce,
ils partirent de Capoue, laissant ordre à Clélius, et
à Sulpicie, de leur envoyer par une voie sûre toutes
les choses qu'ils savaient être nécessaires, pour
faire que le voyage d'Aronce eût le succès[1] qu'il
souhaitait ; après quoi ces deux amis le commencèrent et le poursuivirent sans aucun obstacle,
quoique le chemin soit assez long, jusques à ce
qu'étant arrivés un soir au bord du lac de Trasi-
mène, ils s'arrêtèrent pour en regarder la beauté.
Et en effet il était digne de la curiosité de deux
hommes aussi pleins d'esprit qu'Aronce et Célère ;
car comme il a trois belles et agréables îles, elles
avaient alors chacune un assez beau château ; et
tout à l'entour du lac il y avait plusieurs villages,
et plusieurs hameaux, qui rendaient ce paysage
un des plus beaux du monde.

Mais à peine Aronce et Célère eurent-ils eu le
loisir de considérer la grandeur et la beauté de
ce lac, qu'ils virent sortir de la pointe d'une de
ces îles deux petites barques, dans une desquelles
Aronce vit sa chère Clélie et Horace, avec six hommes l'épée à la main, qui se défendaient contre
dix qui étaient dans l'autre. Cette vue le surprit

d'une telle sorte, que d'abord il ne voulait pas croire ses yeux ; mais Célère lui ayant confirmé qu'ils ne le trompaient pas, il crut en effet qu'il voyait et sa maîtresse, et son rival ; et il lui sembla même que celui qui était à la proue de la seconde barque, était le prince de Numidie[1] qu'il aimait fort. En cet instant Aronce se trouva bien embarrassé ; car il n'y avait point de bateau proche du lieu où il était, et il fallait faire près de deux milles[2] pour en trouver, à ce que lui dit un guide du pays qui le devait mener jusques à Pérouse. Cependant il fallut qu'il se résolût à aller jusque-là ; car comme les deux barques s'éloignaient toujours de lui en combattant, comme si elles eussent voulu prendre la route de la seconde île du lac, il jugeait bien que quand il aurait entrepris de forcer son cheval à nager, il n'aurait jamais pu les joindre ; car Horace faisait ramer avec une diligence étrange. De sorte que voyant encore plus d'apparence de pouvoir secourir sa maîtresse en allant au lieu où on lui disait qu'il trouverait des bateaux, il poussa son cheval à toute bride vers un endroit où le lac s'enfonçait dans un grand bois, dont il fallait traverser un coin pour aller à une habitation où ce guide d'Aronce assurait qu'il y avait toujours des bateaux. Mais en y allant il regardait continuellement vers les barques qui combattaient, et voyait à son grand regret qu'elles s'éloignaient toujours de lui, et qu'il fallait même qu'il s'en éloignât encore pour se mettre en état de s'en pouvoir approcher. Comme il était donc occupé par une si fâcheuse pensée, et qu'il allait avec une diligence incroyable vers le lieu où il pensait trouver des bateaux, son ami qui n'avait pas l'esprit si occupé que lui, entendit un bruit d'armes et de chevaux, qui lui fit tourner

la tête pour voir si leurs gens les suivaient ; mais
il ne vit ni leurs gens ni leur guide ; car comme
Aronce et lui avaient poussé leurs chevaux à
toute bride, le bois les dérobait à leur vue ; si
bien qu'appelant Aronce, afin qu'il songeât à lui
et qu'il ne s'engageât pas légèrement, il lui dit ce
qu'il oyait[1], voyant bien que sa rêverie l'empêchait de l'entendre. Mais à peine le lui eut-il dit,
qu'un esclave tout couvert de sang, sortant d'entre ces arbres, s'avança vers eux, et leur adressant
la parole, « Eh de grâce, leur dit-il, qui que vous
soyez, venez secourir le prince de Pérouse[2], que des
traîtres veulent assassiner. » À ces mots, Aronce
leva les yeux au ciel, comme pour lui demander
ce qu'il devait faire, en une occasion où tant de
puissantes raisons devaient mettre de l'irrésolu-
tion dans son cœur.

Après avoir porté secours à Mézence, comme l'honneur
le lui imposait, Aronce, légèrement blessé, est hébergé par
Sicanus, avec son ami Célère, sur l'île des Saules, sur les
ordres de Mézence. Il y est très vite rejoint par le prince
de Numidie, lui aussi blessé, qui se révèle être son rival
auprès de Clélie qu'il avait tenté d'arracher des mains
d'Horace. Pendant ce séjour, on expose à Aronce la situation politique en Étrurie : Mézence, qu'il a sauvé d'une
embuscade, tient prisonniers depuis plus de vingt ans sa
propre fille Galérite et le roi Porsenna. Les fidèles de Porsenna doivent s'assembler secrètement dans la demeure
de Sicanus, pour travailler à la libération du roi.

Aronce noue amitié avec Lysimène, princesse des Léontins, elle aussi hôte de Sicanus. C'est à la demande de
celle-ci que Célère entreprend de raconter l'« Histoire
d'Aronce et de Clélie », en présence de plusieurs autres
auditeurs. On apprend ainsi qu'Aronce est le fils de Porsenna ; prisonnier de Mézence, ce dernier a pu, après bien
des mésaventures, épouser Galérite, fille unique du prince
de Pérouse : mais il reste l'otage politique de son beau-
père. De l'union de Porsenna et Galérite en captivité, un

enfant est né secrètement, aussitôt confié à de fidèles serviteurs. Pour échapper à la prévisible injustice de
Mézence, l'enfant est embarqué dans un navire à destina-
tion de Syracuse. Mais le bateau fait naufrage au cap de
Lylibée, en même temps qu'un vaisseau où naviguait un
couple de patriciens romains, Clélius et Sulpicie, fuyant la
tyrannie de Tarquin à Rome. Dans la tempête, ceux-ci ont
perdu leur fils unique : sans rien savoir des origines de
l'enfant, à qui Clélius a sauvé la vie au cœur du naufrage,
ils décident de l'adopter, et lui donnent le nom du fils disparu, Aronce. Ils l'emmènent avec eux à Carthage, desti-
nation de leur exil.

Mais pour en revenir à Clélius et à Sulpicie,
vous saurez Madame, qu'ils s'habituèrent[1] à Carthage où leur vertu leur fit bientôt acquérir beaucoup d'amis ; le jeune Aronce les consola même
si bien de la perte de leur fils, que s'il eût fallu le
perdre pour ressusciter l'autre, ils n'eussent pu
s'y résoudre. En effet je leur ai ouï dire qu'il fut
aimable dès le berceau, et qu'il parut toujours y
avoir quelque chose de si grand en lui, tout petit
qu'il était, qu'il était aisé de s'imaginer dès lors,
qu'il serait ce qu'il est devenu depuis. Il était même
d'autant plus cher à Clélius, et à Sulpicie, qu'ils furent quatre ans sans avoir d'enfants ; mais à la
fin Sulpicie eut une fille qui fut appelée Clélie ;
mais une fille si belle, qu'on parla de sa beauté dès
qu'on parla de sa vie. Je ne m'amuserai[2] pourtant
pas Madame, à vous en exagérer toutes les premières grâces, quoique j'aie ouï dire à Aronce,
qu'elle avait témoigné avoir de l'esprit, même
devant que d'avoir su parler ; car comme j'ai des
choses plus importantes à vous apprendre, je ne
veux pas lasser votre patience par un récit de
cette nature ; et je me contenterai de vous assurer, que si Clélius n'oublia rien pour bien élever
le jeune Aronce, Sulpicie n'oublia rien aussi pour

bien élever la jeune Clélie. Je ne m'amuserai
point non plus Madame, à vous dire mille particularités de la grandeur, et de la magnificence de
Carthage, afin de vous faire comprendre que ces
deux personnes ne pouvaient être mieux en nul
autre lieu de la terre, puisqu'il est vrai qu'on
trouve en celui-là tout ce qu'on peut trouver dans
les républiques les mieux policées, et dans les
monarchies les plus florissantes. Mais comme ce
n'est pas de cela dont il s'agit, puisque ce n'est
que la vie de l'illustre Aronce que vous voulez savoir, je vous dirai seulement en deux mots, que
Carthage est une des plus riches, et des plus belles villes du monde, et que comme tous les Africains ont une inclination naturelle qui les porte à
la joie, quoique ce soit un peuple guerrier, tous
les plaisirs se trouvent en cette magnifique ville
autant qu'en aucun autre lieu de la terre. De plus,
comme Carthage est redoutable à tous ses voi-
sins, elle n'est jamais sans qu'il y ait des gens de
qualité de tous les États qui touchent celui-là ; joint
qu'il[1] y a même dans son voisinage un prince, qui
s'appelle le prince de Carthage parce qu'il se dit
descendu d'une tante de Didon, qui y demeurait
assez souvent, avant qu'il se fût brouillé avec cette
république. Le prince de Numidie qui est présentement ici, y était alors ; et il n'y avait point de
prince en Afrique qui ne fût bien aise d'envoyer
ses enfants à Carthage.

Ainsi Aronce vit dès son enfance des gens de
condition proportionnée à la sienne ; car comme
Clélius s'était rendu très considérable en ce lieu-
là, et qu'Aronce était infiniment aimable dès les
premières années de sa vie, il eut d'abord la familiarité du prince de Carthage, et du prince de Numidie parce que comme il était de même âge

qu'eux, qu'il était extrêmement adroit, et infiniment spirituel, il était mêlé à tous leurs divertissements. Le prince de Carthage le menait même toujours avec lui, lorsqu'il allait à une ville dont il est le maître, qui s'appelle Utique, et qui n'est pas fort loin de Carthage ; de sorte que par ce moyen Aronce n'était presque jamais avec Clélie, qu'il ne considérait alors que parce qu'elle était fille de Clélius, à qui il devait toutes choses. Il trouvait pourtant bien qu'elle était la plus aimable enfant du monde ; mais comme il avait quatre ans plus qu'elle, et qu'il est naturel à quinze ou seize ans, de chercher plus les gens qui ont plus d'âge que soi, que ceux qui en ont moins, Aronce ne s'y arrêtait pas ; et le plaisir qu'il trouvait auprès du prince de Carthage, et auprès du prince de Numidie, faisait qu'il n'avait presque pas le loisir de considérer Clélie. Il vivait toutefois si bien avec Clélius, et avec Sulpicie, qu'ils l'aimaient autant que s'il eût été leur fils ; et ils faisaient pour lui la même dépense que s'il eût effectivement été leur enfant.

Mais Madame, pour vous faire bien entendre tout ce que j'ai à vous dire, il faut que vous sachiez que le prince de Carthage a un homme de qualité auprès de lui, nommé Amilcar, qu'il aime beaucoup, et qui est un des hommes du monde le plus agréable et le plus accompli[1], qui prit Aronce en une si grande amitié, qu'on peut dire qu'Amilcar n'était pas plus aimé du prince de Carthage, qu'Aronce l'était d'Amilcar. Si bien que ce jeune prince ayant pris la résolution de voyager inconnu, Amilcar voulut qu'Aronce fût de ce voyage ; de sorte que du consentement de Clélius et de Sulpicie, Aronce ayant alors seize ans, et la jeune Clélie douze, il partit avec le prince de Carthage et Amilcar pour aller voir toute la Grèce. Mais ce qu'il y eut de remarquable fut qu'à leur retour, la tempête les ayant jetés en Sicile, au lieu de retourner à Carthage, comme ils en avaient eu intention, ils prirent la résolution d'aller voir Rome, et d'aller même à une grande partie des principales villes de la Toscane[1]. Et en effet, ils exécutèrent leur dessein ; de sorte que comme ces deux voyages opposés ne se pouvaient pas faire en peu de temps, ils furent quatre ans sans retourner en Afrique ; si bien que par ce moyen Aronce avait vingt ans, et Clélie seize, lorsqu'ils se revirent.

Mais avant que de vous dire ce qui se passa entre eux à cette première entrevue, il faut que vous sachiez qu'au partir de Rome, où les violences de Tarquin continuaient, le prince de Carthage qui voyageait inconnu, rencontra un illustre Romain appelé Horace, que l'injuste Tarquin avait exilé, et qui sans savoir en quel lieu de la terre il passerait le temps de son exil, se mit à faire conversation avec Aronce qui savait admirablement la langue latine, parce que Clélius qui aimait sa patrie jusques à vouloir mourir pour elle, avait voulu qu'Aronce n'en ignorât pas le langage. De sorte qu'Horace qui avait dessein de s'en aller durant quelque temps en un pays étranger, fut bien aise de trouver un homme si agréable qui parlait sa langue, et qui apprenant le dessein qu'il avait, lui proposa d'aller à Carthage, où il l'assura qu'il trouverait Clélius, dont Horace connaissait le nom et la vertu ; car son père et le sien avaient toujours été amis, quoiqu'ils eussent été rivaux. Si bien qu'Aronce ayant inclination à servir Horace, non seulement parce qu'il paraissait avoir beaucoup d'esprit, mais encore parce qu'il était Romain, et qu'il disait être fils d'un ami de Clélius, pria Amilcar de faire en sorte que le prince de Carthage voulût bien que cet illustre exilé le suivît, et trouvât un asile auprès de lui. Ainsi Amilcar suivant sa générosité naturelle, et voulant satisfaire Aronce qu'il aimait, obtint aisément du prince de Carthage ce qu'il lui demanda pour Horace, qui devint ami particulier d'Aronce, dès ce moment-là, ne prévoyant pas alors ce qui les diviserait un jour.

Mais Madame, avant que de faire arriver cette illustre troupe à Carthage, il faut que vous sachiez qu'en passant à Capoue je l'augmentai encore, et que je vous dise ensuite, que durant les quatre ans de l'absence d'Aronce, Clélie était devenue si admirablement belle, qu'on ne parlait que de sa beauté à Carthage quand il y retourna, et qu'elle y avait donné tant d'amour qu'on ne pouvait compter les esclaves de sa beauté. Celui qui avait alors la plus grande autorité à Carthage, et qui se nomme Maharbal, en était lui-même devenu si amoureux, qu'il n'était pas trop en état de faire observer les lois du pays, n'en reconnaissant point alors d'autres, que celles que l'amour lui donnait. Mais comme c'est un homme violent, et puissamment riche, il s'était imaginé qu'il n'avait qu'à demander Clélie à son père pour l'obtenir ; et en effet si Clélius eût été Carthaginois, il lui eût facilement donné sa fille. Mais comme il avait le cœur tout à fait romain, et qu'il n'avait pas renoncé à sa patrie, il ne pouvait se résoudre de donner Clélie à un homme qui n'était pas de son pays. De sorte que sans déguiser ses sentiments, il s'était d'abord expliqué nettement, lorsqu'on lui avait proposé ce mariage pour sa fille, quoiqu'il parût lui être tout à fait avantageux ; car il n'y avait sans doute rien au-dessus de Maharbal en ce lieu-là. Pour le prince de Numidie, qui était aussi devenu amoureux de cette belle personne, il n'osait témoigner son amour ouvertement, car comme il était alors comme en otage parmi les Carthaginois, depuis un traité que le prince son père avait fait avec cette république, il eût été bien imprudent, s'il eût osé témoigner qu'il était rival de celui qui le tenait en sa puissance, et qui eût pu sur divers prétextes, le faire arrêter, ou du moins le faire sortir de Carthage, et l'éloigner de la personne qu'il aimait. Si bien que ce n'était qu'à la seule Clélie, à qui il tâchait de faire paraître son amour ; car encore qu'il sût bien que Clélius disait hautement qu'il ne marierait jamais sa fille qu'à un Romain, il ne laissait pas d'espérer, s'il pouvait toucher le cœur de Clélie, de lui faire changer de résolution, et d'être même préféré à ce puissant rival qui s'était déclaré si hautement ; car il croyait qu'un prince de Numidie devait être plus considéré de Clélius, qu'un homme qui n'avait qu'une autorité limitée, et qui ne l'avait même pas pour toujours. Voilà donc Madame, l'état où en étaient les choses, lorsque le prince de Carthage, Aronce, Amilcar, et Horace y arrivèrent.

Mais comme le hasard cause les événements les plus remarquables, par de faibles commencements, la manière dont Aronce revit la belle Clélie, contribua peut-être à la passion qui a fait depuis tout le tourment de sa vie. Car vous saurez Madame, que comme Carthage a été autrefois commencée de bâtir par l'illustre Didon, en une place qui lui fut vendue par des Phéniciens, qui s'y étaient déjà habitués, et qu'elle a été achevée par eux, il est toujours demeuré depuis cela, une marque de dépendance de cette superbe ville à celle de Tyr[1] ; car on y fait tous les ans construire un ma-

gnifique vaisseau, dans lequel on envoie aux Phéniciens la dixième partie du revenu de la république,
avec la dixième partie aussi du butin et des prisonniers que l'on a faits à la guerre. Il se fait même
tous les ans un échange de deux filles, que l'on
choisit au sort ; ainsi ceux qui viennent quérir ce
tribut amènent deux Phéniciennes, et reçoivent
deux Carthaginoises, qui sont toujours mariées
très avantageusement, et dans l'un et dans l'autre
pays[1]. Comme cette cérémonie est fort célèbre, il y
a un jour destiné au renouvellement de l'alliance
de ces deux peuples, qui n'est employé qu'en réjouissances publiques ; car il y a toujours deux
hommes de qualité envoyés de Phénicie, qui viennent recevoir ce tribut, et qui pour l'ordinaire font
un festin magnifique, au principal magistrat de
la ville, dans ce superbe vaisseau ; après quoi, dès
qu'il est retourné sur le rivage, les Phéniciens font
ramer et hausser les voiles. De sorte que comme
Maharbal était celui qui devait faire la cérémonie
de ce riche et précieux tribut, et renouveler l'alliance entre les Phéniciens, et les Carthaginois, il
voulut pour contenter sa passion, que les Tyriens
qui devaient faire ce superbe festin y conviassent
les principales dames de la ville. Si bien qu'au sortir du fameux temple de Didon, où cette alliance
s'était renouvelée, toutes ces dames conduites par
une sœur de Maharbal qui est une personne de
beaucoup de vertu, furent mener les deux Carthaginoises, qui devaient aller en Phénicie, et recevoir
les deux Phéniciennes, qui devaient demeurer à
Carthage. Mais comme cette fête était véritablement faite pour Clélie, elle y était avec sa mère,
Clélius n'ayant pas osé l'empêcher d'aller en un
lieu, où tant d'autres dames étaient, quoique la
passion de Maharbal ne lui plût pas. De sorte

qu'elle s'y trouva plus par raison, que par inclination ; car le cœur de cette admirable fille était encore un cœur où personne n'avait de part, et où
nul de ses adorateurs n'avait fait nulle impression. Ainsi on peut dire qu'elle n'aimait encore
que la gloire, si ce n'est qu'on y ajoute sa propre
beauté. Mais à dire les choses comme je les crois,
je pense même qu'elle ne l'aimait pas trop ; du
moins n'ai-je jamais vu de belle en ma vie, en qui
il ait paru moins d'affectation.

Cependant il se trouva que nous arrivâmes à
Carthage, le jour de cette belle fête, et que nous y
arrivâmes avantageusement pour les Phéniciens,
et fort glorieusement pour nous ; car vous saurez
que deux jours auparavant, le vaisseau dans quoi[1]
nous étions, en avait pris deux de l'île de Cyrne,
avec qui les Carthaginois n'étaient pas en paix à
cause qu'il y avait guerre entre la Sicile leur confé-
dérée, et ceux de cette île. Mais sans m'amuser à
vous dire comment cette action se passa, je vous
dirai seulement que le prince de Carthage, Aronce,
Amilcar, et Horace, se signalèrent hautement en
cette occasion et que nous prîmes enfin ces deux
vaisseaux que nous trouvâmes chargés d'un très
riche butin, quoique ceux de l'île de Cyrne ne
soient pas riches. Mais ce qui faisait la chose, était
qu'ils avaient combattu et pris un vaisseau sicilien,
qui venait de Corinthe ; de sorte que nous fîmes
en cette occasion une prise considérable, soit par
la richesse des marchandises, ou par le nombre
des esclaves. Mais pour ne rien dérober à la gloire
d'Aronce, il est certain que tous ceux qui étaient
dans notre vaisseau convinrent qu'il avait plus
contribué à cette grande action qu'aucun autre.
Cependant, comme je l'ai déjà dit, nous arrivâmes fort à propos pour les Phéniciens, à qui la

dixième partie de notre butin appartenait. Mais
nous arrivâmes aussi fort agréablement pour
nous-mêmes ; car lorsque notre vaisseau entra
dans le port, Clélie et trois ou quatre autres dames,
étaient sur la proue de ce magnifique navire, que
les Carthaginois envoyaient en Phénicie ; et elle y
était alors entretenue par Maharbal et par le
prince de Numidie. Dès que nous en approchâ-
mes, le prince de Carthage, Aronce, et Amilcar,
connurent[1] quelle était la fête qu'on faisait, et
nous le firent entendre ; mais lorsqu'ils furent
plus près, et qu'ils purent discerner la beauté de
Clélie, ils en furent extrêmement surpris, et si
surpris qu'Aronce même fut quelque temps sans
la reconnaître. Mais comme il fut d'abord reconnu par Clélie, elle lui fit un salut si obligeant,
qu'il connut bien que cette belle personne était
cette chère sœur d'alliance, avec qui il avait passé
les premières années de sa vie. De sorte qu'il prit
alors beaucoup de part à toutes les louanges que
le prince de Carthage, Amilcar, Horace, et moi,
donnâmes à sa beauté. Mais si Aronce fut sensible
à sa gloire, Clélie le fut aussi à la sienne, lorsque
le prince de Carthage, suivi d'Aronce, d'Amilcar,
d'Horace, et de moi, fut dans ce vaisseau de tribut, où étaient alors toutes les dames, pour rendre compte à Maharbal de la prise qu'il avait
faite ; car comme le vaisseau qu'il montait n'était
pas à lui, et qu'il était à la république, il ne lui
appartenait que la gloire d'avoir fait cette grande
action ; encore la voulait-il donner presque tout
entière à Aronce, à qui il donna tant de louanges,
en parlant à Maharbal en présence de Clélie, qu'il le
fit regarder avec admiration de tout ce qu'il y avait
de gens qui l'entendirent. Mais comme Aronce a
sans doute toute la modestie d'un homme vérita-

blement brave, il s'éloigna du lieu où l'on parlait
si avantageusement de lui ; et s'approchant de
Sulpicie, il lui demanda des nouvelles de Clélius,
qui n'était pas en ce lieu-là ; et un moment après,
ne pouvant plus s'empêcher de parler de la beauté
de son admirable fille, il se réjouit avec elle de la
voir telle qu'elle était ; après quoi cherchant occasion de lui dire à elle-même ce qu'il en pensait, il
fit si bien que durant que Maharbal et le prince
de Numidie parlaient au prince de Carthage et à
Amilcar, il fut lui témoigner la joie qu'il avait de
la revoir, et de la revoir si belle. Clélie de son côté,
qui savait combien son père aimait Aronce, le
reçut avec autant de témoignages d'amitié, que
s'il eût été son frère ; aussi Clélius avait-il voulu
qu'elle l'appelât ainsi, et qu'Aronce la nommât sa
sœur. De sorte que dès qu'il fut auprès d'elle,
cette charmante fille prenant la parole plus tôt
que lui, parce que l'admiration qu'il avait pour sa
beauté l'avait interdit[1] : « Eh bien mon frère, lui
dit-elle, l'absence ne vous a-t-elle point fait oublier
Carthage ? et la Grèce, et l'Italie, ne vous ont-elles
point fait haïr l'Afrique ? Mais avant que vous me
répondiez, ajouta-t-elle en souriant, souvenez-
vous de grâce, qu'encore que je sois née à Carthage, je me vante pourtant d'être Romaine, de
peur que sans y penser, vous n'allassiez la mettre
devant Rome, et préférer quelque autre pays à
ma véritable patrie.

— Je me souviens présentement si peu de tout ce
que j'ai vu pendant mon voyage, répondit Aronce,
que je ne saurais vous en rendre compte ; car
enfin ma chère sœur (s'il est permis à un frère
d'alliance, de vous dire ce qu'il pense de vous),
vous êtes la plus belle chose que j'ai jamais vue :
et si Rome savait quelle est votre beauté, je suis

persuadé qu'elle ferait une plus sanglante guerre à Carthage, pour vous en retirer, que celle que la Grèce fit autrefois à Troie, pour reconquérir cette belle princesse dont le nom durera autant que le monde ; du moins sais-je bien, ajouta-t-il, que la plus fameuse beauté de Rome, qui est celle d'une personne de grande qualité qui s'appelle Lucrèce, n'approche pas de la vôtre.

— À ce que je vois, reprit Clélie en souriant, vous êtes devenu si flatteur, que je n'oserais plus vous nommer mon frère ; car ce n'est pas trop la coutume de louer tant une sœur. Mais pour me dire quelque chose que je puisse écouter sans rougir, poursuivit-elle, dites-moi, je vous en conjure, si vous êtes satisfait de Rome, et si Tarquin mérite toujours par ses violences, le nom de Superbe qu'on lui a donné ?

— Rome est assurément, reprit Aronce, la première ville de toute l'Italie ; et elle mérite même d'être la première ville du monde puisqu'elle se peut vanter d'être votre véritable patrie. Mais pour Tarquin, il y est si absolu que quoique tout le peuple murmure en secret contre lui, il n'y a pas apparence que sa tyrannie finisse si tôt ; car à peine sait-il que quelqu'un n'est pas dans ses intérêts qu'il l'exile, ou le fait mourir. »

Comme Aronce disait cela, on vit entrer dans le vaisseau où il était, la dixième partie des esclaves que le prince de Carthage avait faits, et qu'il avait envoyé quérir pour les remettre aux Phéniciens, qui lui donnèrent mille louanges en les recevant. Mais durant que cela se passait ainsi, Clélie entendit que le prince de Carthage disait que ces esclaves étaient plus ceux d'Aronce, que les siens ; de sorte qu'elle se mit à lui en faire une guerre obligeante, en lui demandant un compte exact de

ses conquêtes. « C'est plutôt à moi, répliqua-t-il
galamment, à vous demander compte des vôtres,
qui sont assurément plus illustres que les miennes ; car je ne doute point, que si je voyais tous
les esclaves que vous avez faits depuis mon départ, je ne les visse en plus grand nombre que
ceux que le prince de Carthage m'attribue ; du
moins sais-je bien que vous pourriez vaincre le
vainqueur des autres, si vous l'aviez entrepris. »
Après cela Amilcar s'étant approché d'Aronce, se
mit à lui demander en riant, et en lui montrant
Clélie, s'il ne craignait point de faire naufrage au
port ; si bien que la conversation étant devenue
générale, je m'y mêlai aussi bien qu'Amilcar. Mais
Madame, je suis contraint d'avouer que je n'ai jamais rien vu de plus beau que Clélie ; car imaginez-vous qu'elle n'a pas seulement tout ce qui fait
la grande beauté, c'est-à-dire les cheveux blonds,
les yeux brillants, le tour du visage agréable, la
bouche bien faite, les dents belles, le teint admirable, les mains merveilleuses, et la physionomie
spirituelle, mais qu'elle a encore tous les charmes
de la beauté. Car elle a l'air galant et modeste[1] ;
elle a la mine haute et douce ; et il ne lui manque
rien de tout ce qui peut imprimer du respect et
donner de l'amour à tous ceux qui la voient. Mais
ce qui la rend encore plus aimable, c'est qu'elle a
autant d'esprit que de beauté. Sa vertu, quoiqu'extrême, n'a pourtant rien d'altier ni de rude ; au
contraire il y a quelque chose de si aisé, et de si
galant dans sa conversation, qu'on est charmé
d'être auprès d'elle ; car encore que Clélie ait l'âme
ferme, et hardie, et qu'elle l'ait beaucoup au-dessus de son sexe, elle a pourtant une douceur si
engageante, qu'on ne peut lui résister ; et cette
grandeur d'âme qui lui fait mépriser les plus

grands périls, quand elle s'en voit menacée, n'empêche pas qu'elle n'ait même une certaine modestie craintive sur le visage, qui sert encore à la rendre plus aimable[1]. Cependant quoiqu'elle n'ait rien de fier ni de superbe dans la mine, elle a pourtant l'air noble, la grâce assurée, et l'action[2] fort belle et fort libre.

Clélie étant donc aussi accomplie que je vous la représente, donna tant d'admiration à Aronce, à Horace, et à moi, lorsque nous la vîmes dans ce vaisseau qui s'en allait en Phénicie, que nous ne parlâmes d'autre chose le reste du jour. Il est vrai que pour Horace, il en parla moins que nous ; car outre que naturellement il n'est pas grand exagérateur, j'ai su depuis, qu'il se sentit si extraordinairement touché de la beauté de Clélie dès cette première vue, qu'il ne put s'empêcher d'avoir l'esprit entièrement occupé de cette belle personne, dont il s'entretenait lui-même, sans en entretenir les autres. Pour Aronce, il fut plus heureux qu'Horace ; car comme la maison de Clélius était la sienne, il y passa le reste du jour et y fut même tout le soir ; mais il n'y logea pourtant plus, parce que le prince de Carthage voulut absolument qu'il logeât dans son palais, et qu'il s'attachât à lui. De sorte que comme Aronce n'avait nul bien que celui que Clélius lui donnait, il ne fut pas marri de trouver une si illustre voie de subsister par sa propre vertu, en recevant des bienfaits d'un si grand prince. Cependant Clélius après avoir embrassé Aronce avec une affection paternelle, eut aussi beaucoup de joie de voir Horace, qui était fils d'un homme qui avait été un de ses plus chers amis tant qu'il avait vécu. Aussi pria-t-il Aronce de l'aimer comme s'il eût été son frère ; et il commanda même à Sulpicie, et à son aimable fille, de prendre un soin tout particulier de lui ; car dès que Clélius eut entretenu Horace sur l'état présent de Rome, il trouva qu'il y avait tant de rapport de ses sentiments aux siens, et qu'il avait une haine si forte pour Tarquin, et pour la fière et cruelle Tullie sa femme, qu'il l'en aima beaucoup davantage. De sorte que depuis cela, Aronce qui estimait fort Horace, et qui en était aussi fort estimé, fit tout ce qu'il put pour lui rendre son exil moins rigoureux. Mais comme l'amitié n'est pas toujours dispensée par l'exacte justice, quoique j'eusse moins de mérite qu'Horace, j'eus pourtant une plus grande part à l'affection d'Aronce, ou du moins à sa confidence, que j'eus tout entière, dès que nous fûmes arrivés à Carthage. Cependant nous sûmes dès le lendemain l'amour de Maharbal pour Clélie, sans que nous sussions celle[1] du prince de Numidie, qui comme je l'ai déjà dit, ne la faisait paraître qu'à celle qui la causait. Mais comme il remarqua bientôt quel était le crédit qu'Aronce avait auprès de Clélius, de Sulpicie et de leur incomparable fille, il fit toutes choses possibles pour acquérir son amitié, où il eut sans doute beaucoup de part. De sorte que depuis cela, comme la liberté est beaucoup plus grande à Carthage qu'à Rome[2], le prince de Numidie, Aronce, Horace, et moi, étions presque toujours chez Sulpicie. Nous y avions même l'avantage de n'y être pas souvent importunés de la présence de Maharbal, parce que comme il avait presque à soutenir tout le poids de la république, il lui était impossible de renoncer absolument à son devoir, pour satisfaire son amour ; joint que se confiant en son autorité, il se dispensait aisément de tous les petits soins qu'il ne croyait pas nécessaires ; et puis comme nul ne s'embarquait à Carthage sans sa permission, il ne craignait pas que Clélius s'en allât et il n'appréhendait pas même qu'il y eût aucun homme de qualité dans la ville, qui osât être son rival. Car pour le prince de Carthage, il tournait les yeux d'un autre côté ; Amilcar semblait alors avoir deux ou trois desseins au lieu d'un ; le prince de Numidie n'était pas en état d'oser ouvertement s'opposer à lui ; il regardait Aronce comme un inconnu qui n'oserait tourner les yeux vers la fille d'un homme à qui il devait la vie ; et il ne nous considérait Horace et moi, que comme deux étrangers, qui ne devions plus tarder à Carthage, et qui ne voudrions pas nous faire un ennemi, de celui qui nous devait protéger. Si bien que par ce moyen, Clélie en était moins importunée, et nous en étions plus heureux ; car encore que Maharbal ait de l'esprit, c'est un esprit incommode parce que c'est un homme qui a une éloquence contrainte, qui parle avec une lenteur insupportable, qui veut qu'on l'écoute toujours comme s'il disait les plus belles choses du monde, qui croit être au-dessus de tous les gens qu'il connaît, qui se pique de grande maison, de grand esprit, et de grand cœur, et qui est de plus le plus violent homme du monde. Cependant malgré toute sa violence, le prince de Numidie était son rival ; il est vrai qu'il l'était d'une manière si adroite, que personne ne s'en apercevait que Clélie seulement ; et il avait même persuadé à Maharbal que la principale raison qui le faisait aller si souvent chez Sulpicie, était qu'il était charmé de son langage ; et en effet ce prince s'était donné la peine d'apprendre la langue romaine, seulement pour pouvoir parler de son amour à Clélie. En effet j'ai su ce matin par lui-même, qu'il s'était servi de l'étude qu'il en

faisait, pour parler la première fois de sa passion
à cette belle personne ; car comme il venait de
quitter un homme qui était à Clélius, qui la lui
apprenait, il feignit en s'entretenant seul avec
elle, durant que Sulpicie parlait à d'autres dames,
d'avoir oublié quelques enseignements qu'il lui
avait donnés. Si bien qu'il se mit à lui faire diverses questions, lui disant qu'il lui serait bien
obligé, si elle voulait être sa maîtresse. «Comme
la langue que vous voulez apprendre, lui dit-elle,
m'est presque aussi étrangère qu'à vous, quoique
je l'aie apprise au berceau, puisque ce n'est pas
celle que je parle d'ordinaire, je vous enseignerais
mes erreurs, au lieu de vous corriger des vôtres ;
c'est pourquoi je ne suis nullement propre à être
votre maîtresse[1].

— Comme je n'apprends principalement cette
langue, lui dit-il, que parce que je sais que vous
l'aimez, et que pour la parler avec vous, je dois
principalement parler comme vous parlez, puisque ce n'est que de vous seule que je veux être
entendu ; c'est pourquoi ne me refusez pas la
grâce de m'éclaircir de mes doutes, et de m'aider
à m'exprimer lorsque je vous entretiens. Car il est
certain que quelque riche, et quelque belle que soit
la langue de votre patrie, je la trouve pauvre, et sté-
rile toutes les fois que je veux vous dire, "Je vous
aime" ; aussi est-ce plutôt parce que je n'ai point
trouvé de termes assez forts pour vous le bien
dire, que par défaut de hardiesse que je ne vous
l'ai point encore dit. Mais enfin cruelle Clélie,
puisque vous ne me voulez pas enseigner à vous
le dire mieux, je vous le dis aujourd'hui ; et je vous
le dis avec la résolution de vous le dire toutes les
fois que j'en trouverai l'occasion ; et avec la résolution aussi de la chercher très soigneusement.

— J'apporterai un soin si particulier à éviter de me trouver auprès de vous, répliqua Clélie, que s'il est vrai que vous m'aimiez[1], vous vous repentirez plus d'une fois de me l'avoir dit.

— Il y a si longtemps que je me repens de ne vous avoir pas découvert mon amour plus tôt, reprit le prince de Numidie, que j'ai peine à croire que je me puisse jamais repentir de vous avoir dit que je vous aime ; car enfin vous ne me pouvez faire entendre rien de si fâcheux où je ne me sois préparé ; je vous demande pourtant la grâce, ajouta-t-il, de me dire seulement que vous n'avez pas autant d'aversion pour moi, que pour Maharbal.

— Ce que vous me venez de dire, répliqua-t-elle, m'a si fort irrité l'esprit, que je ne sais présentement s'il y a quelque autre personne au monde que vous qui me déplaise.

— Ha ! rigoureuse Clélie, s'écria-t-il, vous portez la cruauté trop loin, de ne vouloir pas seulement me dire, que vous me haïssez un peu moins qu'un homme, que je sais que vous haïssez beaucoup ! et de vouloir même que je croie, que je suis seul au monde pour qui vous avez de l'aversion. »

Voilà donc Madame, quelle fut la déclaration d'amour du prince de Numidie, et de quelle manière l'admirable Clélie le traita. Elle lui tint même la parole qu'elle lui avait donnée d'éviter sa conversation particulière ; mais elle eut pourtant la générosité d'apporter quelque soin à faire qu'on ne s'en aperçût pas, de peur qu'on n'en devînt la cause, et que Maharbal ne maltraitât ce prince ; du moins le dit-elle ainsi à une amie qu'il avait ; et elle le lui dit afin de lui faire comprendre que si elle ne le maltraitait pas ouvertement, ce n'était pas qu'il dût en concevoir plus d'espérance, puisque ce n'était que par une bonté qui était entièrement détachée de toutes les prétentions qu'il pouvait avoir. Cependant Aronce en voyant tous les jours l'admirable Clélie, et la voyant avec beaucoup de familiarité, en devint éperdument amoureux ; et ce qu'il y eut d'étrange dans son amour, fut qu'il n'ignora pas un moment, la nature de l'affection qu'il avait pour elle, comme font pour l'ordinaire ceux qui n'ont jamais eu de passion ; et il comprit si bien que cette amour lui donnerait beaucoup de peine, qu'il fut très affligé dès qu'il sentit qu'il en avait ; car encore qu'il fût fort estimé de Clélie, et que Sulpicie et Clélius l'aimassent tendrement, il ne jugeait pas qu'il pût jamais être heureux. En effet il savait quelle était la passion de Clélius pour Rome, et il n'ignorait pas qu'il ne savait point quelle était sa naissance et qu'il semblerait avoir de la présomption, s'il tournait les yeux vers Clélie. Mais le mal était que son cœur n'était plus en sa puissance ; il prit pourtant la résolution de n'oublier rien pour tâcher de le dégager, quoiqu'il la prît sans espérance. D'autre part Horace avait été si puissamment touché de la beauté de Clélie, que je suis assuré qu'il l'aima dès qu'il la vit ; il ne s'imagina pourtant pas d'abord, qu'il en fût amoureux et au contraire d'Aronce il appela *estime*, et *admiration*, ce qu'il devait appeler *amour*. Mais ce qu'il y avait de remarquable, était que ces deux rivaux qui ne se connaissaient pas pour tels, vivaient avec beaucoup d'amitié, et le prince de Numidie avec beaucoup de civilité pour eux. Ainsi Clélie avait trois amants qui ne se connaissaient pas pour être rivaux, et dont elle n'en connaissait même qu'un pour avoir de l'amour pour elle. Je ne mets pas Maharbal en ce rang-là ; car sa passion était si généralement connue que personne ne l'ignorait.

Cependant on se divertit alors assez bien à Carthage ; car on maria ces deux Phéniciennes qui avaient été échangées avec deux Carthaginoises, le jour que nous y arrivâmes ; de sorte que comme elles furent mariées par la république, ce fut une fête célèbre, et durant huit jours ce ne furent que divertissements. J'avoue toutefois qu'il n'y en eut point qu'on dût préférer à la conversation de Clélie ; car, Madame, elle a un certain esprit qui fait qu'elle la tourne comme bon lui semble, et il lui semble toujours à propos de la rendre très agréable. Il me souvient d'un jour entre les autres qu'Aronce, Horace, et moi étions auprès d'elle, avec deux dames de la ville dont l'une se nomme Sozonisbe, et l'autre Barcé ; car il est certain qu'on ne peut pas passer une plus agréable après-dînée[1] que celle que nous passâmes chez Sulpicie. Ce qui causa cette conversation, fut qu'on vint à parler de ces deux Phéniciennes, qu'on venait de marier à deux hommes, dont il y en avait un qui était devenu fort amoureux de celle qu'il avait épousée, dès le premier instant qu'il l'avait vue, et qui avait cessé de l'être aussitôt après ses noces ; et l'autre ayant épousé celle qui lui était destinée sans en être amoureux, semblait l'être devenu depuis son mariage. De sorte que comme cet événement avait quelque chose de singulier et d'agréable, on examina d'abord cette bizarre aventure[2]. « Pour moi, dit alors Clélie, je n'ai jamais pu comprendre qu'il fût possible d'aimer ce qu'on n'a pas eu loisir de connaître ; je conçois aisément, poursuivit-elle, qu'une grande beauté plaît dès le premier instant qu'on la voit ; mais je ne conçois point du tout qu'on la puisse aimer en un moment ; et je suis fortement persuadée, qu'on ne peut tout au plus, la première fois qu'on voit une personne, quelque aimable qu'elle puisse être, sentir autre chose dans son cœur, que quelque disposition à l'aimer.

— Comme vous n'avez jamais eu d'amour, répliqua Horace, il n'est pas fort étrange que vous ne sachiez point comment cette passion s'empare du cœur de ceux qu'elle possède ; mais il est pourtant constamment vrai, qu'on peut avoir de l'amour dès le premier jour qu'on voit une personne qu'on est capable d'aimer. J'avoue toutefois que si on ne la voyait que ce jour-là, que cette amour ne serait peut-être pas assez forte pour donner une longue inquiétude, et qu'elle pourrait même finir aussi promptement qu'elle aurait commencé. Car enfin, comme une première étincelle ne peut faire un grand embrasement, si on ne prend soin de ne la laisser pas éteindre, de même l'amour a besoin qu'on l'entretienne pour l'accroître ; mais après tout, comme cette étincelle ne laisse pas d'être feu, quoiqu'elle n'ait encore ni grande lumière, ni grande chaleur, de même une amour d'un moment, ne laisse pas d'être amour, quoiqu'elle ne vienne que de naître.

— Il est certain, reprit Aronce, que l'amour peut plutôt naître en un instant que l'amitié, qui pour l'ordinaire est toujours précédée par plusieurs bons offices ; mais je suis pourtant persuadé qu'une amour qui n'a pas un commencement si subit, et qui est devancée par une grande estime, et même par beaucoup d'admiration est plus forte, et plus solide, que celle qui naît en tumulte, sans savoir si la personne qu'on aime, a de la vertu ni même de l'esprit ; car j'ai ouï dire qu'il s'est trouvé des hommes qui sont devenus amoureux de femmes, à qui ils n'avaient jamais parlé.

— Il s'en est même trouvé, dit alors Sozonisbe, qui ont aimé des femmes sans les voir, et qui ont eu de l'amour pour une peinture.

— Pour ceux-là, ajouta Barcé, je pense qu'on les peut plutôt mettre au rang de ceux qui n'ont point de raison, qu'au rang de ceux qui ont de l'amour.

— En vérité, répliqua Clélie en riant, je pense que je trouverais moins bizarre de voir un homme fort amoureux d'une fort belle peinture, que de l'être d'une femme sans beauté, sans esprit, et sans vertu, comme il s'en trouve quelques-uns qui le sont.

— En mon particulier, repris-je, je trouve que la belle Clélie a raison, et que la plus grande des folies est d'aimer ce qui n'est point aimable.

— Je suis de votre sentiment, répliqua Horace, mais soyez aussi du mien, et avouez que toutes les grandes passions, ont un commencement violent, et qu'il n'y a rien qui fasse plus voir qu'une amour doit être ardente, et durable, que lorsqu'elle naît en un instant, sans le secours de la raison.

— Je tombe bien d'accord, reprit Aronce avec précipitation, qu'on peut commencer d'avoir de l'amour dès la première fois qu'on voit une aimable personne ; mais je n'avouerai pas que ceux qui ont ce premier sentiment de passion plus violent que les autres, aiment davantage, ni même si longtemps ; car cela est plutôt un effet de leur tempérament, que de la grandeur de leur passion. De sorte que comme pour l'ordinaire, ceux qui sont d'un naturel ardent et prompt, n'aiment pas si constamment que les autres, parce qu'ils se lassent de tout, et que ne pouvant demeurer longtemps en une même assiette, il faut de nécessité qu'ils changent d'amour comme d'autre chose, il s'ensuit de nécessité, que ceux qui aiment le plus promptement, ne sont pas les plus constants.

— Mais enfin, dit Clélie, il ne s'agit pas de savoir s'ils changent, ou s'ils ne changent pas ; car ce n'est pas de cela dont j'entends parler, puisque ce que je soutiens est, qu'on ne peut avoir d'amour dès le premier moment qu'on voit une femme.

— Je vous assure Madame, reprit Horace, que je connais un homme, qui dès le premier jour qu'il vit une des plus admirables personnes de la terre, eut je ne sais quoi dans le cœur, qui l'occupa tout entier, qui lui donna de la joie et de l'inquiétude, des désirs, de l'espérance et de la crainte, et qui le rendit enfin si différent de lui-même, que si ce ne fut de l'amour qu'il eut dans le cœur, ce fut quelque chose qui lui ressembla fort.

— J'en connais un autre, répliqua Aronce sans soupçonner rien de la passion d'Horace pour Clélie, qui a eu assez longtemps de l'estime, et de l'admiration, sans avoir de l'amour pour une merveilleuse personne ; il est vrai que je suis persuadé que la raison qui l'empêchait alors d'en avoir, était qu'il ne croyait pas qu'il lui fût permis d'aimer ce qu'il adorait.

— Mais en commençant d'aimer, répliqua Clélie, a-t-il cessé d'adorer ? car, si cela est, je trouve que celle qu'il adorait, devrait souhaiter qu'il ne l'aimât pas.

— Ces deux sentiments ne sont pas incompatibles Madame, reprit Aronce ; et quoique l'on puisse adorer des choses qu'on n'aime pas, parce qu'elles passent notre connaissance, on ne laisse pas d'en aimer qu'on adore[1].

— Pour moi, reprit Barcé, entre ces deux sentiments, j'aimerais mieux celui qui convient à une
maîtresse, que celui qui n'appartient qu'à une
déesse ; et la tendresse du cœur est si préférable
à l'admiration de l'esprit, que je ne mets nulle
comparaison entre ces deux choses.

— En effet, ajouta Sozonisbe, la tendresse est
une qualité si nécessaire à toutes sortes d'affections, qu'elles ne peuvent être agréables, ni par-
faites si elle ne s'y rencontre.

— Je comprends bien, répliqua Clélie, qu'on
peut dire une *amitié tendre*, et qu'il y a même une
notable différence entre une amitié ordinaire et
une tendre amitié ; mais Sozonisbe, je n'ai jamais
entendu dire une *tendre amour* ; et je me suis toujours figuré, que ce terme affectueux, et significa-
tif, était consacré à la parfaite amitié, et que
c'était seulement en parlant d'elle, qu'on pouvait
employer à propos le mot de *tendre*[1].

— Tant de gens s'en servent aujourd'hui, répliquai-je, qu'on ne saura bientôt plus sa véritable
signification[2].

— Je voudrais pourtant bien empêcher, dit Clélie, que ce mot qui signifie une chose si douce, si
rare, et si agréable, ne fût profané ; cependant,
comme l'a dit Célère, tout le monde s'en sert
aujourd'hui.

— En mon particulier, répliqua Sozonisbe, je
vous promets de ne m'en servir jamais si je ne le
dois, pourvu que vous veuilliez bien me faire entendre sa véritable signification.

— Je vous promets aussi la même chose,
ajouta Barcé ; car je vous avoue ingénument,
qu'encore qu'il ne se passe point de jour que je ne
dise à quelqu'une de mes amies, que je l'aime
tendrement, et à quelqu'un de mes amis, que je

veux qu'il m'aime avec tendresse, j'avoue, dis-je, que peut-être ne m'appartient-il pas de m'en servir[1].

— Comme je suis persuadé, ajouta Aronce, qu'il y a une espèce de tendresse amoureuse, qui met autant de différence entre les amours de ceux qui l'ont, ou qui ne l'ont pas, que la tendresse ordinaire en met à l'amitié, je serai infiniment obligé à la belle Clélie, si elle veut nous bien définir la tendresse et nous bien dépeindre à quoi on la peut connaître, et quel prix elle donne à l'amitié, afin que je lui fasse voir ensuite, que la tendresse jointe à l'amour, en redouble encore le prix[2].

— Comme j'ai naturellement l'âme tendre, reprit Clélie, je pense qu'il m'appartient en effet plus qu'à une autre de parler de tendresse, et que Barcé avec tout son esprit, ne le ferait pas si bien que moi.

— Je vous ai déjà avoué, répliqua cette belle personne, que je ne sais pas trop bien si je me sers à propos de ce mot-là ; et pour vous parler encore avec plus d'ingénuité, je vous avouerai même que je ne sais pas précisément si j'ai de la tendresse, ou si je n'en ai point ; c'est pourquoi je vous serai infiniment obligée, si vous me faites voir la véritable différence d'une amitié ordinaire, à une tendre amitié.

— Elle est si considérable, répliqua Clélie, qu'on peut dire hardiment qu'il y en a presque moins entre l'indifférence, et l'amitié ordinaire, qu'entre ces deux sortes d'amitiés. Car enfin, celle qui n'a point de tendresse, est une espèce d'amitié tranquille, qui ne donne ni de grandes douceurs, ni de grandes inquiétudes, à ceux qui en sont capables. Ils ont presque l'amitié dans le

cœur sans la sentir ; ils cherchent leurs amis, et
leurs amies sans empressement ; ils en sont éloignés sans en être mélancoliques ; ils ne pensent
guère à eux s'ils ne les voient ; ils leur rendent des
offices sans grande joie ; ils en reçoivent aussi
sans grande reconnaissance ; ils négligent tous les
petits soins ; les médiocres maux de ceux qu'ils
aiment ne les touchent guère ; la générosité et la
vanité ont autant de part à tout ce qu'ils font que
l'amitié ; ils ont même une certaine léthargie de
cœur[1], qui fait qu'ils ne sentent pas la joie qu'il y a
d'être aimé de ce qu'on aime ; ils ne mettent presque point de différence entre la conversation des
autres personnes, et celle de ceux à qui ils ont promis amitié ; et ils aiment enfin avec tant de tiédeur, qu'à la moindre petite contestation qu'il y a
entre eux et leurs amis, ils sont tout prêts à rompre, et à rompre sans peine. De plus ils ne sont
point assez sensibles ni au mal ni au bien qu'on
dit des gens à qui ils ont promis amitié ; car pour
l'ordinaire ils s'opposent faiblement à ceux qui
les attaquent, et les louent eux-mêmes sans ardeur, et sans exagération ; ainsi l'on peut presque
dire qu'ils aiment comme s'ils n'aimaient pas,
tant cette sorte d'amitié est tiède. Aussi pour l'ordinaire leur affection est-elle fort intéressée ; et
qui en chercherait bien la cause[2], ne la trouverait
qu'en eux-mêmes. En effet on voit tous les jours
que ces amis sans tendresse, abandonnent ceux à
qui ils ont promis affection, dès que la Fortune
les quitte ; il y en a même qui ne peuvent souffrir
les longues maladies de ceux qu'ils aiment, et qui
cessent de les voir avec assiduité, dès qu'ils ne
sont plus en état de les divertir.

— Ce que vous dites là m'est arrivé une fois, répliqua Sozonisbe, car j'eus une maladie languis-

sante qui me fit bien connaître qu'il n'est guère
de tendres amis. Au commencement que je tom-
bai malade, poursuivit cette belle personne, on
eut des soins de moi les plus grands du monde ;
mais lorsque la longueur de mon mal m'eut fait
devenir fort mélancolique, et que je ne demandais
plus que des remèdes à ceux qui me venaient voir,
au lieu de leur demander des nouvelles, ou de leur
en dire, je fus bientôt en une fort grande solitude ;
et je sus même que ceux que je croyais être mes
meilleurs amis en raillaient. En effet, comme on
demandait un jour à un homme de ma connaissance, s'il y avait longtemps qu'il ne m'avait vue,
il répondit que jusques à ce qu'il fût devenu assez
savant en médecine pour trouver quelques remèdes qui me pussent guérir de ma mélancolie, il ne
me verrait pas ; et la même chose ayant été de-
mandée à une dame, qui avait toujours paru être
de mes amies particulières, elle répondit aussi
cruellement, qu'à moins que de savoir les vertus
de toutes les herbes, on ne pouvait plus me faire
de visites, qui me fussent agréables, et qu'ainsi il
valait bien mieux me laisser en repos, que de se
venir ennuyer en m'importunant.

— Il est vrai, dit Aronce, que ce que la belle Sozonisbe dit est fort véritable.

— Et il est vrai encore, ajouta Horace, que pour
l'ordinaire on se contente de plaindre les malheureux sans les soulager.

— Jugez donc je vous en conjure, ajouta Clélie,
si l'amitié sans tendresse, est une fort douce
chose, et si je n'ai pas raison de ne vouloir point
d'amis, ni point d'amies, qui n'aient le cœur tendre, de la manière que je l'entends. Car enfin ce
n'est que cela seulement qui fait la douceur de
l'amitié, et qui la fait constante, et violente tout

ensemble. La tendresse a encore cela de particulier qu'elle lui donne même je ne sais quel caractère de galanterie qui la rend plus divertissante ; elle inspire la civilité et l'exactitude à ceux qui en sont capables ; et il y a une si grande différence entre un tendre ami, et un ami ordinaire, qu'il n'y en a guère davantage entre un ami tendre, et un amant. Mais pour bien définir la tendresse, je pense pouvoir dire que c'est une certaine sensibilité de cœur, qui ne se trouve presque jamais souverainement, qu'en des personnes qui ont l'âme noble, les inclinations vertueuses, et l'esprit bien tourné, et qui fait que, lorsqu'elles ont de l'amitié, elles l'ont sincère, et ardente, et qu'elles sentent si vivement toutes les douleurs, et toutes les joies de ceux qu'elles aiment, qu'elles ne sentent pas tant les leurs propres. C'est cette tendresse qui les oblige d'aimer mieux être avec leurs amis malheureux, que d'être en un lieu de divertissement ; c'est elle qui fait qu'ils excusent leurs fautes, et leurs défauts, et qu'ils louent avec exagération[1] leurs moindres vertus. C'est elle qui fait rendre les grands services avec joie, qui fait qu'on ne néglige pas les petits soins, qui rend les conversations particulières plus douces que les générales, qui entretient la confiance, qui fait qu'on s'apaise aisément, quand il arrive quelque petit désordre entre deux amis, qui unit toutes leurs volontés, qui fait que la complaisance est une qualité aussi agréable à ceux qui l'ont, qu'à ceux pour qui on l'a, et qui fait enfin toute la douceur, et toute la perfection de l'amitié. En effet, c'est elle seule qui y met de la joie, et qui par un privilège particulier, fait que sans tenir rien du dérèglement de l'amour, elle lui ressemble pourtant en beaucoup de choses. Ceux qui n'ont qu'une amitié grossière et commune, ne se donnent pas seulement la peine de garder les plus belles lettres de leurs amis ; mais ceux qui ont une amitié tendre conservent avec plaisir jusques à leurs moindres billets ; ils écoutent une parole obligeante, avec une joie qui oblige ceux qui la leur ont dite ; ils savent gré des plus petites choses, et comptent les grandes qu'ils font pour rien ; et par un charme[1] inexplicable, ceux qui ont une véritable tendresse dans le cœur, ne s'ennuient jamais avec ceux pour qui ils ont de l'amitié, quand même ils seraient malades, et mélancoliques ; jugez donc quelle différence il y a entre des amis sans tendresse, et de tendres amis.

— Ha ! Madame, s'écria Aronce, si je pouvais aussi bien définir la tendresse de l'amour, que vous savez bien dépeindre celle de l'amitié, je ferais assurément avouer à toute la compagnie, qu'il est des amants sans tendresse aussi bien que des amis.

— Il est vrai, ajouta Horace, que la belle Clélie a admirablement représenté cette précieuse et délicate partie de l'amitié, que si peu de gens connaissent.

— En mon particulier, dit alors Barcé en riant, j'avoue que de ma vie je ne me suis servie à propos du mot de tendresse, s'il est vrai qu'il faille avoir positivement dans le cœur, tout ce que Clélie vient de dire, pour avoir droit de dire qu'on aime tendrement.

— Il n'en est pas de même de moi, ajouta Sozonisbe, car il me semble que j'ai le cœur fait de la manière dont il le faut avoir, pour oser se vanter d'avoir de la tendresse.

— Pour moi, repris-je, qui ai eu plus d'amour que d'amitié en ma vie il m'importe plus de savoir

quelle est cette tendresse amoureuse, qui met de
la différence entre les amants que celle qui en
met entre les amis ; c'est pourquoi je voudrais
bien que la belle Clélie voulût permettre à
Aronce, de dire ce qu'il en pense[1].

— Quoique j'aie encore beaucoup moins d'intérêt à cette espèce de tendresse, répliqua-t-elle,
que vous n'en avez à celle dont je viens de parler,
je consens volontiers qu'Aronce vous apprenne à
vous connaître vous-même, s'il est vrai que vous
ne vous connaissiez pas assez bien.

— Puisque vous me le permettez Madame, dit
alors Aronce, je dirai hardiment que la tendresse
est une qualité encore plus nécessaire à l'amour,
qu'à l'amitié. Car il est certain que cette affection,
qui naît presque toujours avec l'aide de la raison,
et qui se laisse conduire et gouverner par elle,
pourrait quelquefois faire agir ceux dans le cœur
de qui elle est, comme s'ils avaient de la tendresse, quoique naturellement ils n'en eussent
pas ; mais pour l'amour, Madame, qui est presque toujours incompatible avec la raison, et qui
du moins ne lui peut jamais être assujettie, elle a
absolument besoin de tendresse pour l'empêcher
d'être brutale, grossière et inconsidérée[2]. En effet, une amour sans tendresse, n'a que des désirs
impétueux, qui n'ont ni bornes, ni retenue ; et
l'amant qui porte une semblable passion dans
l'âme, ne considère que sa propre satisfaction,
sans considérer la gloire de la personne aimée ;
car un des principaux effets de la véritable tendresse, c'est qu'elle fait qu'on pense beaucoup
plus à l'intérêt de ce qu'on aime, qu'au sien propre. Aussi un amant qui n'en a point, veut tout ce
qui lui peut plaire sans réserves ; et il le veut
même d'une manière si brusque, et si incivile,

qu'il demande les plus grandes grâces, comme si on les lui devait comme un tribut. En effet ces amants fiers qui sont ennemis de la tendresse, et qui en médisent, sont ordinairement insolents, incivils, pleins de vanité, aisés à fâcher, difficiles à apaiser, indiscrets quand on les favorise, et insupportables quand on les maltraite. Ils croient même que la plus grande marque d'amour qu'on puisse donner, soit seulement de souhaiter d'être tout à fait heureux ; car sans cela ils ne connaissent ni faveurs, ni grâces ; ils comptent pour rien de favorables regards, de douces paroles, et toutes ces petites choses qui donnent de si grands et de si sensibles plaisirs, à ceux qui ont l'âme tendre. Ce sont, dis-je, de ces amants qui ne lisent qu'une fois les lettres de leur maîtresse, de qui le cœur n'a nulle agitation quand ils la rencontrent, qui ne savent ni rêver, ni soupirer agréablement, qui ne connaissent point une certaine mélancolie douce qui naît de la tendresse d'un cœur amoureux, et qui l'occupe quelquefois plus doucement, que la joie ne le pourrait faire[1]. Ce sont, dis-je encore une fois, de ces amants de grand bruit qui ne font consister toutes les preuves de leur amour, qu'en dépenses excessives, et qui ne sentent rien de toutes les délicatesses que cette passion inspire. Leur jalousie même est plus brutale que celle des amants qui ont le cœur tendre ; car ils passent bien souvent de la haine qu'ils ont pour leurs rivaux, à haïr même leur maîtresse. Où[2] au contraire les amants dont l'amour est mêlée de tendresse, peuvent quelquefois respecter si fort leurs maîtresses, qu'ils s'empêchent de nuire à leurs rivaux en certaines occasions, parce qu'ils ne le pourraient faire sans les irriter.

— Pour moi, dit Horace, je ne sais point discerner la tendresse d'avec l'amour dans un cœur amoureux ; car cette passion, quand elle est violente, occupe si fort ceux dont elle s'empare, que toutes les qualités de leur âme deviennent ce qu'elle est, ou prennent du moins quelque impression amoureuse.

— Il est vrai que l'amour occupe entièrement le cœur d'un amant, reprit Aronce, mais il est vrai aussi que si un amant a le cœur naturellement tendre, il aimera plus tendrement que celui qui sera d'un tempérament plus fier, et plus rude. Ainsi je soutiens, que pour bien aimer, il faut qu'un amant ait de la tendresse naturelle, devant que d'avoir de l'amour ; et cette précieuse et rare qualité qui est si nécessaire à bien aimer, a même cet avantage qu'elle ne s'acquiert point, et que c'est véritablement un présent des dieux, dont ils ne sont jamais prodigues. On peut en quelque façon acquérir plus d'esprit qu'on n'en a ; on peut presque se corriger de tous les vices, et acquérir toutes les vertus ; mais on ne peut jamais acquérir de la tendresse. On peut sans doute se déguiser quelquefois ; mais ce ne peut être pour longtemps ; et ceux qui se connaissent en tendresse, ne s'y sauraient jamais tromper. En effet toutes les paroles, tous les regards, tous les soins, et toutes les actions d'un amant qui n'a point le cœur tendre, sont entièrement différentes de celles d'un amant qui a de la tendresse ; car il a quelquefois du respect sans avoir d'une espèce de soumission douce, qui plaît beaucoup davantage, de la civilité sans agrément, de l'obéissance sans douceur, et de l'amour même, sans une certaine sensibilité délicate, qui seule fait tous les supplices, et toutes les félicités de ceux qui aiment, et qui est enfin la plus

véritable marque d'une amour parfaite. Je pose
même pour fondement, qu'un amant tendre ne
saurait être ni infidèle, ni fourbe, ni vain, ni insolent, ni indiscret, et que pour n'être point trompé,
ni en amour ni en amitié, il faut autant examiner
si un amant ou un ami ont de la tendresse, que
s'ils ont de l'amour ou de l'amitié. »

Comme Aronce parlait ainsi, le prince de Numidie entra, et un moment après Maharbal, si
bien que la conversation ayant changé d'objet,
toute la compagnie s'en alla peu de temps après,
à la réserve de ce violent amant de Clélie. Au sortir de là je fus avec Aronce chez le prince de Carthage ; mais quoique l'incomparable Amilcar eût
ce soir-là tout l'enjouement de sa belle humeur, et
que tous ceux qui se trouvèrent auprès du prince
de Carthage, avouassent qu'ils ne lui avaient jamais entendu dire de plus agréables choses,
Aronce parut pourtant être assez mélancolique ;
et sa rêverie fut si généralement remarquée,
qu'Amilcar me demanda si je n'en savais point la
cause. De sorte que l'ayant observé plus soigneusement, je pris garde qu'en effet Aronce n'était
pas où il était ; et qu'il avait quelque chose dans
l'âme qui l'occupait extrêmement. Si bien que dès
que nous fûmes retirés car nous logions alors ensemble je me mis à le presser de me dire la cause
de sa rêverie. D'abord il voulut me déguiser la vérité ; mais à la fin lorsque je ne songeais plus à
lui rien demander, parce que je croyais qu'il ne me
voulait rien dire, il s'arrêta vis-à-vis de moi, après
s'être promené quelque temps ; et prenant la parole, « Vous n'êtes guère opiniâtre, me dit-il, à demander ce que vous voulez savoir ; et vous n'avez
assurément guère d'envie de me consoler de la

mélancolie que j'ai, puisque vous ne me pressez pas davantage de vous en apprendre la cause.

— Ha ! Aronce, m'écriai-je en le regardant fixement, je n'ai que faire de vous la demander, puisqu'il faut infailliblement que vous soyez amoureux, pour penser une aussi bizarre chose que celle que vous venez de me dire. Car enfin je vous ai prié avec tendresse, de me dire ce qui cause votre chagrin ; et vous me l'avez refusé comme un homme qui ne me le voulait jamais accorder. Cependant un moment après, vous vous fâchez de ce que je ne vous demande plus ce que vous venez de me refuser ; et je vous trouve même tout disposé à me prier d'entendre ce que vous ne vouliez jamais dire il n'y a qu'un instant. C'est pourquoi je conclus avec raison, ce me semble, que vous êtes amoureux, puisqu'il est vrai qu'il n'y a que l'amour seulement qui puisse faire faire une aussi bizarre chose que celle-là.

— Il est vrai Célère, me dit-il, je suis amoureux ; et quoique vous me disiez presque des injures, il faut pourtant que vous soyez l'unique confident de ma passion, et que je vous dise ce que ne saura peut-être jamais l'admirable personne que j'adore, quoique je la voie tous les jours.

— Vous aimez donc Clélie, lui dis-je, car il me semble que ce n'est qu'elle seule que vous voyez avec assiduité.

— Oui Célère, j'aime Clélie, répliqua-t-il, et je l'aime si ardemment, et si tendrement, que selon toutes les apparences, je vais devenir le plus malheureux homme de la terre.

— Il me semble pourtant, lui dis-je, que si j'étais en votre place, je m'estimerais fort heureux ; car enfin comme vous avez été élevé dans la maison de Clélius, vous vivez avec Clélie avec la même li-

berté que si elle était votre sœur, et son père et sa
mère vous regardent en effet comme si vous étiez
son frère.

— Il est vrai Célère, reprit-il, mais ils ne me regardent pas comme son amant ; et je suis fortement persuadé que s'ils me regardaient comme
tel, ils me haïraient autant qu'ils m'aiment, et
qu'ils penseraient avoir droit de m'accuser d'une
ingratitude effroyable, et d'une présomption terrible. En effet, je dois la vie au généreux Clélius, et
je ne sais à qui je dois ma naissance ; il m'a trouvé
dans les flots ; il m'a sauvé d'un péril épouvantable ; il m'a élevé avec un soin extrême ; je lui dois
tout ce que j'ai de vertu ; et je serais sans doute le
plus lâche de tous les hommes, si je faisais volontairement une chose qui lui doit déplaire. Cependant quoique je sois assuré qu'il ne trouverait
nullement bon qu'un inconnu osât tourner les
yeux vers son admirable fille, je ne saurais m'en
empêcher ; et je sens bien que je ne pourrai jamais cesser de l'aimer. Ainsi me voyant destiné à
aimer sans espérance, je n'ai qu'à me préparer à
des supplices inimaginables ; car je ne sache rien
de plus cruel, que de ne pouvoir avoir de l'amour
sans avoir de l'ingratitude.

— Vous avez l'âme si grande, et le cœur si bien
fait, repris-je, que je ne tiens pas possible que Clélius mette en doute que votre naissance ne soit
très illustre.

— Quand il en serait assuré, répliqua-t-il, je ne
serais pas en droit d'espérer de posséder Clélie,
quand même il serait possible que cette merveilleuse fille ne me haït point ; car puisque Clélius la refuse à Maharbal, qui est d'une naissance
très haute, qui est très riche, et qui a la première
autorité dans une des premières villes du monde,

il la refuserait bien à un malheureux qu'il regarde-
rait toujours comme un ingrat, et qui serait peut-
être même regardé de Clélie comme un homme
qui chercherait autant à s'enrichir en l'épousant,
qu'à se rendre heureux par la seule possession de
sa personne. Ainsi mon cher Célère, je n'ai rien à
espérer ; car si Clélius demeure dans les sentiments où il m'a dit qu'il est, il ne donnera jamais
sa fille qu'à un Romain ; et s'il en change, il la
donnera apparemment à Maharbal. Mais à vous
dire la vérité je ne crains pas trop cette dernière
disgrâce ; je n'en suis pourtant pas moins à plaindre, ajouta-t-il, car étant assuré que je ne suis
point de Rome, quand je serais assez heureux
pour apprendre que je serais d'une naissance proportionnée aux sentiments que j'ai dans le cœur,
Clélius me refuserait Clélie, comme il la refuse à
mon rival. Mais hélas ! je suis même bien éloigné
de cet état-là ! puisque je ne sais qui je suis, et que
selon toutes les apparences je ne le saurai jamais.
Cependant j'aime Clélie, je l'aime sans espérance,
et je l'aime même avec la résolution de ne le lui
dire point, et de ne murmurer pas si elle s'irrite
d'être aimée de moi, en cas qu'elle devine la passion que j'ai pour elle ; jugez donc après cela mon
cher ami, si je n'ai pas sujet d'être mélancolique[1].

— Pour moi, lui dis-je, qui suis persuadé que la
trop grande prudence est bien souvent inutile en
amour, sans considérer tout ce que vous considé-
rez, je ferais diverses choses ; car je combattrais
ma passion autant que je le pourrais, et si je ne la
pouvais vaincre, je chercherais à me persuader[2]
tout ce qui la pourrait flatter ; et je n'oublierais
rien de tout ce qui me pourrait tromper agréablement.

— Pour la première chose, répliqua Aronce, je suis résolu de la faire, quoique je sois persuadé que je la ferai inutilement ; mais enfin je dois cela à la générosité de Clélius ; et il faut, s'il a un jour quelque chose à me reprocher, que je n'aie du moins rien à me reprocher à moi-même. Mais pour la dernière, je ne serai jamais en pouvoir de suivre votre conseil ; car bien loin de chercher à me tromper agréablement, je cherche, malgré que j'en aie, à me rendre plus malheureux. En effet il y a des instants où je crois que Clélius ne saura jamais ma naissance, non plus que moi ; et il y en a d'autres où je crois que j'apprendrai, et qu'il apprendra, que je suis fils de quelque ennemi de Rome, ou de quelque ami de Tarquin.

— Je plains étrangement mes amis des malheurs qui leur arrivent, lui répliquai-je, mais je ne les saurais plaindre de ceux qu'ils se font ; c'est pourquoi ne vous attendez pas d'avoir nulle part à ma compassion, lorsque vous ne souffrirez que les maux que vous vous ferez à vous-même. »

Après cela comme il était déjà tard nous nous couchâmes ; mais je mentirais si je disais que nous dormîmes paisiblement ; car il est vrai qu'Aronce ne dormit point du tout et qu'il me réveilla diverses fois pour me parler de sa passion. Mais enfin Madame, comme il a une générosité merveilleuse, il se mit effectivement dans la fantaisie, de s'opposer de toute sa force à l'amour qu'il avait dans l'âme, et il n'oublia rien pour cela ; car il allait le moins qu'il pouvait aux lieux où était Clélie ; il cherchait Clélius en son particulier, sans chercher son admirable fille ; et il s'attachait si fort auprès du prince de Carthage, et avec Amilcar, qu'il n'y avait personne qui ne crût qu'il avait plus d'ambition que d'amour. Horace même, tout son ami et tout son rival qu'il était, ne s'aperçut point de l'amour qu'il avait pour Clélie ; le prince de Numidie aussi n'en eut aucun soupçon ; et Clélie même ne se l'imagina pas. Cependant comme elle voulait éviter soigneusement de donner les occasions au prince de Numidie de lui parler de son amour, elle avait donné un ordre si général de ne la laisser jamais seule, que quand Aronce eût été assez hardi pour lui vouloir dire qu'il l'aimait, il n'eût pu en trouver l'occasion. De sorte que comme rien n'augmente davantage une amour naissante, que la difficulté de la dire, Horace de son côté, devint bientôt aussi amoureux qu'Aronce. Mais comme il aime naturellement à faire secret de toutes choses, il ne dit rien de sa passion ni à Aronce, ni à moi ; ainsi ces deux amis étaient rivaux sans avoir sujet de se plaindre l'un de l'autre, parce qu'ils ignoraient également leur amour. Pour le prince de Numidie, comme il regardait Aronce comme s'il eût été frère de Clélie, il lui donnait mille marques d'amitié, sans lui découvrir sa passion, afin qu'étant son ami, il lui fût favorable quand l'occasion s'en présenterait. Pour Maharbal, moins il voyait de correspondance à son amour dans le cœur de Clélie, plus sa passion augmentait ; et plus Clélius lui apportait de raisons pour lui prouver qu'il ne devait point songer à marier sa fille à Carthage, puisqu'il avait intention d'aller à Rome dès qu'il pourrait y retourner, plus il s'opiniâtrait à vouloir faire réussir son dessein. De sorte que Clélius et Sulpicie étaient extrêmement affligés de se voir sous le pouvoir d'un homme amoureux, et d'un homme à qui ils voulaient refuser tout ce qui pouvait satisfaire sa passion. D'autre part quoique Sulpicie témoignât avoir beaucoup d'amitié pour Horace, parce que Clélius le voulait ainsi, il était pourtant vrai que dans le fond de son cœur, elle avait quelque secrète disposition à ne rendre pas justice à son mérite, parce qu'il était fils d'une personne dont Clélius avait été fort amoureux, et qu'il avait pensé autrefois épouser. Si bien que Sulpicie conservant encore quelques restes de jalousie, qui lui persuadaient que son mari n'aimait Horace que parce qu'il avait encore quelque agréable souvenir de l'amour qu'il avait eue pour sa mère, elle avait sans doute beaucoup moins de disposition à l'aimer que Clélius ; et elle aimait bien plus tendrement Aronce qu'Horace. Pour Clélie elle les estimait tous deux ; mais comme elle était équitable elle voyait bien que s'il y avait quelque égalité entre ces deux hommes, pour ce qui regardait les qualités essentiellement nécessaires aux honnêtes gens, il n'y en avait pas autant pour l'agrément de l'humeur, ni pour celui de la personne, étant certain qu'Aronce est beaucoup au-dessus de son rival, quoique son rival soit presque au-dessus de tous les autres hommes. Ainsi Clélie penchait par choix du côté d'Aronce ; joint qu'ayant vécu avec lui dans son enfance, comme s'il eût été son frère, il y avait entre elle et lui une familiarité plus grande qu'entre Horace et elle, quoiqu'il fût Romain, et quoique Clélius lui commandât de vivre avec lui comme si elle eût été sa sœur.

Amilcar est obligé de suivre le prince de Carthage à Utique : Aronce et Célère l'accompagnent. À Carthage cependant, Maharbal a découvert les sentiments du prince de Numidie pour Clélie ; devant la résistance de celle-ci, soutenue par son père, il projette de faire arrêter Clélius. Alerté par Adherbal, Clélius et sa famille prennent la fuite avec Horace sur un navire en partance pour Syracuse. Apprenant la nouvelle, Aronce décide de partir les rejoindre.

Durant la traversée, il croise la route d'un vaisseau corsaire : la bataille s'engage. Aronce découvre au cours du combat que Clélius, Sulpicie, Clélie et Horace sont prisonniers des pirates. Avec l'aide de Clélius et d'Horace, qui sont parvenus à se défaire de leurs chaînes, Aronce emporte la victoire. Après une rapide halte à Syracuse, tous s'acheminent pour Capoue, où ils sont accueillis par l'oncle de Célère, gouverneur de la cité.

La vie s'écoule paisiblement, dans une atmosphère d'« honnête liberté », de fêtes et divertissements galants. Clélie reçoit chez elle toute la belle société de Capoue. Elle est entourée de très nombreux admirateurs. Aronce et Horace, qui s'ignorent toujours comme rivaux, sont de tous ses plaisirs. Aronce cependant déclare son amour à la jeune fille dans une lettre respectueuse, au moment même où Horace en fait autant. L'enchaînement des réponses conduit les deux amants de Clélie à se faire une mutuelle confidence de leur passion. Avec une égale générosité, ils choisissent de ne pas céder aux premiers mouvements de haine.

« Comme ces deux rivaux en étaient là, le hasard me conduisit où ils étaient ; si bien que comme je remarquai quelque altération en leur visage, qui me donna de l'inquiétude, je les pressai tant de me dire ce qu'ils avaient à démêler, que je devins le dépositaire des promesses qu'ils se firent, de ne s'entre-nuire point auprès de Clélie, par nulle autre voie que par celle de tâcher de s'en faire aimer. Ils se promirent même de ne s'entre-découvrir point à Clélius et d'attendre à rompre d'amitié ensemble, que Clélie en eût choisi un des deux. Et en effet ils vécurent quelque temps avec la même civilité, qu'ils avaient accoutumé d'avoir l'un pour l'autre ; mais je suis assuré que dans le fond de leur cœur, leurs sentiments étaient bien changés, et que si leur propre générosité ne les eût obligés à se contraindre, ils se fussent brouillés plus d'une fois, sur des prétextes assez légers. Ils furent pourtant maîtres d'eux-mêmes, comme je l'ai déjà dit ; et ils vécurent si bien ensemble, que si Clélie n'eût pas déjà su leur amour, elle eût eu peine à [la] connaître lors qu'ils[1] étaient rivaux. Cependant ils prirent chacun une résolution différente, pour agir avec Clélie ; car Horace prit celle, après lui avoir découvert son amour, de la presser continuellement de lui vouloir être favorable ; et Aronce au contraire se résolut de dire à Clélie qu'il ne voulait rien, qu'il n'espérait rien, et qu'il ne demandait autre chose que la seule grâce d'être cru son amant, quoiqu'il ne prétendît d'en être aimé que comme le premier d'un petit nombre de gens que Clélie appelait ses tendres amis, à la distinction de beaucoup d'autres qui n'avaient pas une place si avantageuse dans son cœur. De sorte que Clélie trouvant Aronce bien plus commode qu'Horace le fuyait moins que son rival ; elle leur défendit pourtant à chacun en particulier, de lui parler jamais d'amour ; mais quoiqu'Aronce lui obéît mieux qu'Horace, il lui en persuada pourtant davantage ; et l'empressement du premier, fit si bien paraître la discrétion du second, qu'il en fut beaucoup moins malheureux.

Comme les choses en étaient là, il arriva à Capoue un Romain appelé Herminius[2], qui est un homme d'un mérite extraordinaire, et qui a un tour si galant dans l'esprit, qu'on ne peut l'avoir plus agréable. Mais Madame, comme je n'ai pas le loisir de vous en faire la peinture, parce qu'il y aurait trop de choses à dire pour vous le faire bien connaître, il suffit que je vous dise que comme il était Romain, qu'il était exilé par Tarquin, qu'il était de la connaissance d'Horace, et que de plus il était fort honnête homme, comme je l'ai déjà dit, il suffit, dis-je, que je vous dise toutes ces choses en général pour vous faire comprendre que Clélius

qui aimait tout ce qui était aimable, et tout ce
que haïssait le tyran de Rome, ne sut pas plutôt
qu'Herminius était à Capoue, qu'il lui offrit tout
ce qui dépendait de lui, et qu'il pria Aronce de
vouloir lier amitié avec cet illustre Romain. Il le
mena même à Sulpicie, et à sa fille, qui n'eurent
pas grand-peine à se résoudre de faire civilité à
un si honnête homme. Mais Madame, il faut que
vous sachiez qu'Herminius fut si touché du mérite de Clélie, que quoiqu'il fût ardemment amoureux à Rome, et que ce ne soit pas l'ordinaire que
ceux qui ont une violente amour, puissent avoir
en même temps une violente amitié[1], il est pourtant vrai qu'il eut un empressement étrange, à
vouloir acquérir quelque place en celle de l'admirable Clélie ; et si Horace ne nous eût appris ce
qu'il savait de ses aventures, et qu'il ne nous eût
même fait voir diverses choses infiniment galantes, qu'il avait faites pour sa maîtresse[2], nous eus-
sions presque cru qu'il était amoureux de Clélie ;
car il la louait avec une certaine exagération qui
semble être particulière à l'amour ; il la cherchait
avec un soin extrême ; il était ravi de joie quand
il était auprès d'elle ; il s'ennuyait quand il ne la
voyait pas ; et il témoignait souhaiter si fortement
son amitié, qu'Aronce et Horace ne désiraient pas
plus passionnément son amour. Cependant
quoiqu'il tâchât à la divertir de cent manières différentes, qu'il essayât de deviner tout ce qui lui
pouvait plaire, et qu'il lui plût en effet, Horace, ni
Aronce, n'en avaient point d'inquiétude, parce
qu'ils savaient qu'il était amoureux à Rome. Ainsi
tous ceux qui le voyaient chez Clélie l'aimaient ;
et Clélie même l'estimait infiniment. Cependant
cette admirable fille, vivait de façon qu'elle n'avait
pas un amant qui ne fût obligé de se cacher sous

le nom d'ami, et d'appeler son amour *amitié* ; car
autrement ils eussent été bannis de chez elle ; et
Aronce et Horace se disaient amis comme les
autres, si ce n'était en certaines occasions inévita-
bles, où ce dernier importunait étrangement Clélie, par ses plaintes continuelles. Pour moi qui
étais amoureux de Fénice, j'étais aussi ami de Clélie ; et je me souviens d'un jour entre les autres,
qu'Aronce, Herminius, Horace, Fénice, et moi,
étions auprès de Clélie chez qui il y avait aussi
beaucoup d'autres personnes, que Sulpicie entretenait ; car il faut que vous sachiez, que ce jour-
là fut un des plus agréables jours du monde, vu
la manière dont la conversation se tourna.

En effet comme Herminius était un galant
d'amitié qui ne pouvait s'empêcher de dire toujours quelque chose de tendre à Clélie, Aronce
pour lui en faire la guerre, lui dit qu'il ne pouvait
choisir personne à dire des douceurs d'amitié,
qui connût mieux la véritable tendresse que Clélie
la connaissait, ajoutant que s'il voulait se contenter de l'entendre définir, il serait le plus heureux
ami du monde, parce que Clélie en parlait mieux,
que qui que ce soit n'en avait jamais parlé. "S'il
est vrai que je n'en parle pas mal, répliqua-t-elle,
c'est parce que mon cœur m'a appris à en bien
parler, et qu'il n'est pas difficile de dire ce que l'on
sent ; mais il ne faut pas conclure de là, ajouta
cette belle personne, que tous ceux que j'appelle
mes amis, soient de mes tendres amis, car j'en ai
de toutes les façons dont on en peut avoir. En effet, j'ai de ces demi-amis, s'il est permis de parler
ainsi, qu'on appelle autrement d'agréables connaissances ; j'en ai qui sont un peu plus avancés, que
je nomme mes nouveaux amis ; j'en ai d'autres
que j'appelle simplement mes amis ; j'en ai aussi

que je puis appeler des amis d'habitude ; j'en ai
quelques-uns que je nomme de solides amis et
quelques autres que j'appelle mes amis particuliers ; mais pour ceux que je mets au rang de
mes tendres amis, ils sont en fort petit nombre ; et
ils sont si avant dans mon cœur, qu'on n'y peut jamais faire plus de progrès. Cependant je distingue
si bien toutes ces sortes d'amitiés, que je ne les
confonds point du tout[1].

— Eh de grâce aimable Clélie, s'écria Herminius, dites-moi où j'en suis, je vous en conjure.

— Vous en êtes encore à *Nouvelle Amitié*, reprit-elle en riant, et vous ne serez de longtemps
plus loin.

— Du moins, répliqua-t-il en souriant aussi
bien qu'elle, ne serais-je pas marri de savoir combien il y a de *Nouvelle Amitié* à *Tendre*.

— À mon avis, reprit Aronce, peu de gens savent la carte[2] de ce pays-là.

— C'est pourtant un voyage que beaucoup de
gens veulent faire, répliqua Herminius, et qui mériterait bien qu'on sût la route qui peut conduire à
un si aimable lieu ; et si la belle Clélie voulait me
faire la grâce de me l'enseigner, je lui en aurais
une obligation éternelle.

— Peut-être vous imaginez-vous, reprit Clélie,
qu'il n'y a qu'une petite promenade, de *Nouvelle
Amitié* à *Tendre* ; c'est pourquoi avant que de
vous y engager, je veux bien vous promettre de
vous donner la carte de ce pays qu'Aronce croit
qui n'en a point.

— Eh de grâce Madame, lui dit-il alors, s'il est
vrai qu'il y en ait une, donnez-la moi aussi bien
qu'à Herminius."

Aronce n'eut pas plus tôt dit cela, qu'Horace fit
la même prière, que je demandai la même grâce,

et que Fénice pressa aussi fort Clélie de nous donner la carte d'un pays, dont personne n'avait encore fait de plan. Nous ne nous imaginâmes pourtant alors autre chose, sinon que Clélie écrirait quelque agréable lettre qui nous instruirait de ses véritables sentiments ; mais lorsque nous la pressâmes, elle nous dit qu'elle l'avait promise à Herminius, que ce serait à lui qu'elle l'enverrait, et que ce serait le lendemain. De sorte que comme nous savions que Clélie écrivait fort galamment, nous eûmes beaucoup d'impatience de voir la lettre que nous présupposions qu'elle devait écrire à Herminius ; et Herminius lui-même en eut tant, qu'il écrivit dès le lendemain au matin un billet à Clélie, pour la sommer de sa parole ; et comme il était fort court, je crois que je ne mentirai pas quand je vous dirai qu'il était tel :

HERMINIUS À LA BELLE CLÉLIE

Comme je ne puis aller de Nouvelle Amitié *à* Tendre, *si vous ne me tenez votre parole, je vous demande la carte que vous m'avez promise ; mais en vous la demandant, je m'engage à partir dès que je l'aurai reçue, pour faire un voyage que j'imagine si agréable, que j'aimerais mieux l'avoir fait que d'avoir vu toute la terre, quand même je devrais recevoir un tribut de toutes les nations qui sont au monde.*

Lorsque Clélie reçut ce billet, j'ai su qu'elle avait oublié ce qu'elle avait promis à Herminius, et que n'ayant écouté toutes les prières que nous lui avions faites, que comme une chose qui nous divertissait alors, elle avait pensé qu'il ne nous en souviendrait plus le lendemain. De sorte que d'abord le billet d'Herminius la surprit ; mais comme dans ce temps-là, il lui passa dans l'esprit une imagination qui la divertit elle-même, elle pensa qu'elle pourrait effectivement divertir les autres ; si bien que sans hésiter un moment, elle prit des tablettes, et écrivit ce qu'elle avait si agréablement imaginé ; et elle l'exécuta si vite, qu'en une demi-heure elle eut commencé, et achevé ce qu'elle avait pensé ; après quoi joignant un billet à ce qu'elle avait fait, elle l'envoya à Herminius, avec qui Aronce et moi étions alors. Mais nous fûmes bien étonnés, lorsque Herminius après avoir vu ce que Clélie lui venait d'envoyer, nous fit voir que c'était effectivement une carte dessinée de sa main, qui enseignait par où l'on pouvait aller de *Nouvelle Amitié* à *Tendre*, et qui ressemble tellement à une véritable carte, qu'il y a des mers, des rivières, des montagnes, un lac, des villes et des villages ; et pour vous le faire voir Madame, voyez je vous prie une copie de cette ingénieuse carte, que j'ai toujours conservée soigneusement depuis cela[1]. »

À ces mots Célère donna effectivement la carte qui suit cette page, à la princesse des Léontins, qui en fut agréablement surprise ; mais afin qu'elle en connût mieux tout l'artifice[2], il lui expliqua l'intention que Clélie avait eue, et qu'elle avait elle-même expliquée à Herminius dans le billet qui accompagnait cette carte. Si bien qu'après que la princesse des Léontins l'eut entre les mains, Célère lui parla ainsi : « Vous vous souvenez sans doute bien Madame, qu'Herminius avait prié Clélie de lui enseigner par où l'on pouvait aller de *Nouvelle Amitié* à *Tendre* ; de sorte qu'il faut commencer par cette première ville qui est au bas de cette carte, pour aller aux autres ; car afin que vous compreniez mieux le dessein[3]

de Clélie, vous verrez qu'elle a imaginé qu'on
peut avoir de la tendresse par trois causes différentes, ou par une grande estime, ou par reconnaissance, ou par inclination ; et c'est ce qui l'a
obligée d'établir ces trois villes de *Tendre*, sur trois
rivières qui portent ces trois noms, et de faire
aussi trois routes différentes pour y aller. Si bien
que comme on dit Cumes sur la mer d'Ionie, et
Cumes sur la mer Thyrrène, elle fait qu'on dit
Tendre-sur-Inclination, *Tendre-sur-Estime*, et
Tendre-sur-Reconnaissance. Cependant comme
elle a présupposé que la tendresse qui naît par inclination, n'a besoin de rien autre chose pour
être ce qu'elle est, Clélie, comme vous le voyez
Madame, n'a mis nul village, le long des bords de
cette rivière, qui va si vite, qu'on n'a que faire de
logement le long de ses rives, pour aller de *Nou-*
velle Amitié à *Tendre*. Mais pour aller à *Tendre-*
sur-Estime, il n'en est pas de même ; car Clélie a
ingénieusement mis autant de villages qu'il y a de
petites et de grandes choses, qui peuvent contribuer à faire naître par estime, cette tendresse
dont elle entend parler. En effet, vous voyez que
de *Nouvelle Amitié*, on passe à un lieu qu'elle appelle *Grand Esprit*, parce que c'est ce qui commence ordinairement l'estime ; ensuite vous
voyez ces agréables villages de *Jolis Vers*, de *Billet*
galant, et de *Billet doux*, qui sont les opérations
les plus ordinaires du grand esprit dans les commencements d'une amitié. Ensuite pour faire un
plus grand progrès dans cette route, vous voyez
Sincérité, *Grand Cœur*, *Probité*, *Générosité*, *Respect*,
Exactitude, et *Bonté*, qui est tout contre *Tendre*,
pour faire connaître qu'il ne peut y avoir de véritable estime, sans bonté, et qu'on ne peut arriver

à *Tendre*[1] de ce côté-là, sans avoir cette précieuse qualité[1].

Après cela Madame, il faut s'il vous plaît retourner à *Nouvelle Amitié*, pour voir par quelle route on va de là à *Tendre-sur-Reconnaissance*. Voyez donc, je vous en prie, comment il faut aller d'abord de *Nouvelle Amitié* à *Complaisance*, ensuite à ce petit village, qui se nomme *Soumission*, et qui en touche un autre fort agréable, qui s'appelle *Petits Soins*. Voyez, dis-je, que de là, il faut passer par *Assiduité*, pour faire entendre que ce n'est pas assez d'avoir pendant quelques jours tous ces petits soins obligeants qui donnent tant de reconnaissance, si on ne les a assidûment. Ensuite vous voyez qu'il faut passer à un autre village qui s'appelle *Empressement*, et ne faire pas comme certaines gens tranquilles, qui ne se hâtent pas d'un moment, quelque prière qu'on leur fasse, et qui sont incapables d'avoir cet empressement qui oblige quelquefois si fort. Après cela vous voyez qu'il faut passer à *Grands Services*, et que pour marquer qu'il y a peu de gens qui en rendent de tels, ce village est plus petit que les autres. Ensuite, il faut passer à *Sensibilité*, pour faire connaître qu'il faut sentir jusques aux plus petites douleurs de ceux qu'on aime ; après il faut pour arriver à *Tendre*, passer par *Tendresse*, car l'amitié attire l'amitié. Ensuite il faut aller à *Obéissance*, n'y ayant presque rien qui engage plus le cœur de ceux à qui on obéit, que de le faire aveuglément ; et pour arriver enfin où l'on veut aller, il faut passer à *Constante Amitié*, qui est sans doute le chemin le plus sûr, pour arriver à *Tendre-sur-Reconnaissance*. Mais Madame, comme il n'y a point de chemins où l'on ne se puisse égarer, Clélie a fait, comme vous le pouvez voir, que si ceux

qui sont à *Nouvelle Amitié*, prenaient un peu plus
à droite, ou un peu plus à gauche, ils s'égare-
raient aussi ; car si au partir de *Grand Esprit*, on
allait à *Négligence*, que vous voyez tout contre[1]
sur cette carte, qu'ensuite continuant cet égare-
ment, on allât à *Inégalité*, de là à *Tiédeur*, à *Légèreté*, et à *Oubli*, au lieu de se trouver à *Tendre-sur-
Estime*, on se trouverait au *Lac d'Indifférence*, que
vous voyez marqué sur cette carte, et qui par ses
eaux tranquilles, représente sans doute fort juste,
la chose dont il porte le nom en cet endroit. De
l'autre côté, si au partir de *Nouvelle Amitié*, on
prenait un peu trop à gauche, et qu'on allât à
Indiscrétion, à *Perfidie*, à *Orgueil*, à *Médisance*, ou
à *Méchanceté*, au lieu de se trouver à *Tendre-sur-
Reconnaissance*, on se trouverait à la *Mer d'Inimi-
tié*, où tous les vaisseaux font naufrage, et qui par
l'agitation de ses vagues, convient sans doute fort
juste, avec cette impétueuse passion, que Clélie
veut représenter. Ainsi elle fait voir par ces routes
différentes, qu'il faut avoir mille bonnes qualités
pour l'obliger à avoir une amitié tendre, et que
ceux qui en ont de mauvaises, ne peuvent avoir
part qu'à sa haine, ou à son indifférence. Aussi
cette sage fille voulant faire connaître sur cette
carte, qu'elle n'avait jamais eu d'amour, et qu'elle
n'aurait jamais dans le cœur que de la tendresse,
fait que la *Rivière d'Inclination* se jette dans une
mer qu'elle appelle la *Mer dangereuse*, parce qu'il
est assez dangereux à une femme, d'aller un peu
au-delà des dernières bornes de l'amitié ; et elle
fait ensuite qu'au-delà de cette mer, c'est ce que
nous appelons *Terres inconnues*, parce qu'en effet
nous ne savons point ce qu'il y a, et que nous ne
croyons pas que personne ait été plus loin qu'Her-
cule ; de sorte que de cette façon, elle a trouvé lieu

de faire une agréable morale d'amitié, par un simple jeu de son esprit, et de faire entendre d'une manière assez particulière, qu'elle n'a point eu d'amour, et qu'elle n'en peut avoir. Aussi Aronce, Herminius, et moi trouvâmes-nous cette carte si galante, que nous la sûmes devant que de nous séparer ; Clélie priait pourtant instamment celui pour qui elle l'avait faite, de ne la montrer qu'à cinq ou six personnes qu'elle aimait assez pour la leur faire voir ; car comme ce n'était qu'un simple enjouement de son esprit, elle ne voulait pas que de sottes gens, qui ne sauraient pas le commencement de la chose, et qui ne seraient pas capables d'entendre cette nouvelle galanterie, allassent en parler selon leur caprice, ou la grossièreté de leur esprit[1]. Elle ne put pourtant être obéie, parce qu'il y eut une certaine constellation qui fit que quoiqu'on ne voulût montrer cette carte qu'à peu de personnes, elle fit pourtant un si grand bruit par le monde, qu'on ne parlait que de la *Carte de Tendre*. Tout ce qu'il y avait de gens d'esprit à Capoue, écrivirent quelque chose à la louange de cette *Carte*, soit en vers, soit en prose ; car elle servit de sujet à un poème fort ingénieux, à d'autres vers fort galants, à de fort belles lettres, à de fort agréables billets, et à des conversations si divertissantes, que Clélie soutenait qu'elles valaient mille fois mieux que sa carte ; et l'on ne voyait alors personne à qui l'on ne demandât s'il voulait aller à *Tendre*. En effet cela fournit durant quelque temps d'un si agréable sujet de s'entretenir qu'il n'y eut jamais rien de plus divertissant. Au commencement Clélie fut bien fâchée qu'on en parlât tant. « Car enfin, disait-elle un jour à Herminius, pensez-vous que je trouve bon qu'une bagatelle que j'ai pensé qui avait quelque chose de plaisant pour notre cabale en particulier, devienne publique, et que ce que j'ai fait pour n'être vu que de cinq ou six personnes qui ont infiniment de l'esprit, qui l'ont délicat et connaissant, soit vu de deux mille qui n'en ont guère, qui l'ont mal tourné et peu éclairé, et qui entendent fort mal les plus belles choses ? Je sais bien, poursuivit-elle, que ceux qui savent que cela a commencé par une conversation qui m'a donné lieu d'imaginer cette carte en un instant, ne trouveront pas cette galanterie chimérique ni extravagante ; mais comme il y a de fort étranges gens par le monde, j'appréhende extrêmement qu'il n'y en ait qui s'imaginent que j'ai pensé à cela fort sérieusement, que j'ai rêvé plusieurs jours pour le chercher, et que je crois avoir fait une chose admirable. Cependant c'est une folie d'un moment, que je ne regarde tout au plus que comme une bagatelle qui a peut-être quelque galanterie, et quelque nouveauté, pour ceux qui ont l'esprit assez bien tourné pour l'entendre. »

Clélie n'avait pourtant pas raison de s'inquiéter, Madame, car il est certain que tout le monde prit tout à fait bien cette nouvelle invention de faire savoir par où l'on peut acquérir la tendresse d'une honnête personne, et qu'à la réserve de quelques gens grossiers, stupides, malicieux, ou mauvais plaisants, dont l'approbation était indifférente à Clélie, on en parla avec louange ; encore tira-t-on même quelque divertissement de la sottise de ces gens-là ; car il y eut un homme entre les autres qui après avoir vu cette carte qu'il avait demandé à voir avec une opiniâtreté étrange, et après l'avoir fort entendu louer à de plus honnêtes gens que lui, demanda grossièrement à quoi cela servait, et de quelle utilité était cette carte. « Je ne sais pas, lui répliqua celui à qui il parlait,

après l'avoir repliée fort diligemment, si elle servira à quelqu'un ; mais je sais bien qu'elle ne vous
conduira jamais à *Tendre*. »

Ainsi Madame, le destin de cette carte fut si
heureux, que ceux mêmes qui furent assez stupides pour ne l'entendre point, servirent à nous divertir, en nous donnant sujet de nous moquer de
leurs sottises. Mais elle servit en particulier à
Aronce, parce qu'elle nuisit à Horace ; car Madame, il faut que vous sachiez que cet amant, qui
comme je vous l'ai dit, accablait Clélie de plaintes
continuelles, lui parlant un jour de cette carte, et
s'en voulant servir à lui parler de sa passion,
« Hélas Madame, lui dit-il, je suis bien plus malheureux que tous ceux qui vous approchent,
puisqu'il est vrai que je ne vois point de route qui
me puisse conduire où je veux aller, dans cette
ingénieuse carte que vous avez faite ; car je ne
puis toucher votre inclination ; je n'ai pas assez
de mérite pour acquérir votre estime ; je ne puis
jamais vous obliger à nulle reconnaissance ; et je
ne sais enfin quel chemin prendre. Joint qu'à dire
les choses comme je les pense, je ne sais si je ne
veux point aller où quelque autre plus heureux
que moi est déjà arrivé, et si ce pays où l'on dit
que personne n'a encore été, n'est point connu de
quelqu'un de mes rivaux ; car Madame, d'où viendrait cette dureté de cœur que vous avez pour moi,
si vous ne l'aviez tendre pour quelque autre ?
Vous avez naturellement l'âme douce, et le cœur
sensible ; je connais bien que vous avez de l'estime pour moi ; vous n'ignorez pas la passion que
j'ai pour vous ; vous savez aussi que Clélius m'ho-
nore de son amitié ; il n'y a nulle disproportion
de qualité entre la vôtre et la mienne ; et si la fortune change à Rome, j'aurai beaucoup plus de

bien qu'il n'en faut pour rendre un Romain heureux. Mais après tout Madame, ajouta-t-il, je suis persuadé que bien loin de pouvoir passer *Tendre*, je n'y arriverai jamais. Eh veuillent les dieux que quelque inconnu, ne soit pas déjà trop près des *Terres inconnues*, pour pouvoir l'empêcher d'y aller ; et que votre cœur ne soit pas aussi déjà trop engagé à aimer celui dont...

— Vous avez bien fait Horace, interrompit Clélie en rougissant de dépit, de me faire souvenir que mon père vous aime ; car si ce n'était cette considération, je vous traiterais d'une telle sorte. qu'il vous serait en effet aisé de connaître que vous n'arriverez jamais à *Tendre*. Mais le respect que je lui porte me donnant quelque retenue, je me contente de vous dire deux choses ; la première est que je vous défends absolument de me parler jamais en particulier ; et la seconde est que cet inconnu dont vous voulez parler, n'est point aux *Terres inconnues*, parce que personne n'y est et n'y peut jamais être. Mais afin que vous ne vous imaginiez pas que je vous déguise la vérité, je vous déclare qu'il est à *Tendre*, et qu'il y sera toujours, et par estime, et par reconnaissance ; car il a tout le mérite qu'on peut avoir, et il m'a sauvé la vie aussi bien qu'à vous ; mais la différence qu'il y a entre vous et moi, c'est que je suis fort reconnaissante, et que vous êtes fort ingrat. Cependant ce n'est pas ce me semble, agir fort judicieusement que de faire voir qu'on est capable d'ingratitude, lorsqu'on veut obtenir des grâces de quelqu'un. »

Horace voulut répliquer quelque chose, mais Clélie ne voulut pas l'écouter ; joint qu'Aronce étant arrivé, il fut contraint de s'en aller, et de laisser son rival auprès d'elle.

Favorisé de Clélie, Aronce est finalement engagé dans un duel contre Horace. Clélius intervient juste à temps pour empêcher une issue tragique au combat. Il accorde d'abord son soutien à Horace, au désespoir des amants. Mais Aronce, avec l'aide d'Herminius, sauve une fois de plus la vie de Clélius, qu'un émissaire de Tarquin s'apprêtait à assassiner. L'arrivée à Capoue des anciens serviteurs de Porsenna et Galérite, qui avaient sauvé Aronce enfant, permet de faire reconnaître en ce dernier le fils du roi captif. Plus rien ne semble désormais s'opposer aux noces des amants, qui sont fixées à la veille du départ d'Aronce pour Pérouse, où le jeune prince prendra la tête des partisans de Porsenna pour travailler à sa libération. C'est par le récit de la catastrophe à Capoue, sur laquelle s'était ouvert le roman, que Célère conclut son histoire, résumant pour la princesse des Léontins les derniers événements déjà connus du lecteur.

LIVRE DEUXIÈME

Tandis qu'Adherbal, remis de ses blessures, quitte le château de Sicanus pour tenter de retrouver Clélie, Aronce gagne Pérouse, avec l'appui de la princesse des Léontins. Il réussit habilement à se concilier la faveur de Mézence, et, après plusieurs péripéties, parvient à délivrer Porsenna, à se faire reconnaître de ses parents et de Mézence, enfin à négocier un accord de paix entre ce dernier et le roi. Fêtes et réjouissances se succèdent, mais très vite la situation s'assombrit de nouveau. Porsenna a conclu une alliance avec Tarquin, ce qui met Aronce dans une position embarrassante ; informé de la présence de Clélie — toujours prisonnière d'Horace — à Ardée, cité proche de Rome assiégée par les troupes de Tarquin, Aronce prend avec Célère la route d'Ardée pour délivrer Clélie. Il retrouve chemin faisant Amilcar et Herminius, et fait la connaissance des Grecs Artémidore et Zénocrate.

Tous s'accordent pour rallier Ardée, mais seulement après s'être assurés de la situation sur place : Célère part à Rome pour vérifier que Tarquin a bien l'intention de conduire le siège d'Ardée, tandis qu'Aronce confie à un fidèle esclave la mission de s'assurer que Clélie y est toujours retenue.

En attendant le retour des deux informateurs, Herminius, très au fait de la situation à Rome, raconte à ses amis l'« Histoire de Tarquin le Superbe », qu'il ouvre par le récit de la fondation de la Ville. Les grands moments du règne de Tarquin se retrouvent dans cette vaste fresque. C'est ainsi qu'on y voit les crimes par lesquels Tarquin et Tullie sont parvenus à se débarrasser de leurs premiers conjoints, ainsi que du roi Servius, père de Tullie, pour usurper le trône et instaurer un règne tyrannique.

Cependant la fière Tullie, qui avait donné ordre qu'on l'avertît de moment en moment de tout ce qui se passerait, ne sut pas plutôt ce que le cruel Tarquin avait fait[1], qu'elle monta diligemment dans un chariot pour aller au lieu où le Sénat était assemblé ; et faisant appeler son mari, elle lui dit qu'elle venait lui rendre le premier hommage, et le saluer comme roi de Rome. Il est vrai que comme il avait alors des choses plus pressées à faire, il lui dit qu'il lui conseillait de ne demeurer pas plus longtemps parmi une foule de peuple où la tranquillité n'était pas encore établie ; et en effet Tullie rentra dans son chariot. Mais comme celui qui le conduisait fut arrivé au haut de la rue Cyprienne, et qu'il voulut tourner à main droite, pour aller gagner en descendant le pied du mont Esquilin, il aperçut le corps de Servius Tullius, tout couvert de sang et de poussière. De sorte que voyant un si funeste spectacle, il retint la bride de ses chevaux, par un sentiment de respect et d'humanité tout ensemble, et se tournant vers la cruelle princesse qu'il conduisait, il lui montra le corps du roi son père, comme lui voulant montrer ce qui l'avait obligé de s'arrêter. Et en effet cet homme se voulut mettre en devoir de reculer, et de tourner par une autre rue ; mais l'impitoyable Tullie, inspirée par la cruauté même, se moqua de son respect ; et prenant la parole avec une inhumanité inconcevable, « Passe, lui criat-elle avec colère, passe sans t'arrêter ; car il n'est point de chemin qui ne soit beau pour monter au trône. » De sorte que celui qui conduisait ce chariot n'osant lui résister, lâcha la bride à ses chevaux, qui moins impitoyables que la cruelle Tullie, s'empêchèrent autant qu'ils purent, par un sentiment que la seule horreur d'un corps mort leur inspira, de fouler aux pieds celui d'un grand roi. Mais enfin les roues du chariot écrasant le corps de ce grand et malheureux prince en furent tout ensanglantées, sans que la cruelle Tullie, qui vit un si horrible spectacle, en eût le cœur attendri, ni touché d'aucun sentiment de compassion. Au contraire, on dit que lorsque son chariot eut passé par-dessus le corps de son père, elle tourna encore la tête pour le regarder, et pour le regarder avec joie, bien loin d'en avoir de la douleur. Elle eut même l'audace de s'en retourner vers ses dieux domestiques, souillée du sang de son père. Il est vrai qu'à parler véritablement, Tullie ne croyait guère ni à ses dieux domestiques, ni à nuls dieux étrangers, et qu'ainsi il ne faut pas tant s'étonner, si étant naturellement fière et méchante, elle n'était capable de nuls sentiments d'humanité ; aussi ne vit-on que des marques de joie dans ses yeux et en toutes ses actions.

Cependant Tarquin étant le plus fort, imposa la loi aux faibles ; et il agit si absolument dès le premier jour de son règne, que quand il y eût eu plus d'un lustre qu'il eût été paisible possesseur du trône d'où il venait de renverser son beau-père, il n'eût pas agi autrement qu'il agissait. Mais pour pousser l'inhumanité aussi loin qu'elle pouvait aller, il ne voulut pas, de peur que le peuple n'en fût ému de compassion, qu'on donnât sépulture au corps du feu roi, disant avec une cruelle raillerie, que Romulus qui avait été mis au rang des dieux, n'en avait point eu. Et pour porter la cruauté au-delà de tout ce que l'imagination peut concevoir, on assure que la veuve de ce malheureux roi, fut de nuit, accompagnée de ma mère qui fut la seule femme qui ne l'abandonna point en cette funeste rencontre, où était le corps de ce prince, et qu'étant assistée de quelques anciens domestiques, elle le fit porter comme celui du moindre de ses sujets jusques à son palais ; ce que le cruel Tarquin et la fière Tullie ayant su, ils l'envoyèrent étrangler ; du moins est-il certain que cette déplorable princesse ayant envoyé ma mère donner quelques ordres pour les funérailles secrètes du roi son mari, elle la trouva morte à son retour, sans en pouvoir rien découvrir davantage ; car le palais du roi devint un effroyable désert dès qu'il eut été assassiné.

Le récit d'Herminius achevé, le retour des éclaireurs confirme la présence à Ardée d'Horace et de Clélie. Tandis qu'Aronce, Célère et Herminius se mettent en route vers la cité assiégée, Amilcar, Artémidore et Zénocrate prennent la direction du camp de Tarquin. Devant Ardée où il s'apprête à entrer en cachette, Aronce surprend Horace en fuite avec Clélie ; profitant du combat qui s'engage entre les deux rivaux, Hellius — un officier de Tarquin — enlève Clélie et ses compagnes pour les conduire prisonnières à Rome. Aronce décide immédiatement de les rejoindre pour négocier la liberté de sa maîtresse. Quant à Horace, blessé mais sauf, Herminius le ramène à Ardée à la demande d'Aronce.

LIVRE TROISIÈME

En effet Herminius en remenant Horace à Ardée, s'éloignait de Rome avec une répugnance étrange ; car puisqu'Aronce s'y en allait, il pouvait dire que l'objet de toute son amitié, et de toute son amour y était, car il avait une passion violente en ce lieu-là ; il y avait une illustre mère[1] qu'il aimait chèrement, et il y avait une amie en la personne de Clélie qui lui était infiniment chère. Mais après tout, la haine qu'il avait pour Tarquin était si forte, et si bien fondée, qu'il surmontait par elle seule, toute la tendresse de son âme. Pour Horace, la vertu de son rival faisait un de ses plus grands supplices ; la perte de Clélie le faisait pourtant encore souffrir davantage ; et quoiqu'il haït horriblement Tarquin, sa jalousie faisait qu'il aimait encore mieux qu'elle fût esclave de ce tyran, que d'être délivrée par son rival. D'ailleurs Aronce en s'approchant de Rome, avait des sentiments bien mêlés ; car il ne pouvait y aller qu'avec l'intention de servir Tarquin durant le siège d'Ardée, afin de l'obliger à délivrer Clélie ; de sorte que l'aversion qu'il avait conçue pour ce prince, depuis qu'il avait voulu faire assassiner Clélie à Capoue, et depuis qu'Herminius lui en avait raconté la vie, faisait qu'il n'exécutait ce dessein qu'avec une répugnance qu'il n'eût pu vaincre, si l'intérêt de son amour ne l'eût surmontée. D'autre part, quand il pensait que Clélie était peut-être traitée en esclave, et que si elle était reconnue pour fille de Clélius, sa vie serait en grand danger, il n'était pas maître de sa raison, et il abandonnait son âme à la douleur. Il n'osait même espérer pour se consoler que Clélie lui eût conservé son affection tout entière ; ou s'il l'espérait, il l'espérait si faiblement, qu'il n'en était guère moins malheureux. Il craignait aussi d'être obligé de se faire connaître à Tarquin pour ce qu'il était, afin de mieux servir Clélie ; car il jugeait bien que s'il le faisait son amour éclaterait, et serait sue du roi son père, qui ensuite venant à savoir que Clélie était fille d'un ennemi de Tarquin avec qui il avait renouvelé une alliance si solennelle, ne trouverait pas bon qu'il l'aimât, et se résoudrait peut-être de faire savoir à ce prince qui elle était, afin de l'obliger à la perdre. Ce n'est pas qu'il ne connût que le roi son père avait beaucoup de vertu, mais c'est que l'amour lui faisant tout craindre, il craignait même que la beauté de Clélie n'augmentât ses malheurs ; car vu comme Herminius lui avait représenté l'humeur du fils aîné de Tarquin[1], il ne croyait presque pas possible qu'il n'en devînt point amoureux, s'il la voyait ; et il ne pensait pas que Clélie pût être en nul lieu de la terre, sans y être vue de tout le monde. De sorte que le malheureux Aronce allait à Rome avec tant d'inquiétude, que Célère n'était pas peu occupé à le consoler. Ce qui les obligeait d'aller plutôt à Rome qu'au camp, était qu'ils avaient entendu qu'Hellius avait commandé à ceux qui conduisaient les dames avec qui Clélie était, de prendre le chemin de cette fameuse ville. Mais afin de n'y être pas sans connaissance, Herminius en se séparant d'Aronce, lui avait dit des choses si particulières pour dire à la vertueuse Sivélia sa mère, qu'il ne douta point qu'elle ne lui rendît office.

Comme il n'y avait que dix-huit milles d'Ardée à Rome, et que le lieu d'où ils étaient partis en était encore plus près qu'Ardée, ils y fussent arrivés deux heures après le lever du soleil, s'ils ne se fussent pas égarés, et s'ils ne se fussent pas arrêtés. Mais comme ils n'avaient plus de guide, ils prirent un chemin fort long ; et ils furent contraints de faire repaître leurs chevaux, et de se reposer deux ou trois heures. Si bien qu'ils n'arrivèrent à une porte de Rome, qu'on appelait alors la Carmentale, que vers le soir. Cette porte n'était pourtant pas celle par où l'on allait à Ardée, car elle était au pied du Capitole qui lui était opposé ; mais comme Aronce et Célère s'étaient égarés, ils entrèrent par celle-là, et furent loger où ils avaient logé autrefois lorsqu'ils avaient été à Rome par curiosité seulement. Mais à peine furent-ils descendus de cheval, qu'ils furent tâcher de savoir des nouvelles de Clélie, et de retrouver Artémidore, Amilcar, et Zénocrate, qu'ils jugeaient bien devoir être à Rome, parce que Tarquin y était encore, quoiqu'on eût assuré à Célère qu'il en devait partir le lendemain qu'il en était parti. De sorte que s'imaginant, vu l'humeur d'Amilcar, qu'il fallait le chercher vers le palais de Tarquin, Aronce y fut avec Célère.

Mais en y allant il fut bien surpris de voir arriver deux chariots pleins de dames, escortés par des soldats, qui étant entrés à Rome par la porte

de Janus, allaient vers le palais du roi. Ce qui fit
son étonnement, fut qu'il aperçut Clélie dans celui
qui marchait le premier ; il est vrai qu'il la vit
sans qu'elle le vît, parce que comme elle était fort
mélancolique, elle n'attachait ses regards à nul
objet, n'ayant garde de penser qu'Aronce pût être
à Rome ; car vu le péril où elle l'avait laissé, elle
trouvait plus d'apparence à le croire mort ou prisonnier, qu'à se l'imaginer en ce lieu-là. Cependant malgré sa mélancolie, sa beauté était d'un si
grand éclat, que le peuple suivait le chariot où elle
était, seulement pour la voir. Pour Aronce, il ne
l'eut pas plutôt vue, qu'il la montra à Célère, et
qu'il sentit ce que l'on ne saurait exprimer ; car il
eut une joie extrême de la revoir, et de la voir
triste, parce qu'il crut qu'il avait quelque part à sa
tristesse. Mais il eut aussi une douleur effroyable
de la voir captive, et de la voir captive du plus
mortel ennemi de Clélius son père.

Les captives sont conduites au palais de Tarquin, confiées à la garde des Vestales. Aronce parvient à se faire
voir de Clélie. Avec Célère, il retrouve Amilcar qui a su
gagner la faveur des tyrans, et entrer par cette voie dans
la familiarité des captives. La beauté de Clélie a frappé le
prince Sextus aussi bien que Tarquin lui-même. C'est
ainsi qu'autour de Clélie et des autres prisonnières (Plotine, Césonie, Flavie, Valérie), un cercle d'admirateurs
s'est reformé, parmi lesquels on compte Célère, Artémidore, Amilcar, Zénocrate et Aronce qui a conservé l'*inco-
gnito*. De la même manière, Clélie a caché sa véritable
identité et se prétend, sur les conseils d'Amilcar, sœur de
Célère.

Cependant Sextus à qui la beauté de Clélie
plaisait infiniment, lui fit entendre suivant le
conseil qu'Amilcar lui en avait donné, qu'il la
trouvait plus propre à donner des fers qu'à en

porter ; mais elle lui répondit d'une manière qui retint une partie de l'impétuosité de son tempérament. De sorte que ce prince, qui jusques alors n'avait jamais eu d'amour sans espérance, et qui ne connaissait ni la crainte ni le respect, sentit dans son cœur une espèce de crainte respectueuse qui l'empêcha de dire à Clélie ce qu'il eût dit à toute autre ; si bien qu'appelant Amilcar à son secours, il se fit alors une conversation plus générale qui fut assez agréable ; car comme il n'y avait jamais de conversation si éloignée de tous sentiments d'amour, que Sextus ne tournât de ce côté-là, après avoir plaint le malheur de ces belles captives, et après les avoir assurées qu'il les protégerait autant qu'il pourrait, il se mit à dire qu'il croyait que leur captivité ferait des malheureux et à Ardée, et à Rome. « En effet Seigneur, dit Amilcar, comme il n'y a pas ici une captive qui ne soit propre à faire des captifs, je suis assuré qu'il y a bien des amants affligés à Ardée, et qu'il y en aura bientôt de mal traités à Rome.

— Les Romains ont la réputation d'être si glorieux, répliqua cette personne qui supportait sa prison si gaiement, et qui se nommait Plotine, qu'il n'est pas croyable qu'il y en ait un seul qui veuille être esclave d'une esclave.

— Ha ! Seigneur, s'écria alors Amilcar avec cette agréable liberté d'esprit qui lui est naturelle, voilà le plus bel endroit du monde pour un Romain qui voudrait faire une galante déclaration d'amour ; et si je l'étais, je ne la laisserais pas échapper ; car il est certain qu'il n'y a rien de si difficile à faire à propos, et à faire galamment ; du moins sais-je bien que, depuis que je suis amant, je pense en avoir fait cent, sans en avoir jamais pu faire que deux dont j'aie été tout à fait content.

— Il est vrai, dit Sextus en riant aussi bien que Plotine, que pour ces amants réguliers qui cherchent la galanterie délicate à tout, il est assez difficile de trouver ce moment heureux où l'on peut dire de bonne grâce "Je vous aime". Mais pour moi, je n'y cherche point tant de façon ; car je suis tellement persuadé que la chose plaît par elle-même, que je crois qu'on ne la peut dire d'une manière fâcheuse ; c'est pourquoi je la dis toujours assez hardiment quand l'occasion s'en présente.

— Quand on est un grand prince comme vous, reprit Amilcar, qu'on est bien fait, qu'on a de l'esprit, et de l'amour, je pense effectivement qu'il n'est pas trop difficile de dire "J'aime" et de le dire bien ; mais lorsque l'on n'est pas prince, que l'on n'est pas beau, que l'on n'a que médiocrement de l'esprit, et que l'on n'est que médiocrement amoureux, je vous assure que c'est une chose bien plus pénible que l'on ne pense, de faire des déclarations d'amour, si ce n'est à de belles prisonnières ; car en ce cas-là, je n'y trouve difficulté aucune. En effet, ajouta-t-il en souriant, les mots d'*esclave*, de *captif*, et de *captive*, fournissent mille galantes pensées ; et les *fers*, les *chaînes*, et les *supplices*, viennent si naturellement à la chose qu'on veut dire, qu'on trouve mille façons différentes d'exprimer ce que l'on pense. Mais lorsque l'on est presque sans amour, et sans esprit, comme je l'ai déjà dit, il n'y a rien de plus difficile à faire que de dire "Je meurs d'amour".

— Mais si vous n'en avez point, ou si vous n'en avez guère, reprit cette belle enjouée, pourquoi voulez-vous tant vous tourmenter à chercher des déclarations d'amour ? car il ne faut point aller dire ce que l'on ne sent pas.

— Hélas aimable Plotine, lui dit-il, si l'on ne parlait jamais d'amour que lorsque l'on en a le cœur tout rempli, on n'en parlerait qu'une fois ou deux en toute sa vie, car on n'a jamais guère plus de deux violentes passions. De sorte que la conversation serait fort languissante, puisqu'à n'en mentir pas, quand on est longtemps avec des femmes, il faut de nécessité leur parler ou de l'amour qu'elles vous donnent, ou de celle qu'elles donnent aux autres ou de celle qu'elles ont donnée, ou de celle qu'elles peuvent donner ; car je suis assuré que même les plus prudes, et les plus sévères des matrones romaines, quand elles ont été jeunes, se seraient ennuyées avec de fort honnêtes gens, si on ne leur avait jamais parlé que du culte des dieux, des cérémonies des Vestales, des lois du royaume, de la conduite de leurs familles, ou des nouvelles de la ville ; car dès que l'on a dit "Un tel est mort, il a fait son testament", "Une telle se marie à un homme riche, et elle a des habillements magnifiques", et que l'on a dit ensuite "Celui-ci s'est brouillé avec celui-là ; cet autre s'en va aux champs et cet autre a un procès", on ne sait plus de quoi parler ; et je sais même avec certitude qu'en disant tout ce que je viens de dire, une jeune et belle personne ne s'en divertira point. Ainsi il en faut toujours revenir à l'amour, soit que l'on en parle sérieusement, ou non, car une folie de cette nature dite galamment parmi des dames, les divertit plus que de grands raisonnements de morale et de politique, ou que des conversations de nouvelles, quand même on raconterait ce qui se passe par toute la terre[1].

— Je suis tellement de votre avis, reprit Sextus, que même en des visites de consolation de mort, je trouve invention de parler d'amour ; car si c'est une femme qui a perdu son mari qu'elle aimait, il la faut plaindre, principalement, parce qu'elle a perdu ce qu'elle a aimé ; et si elle ne l'aimait pas, il la faut consoler en lui donnant l'espérance qu'elle en trouvera un qu'elle aimera.

— Je pensais pourtant, reprit modestement Clélie, que l'on parlât moins d'amour à Rome qu'ailleurs.

— On y en parle avec un peu plus de mystère, répliqua Sextus, mais après tout on en parle par toute la terre ; et on en parlera tant qu'il y aura des belles qui vous ressembleront.

— Il suffisait de dire, reprit Amilcar, tant qu'il y aura des hommes ; car comme il n'y a guère de belles qui ressemblent à celle à qui vous parlez, vous donnez une trop petite étendue aux conversations d'amour. »

Pendant que Sextus et Amilcar parlaient ainsi, il y avait une de ces dames chagrines qui de son naturel était fière, et un peu capricieuse, qui ne pouvant souffrir alors une conversation de cette nature, querella presque Amilcar ; mais comme elle était bien faite, et qu'elle paraissait avoir de l'esprit, il lui répondit fort civilement, quoique ce fût avec une raillerie fort ingénieuse. D'autre part, l'enjouée, qu'Amilcar divertissait fort, s'opposait à son amie, et lui disait qu'elle avait grand tort de prétendre qu'Amilcar dût être chagrin, parce qu'elle était chagrine. De sorte qu'il se fit alors une conversation tout à fait divertissante ; elle ne fut pourtant pas fort longue ; car à la fin comme il était déjà tard, Sextus et Amilcar s'en allèrent.

Mais comme Amilcar avait fait ce qu'il voulait faire, dès qu'il eut remené Sextus à son appartement, il s'en retourna trouver Aronce. Il remarqua pourtant devant que de quitter ce prince, que Clélie touchait son cœur ; et il lui fit même dire qu'il la trouvait admirablement belle, et que le seul défaut qu'il y voyait, était qu'il croyait qu'elle était trop sage. Cependant comme l'amitié unissait trop Aronce, Amilcar, et Célère, pour être en logis différent, ils se joignirent dès le même soir, et Artémidore et Zénocrate aussi, sans qu'Aronce fût traité comme fils de roi, ni Artémidore comme prince, parce que l'état de leur fortune le voulait ainsi. Mais comme Amilcar les connaissait tous deux, il voulut qu'ils se connussent ; si bien qu'après avoir dit à Aronce tout ce qu'il avait fait, et avoir remis l'espérance et la joie dans son cœur, il obligea Aronce à se découvrir à Artémidore, et Artémidore à se découvrir à Aronce, qui ne sut pas plutôt sa véritable condition, qu'il connut qu'il était frère de la princesse des Léontins, à qui il avait tant d'obligation. Si bien que l'embrassant alors avec tendresse, il l'assura de son amitié, et lui demanda la sienne, sans lui parler pourtant de la princesse sa sœur, jusques à ce qu'il eût su dans quels sentiments il était alors, et si ce qu'il pensait de l'agréable Zénocrate était vrai.

Un après-midi chez Clélie, profitant de la conversation générale qui s'est engagée, Aronce parvient à entretenir en particulier sa maîtresse, qui lui relate ses récentes aventures.

Comme Clélie en était là, le prince Sextus entra, qui fit changer la conversation ; mais comme Amilcar savait que Clélie plaisait fort à ce prince, et qu'il voulut tâcher de l'en détourner, il fit si bien qu'il s'approcha de lui, et lui parlant bas, « Seigneur, lui dit-il, cette aimable captive que vous regardez plus que les autres est assurément la plus belle ; mais l'aimable Plotine que vous voyez à sa main droite, est la plus gaie, et la plus facile à gagner.

— Il est vrai, répliqua Sextus, mais la beauté de l'autre est plus charmante.

— J'en tombe d'accord, reprit Amilcar, mais le mal est que pour la gagner, il faudra soupirer et pleurer longtemps, et que selon toutes les apparences, on ferait la conquête de l'autre en riant, et en se divertissant fort agréablement. »

Après cela Sextus ayant pris sa place, et ce prince ayant trouvé ce qu'Amilcar lui avait dit fort plaisant, il en fit le sujet de la conversation, sans en dire pourtant la véritable cause ; car il fit venir à propos d'en parler comme d'une chose générale, où personne de la compagnie n'avait un intérêt particulier. « Il ne s'agit pas, dit-il après avoir commencé de proposer la question dont il s'agissait, de savoir si une belle enjouée est plus aimable qu'une belle mélancolique, ou qu'une belle fière et capricieuse ; mais il s'agit d'examiner laquelle est la plus propre à aimer, et à donner de plus sensibles marques d'amour[1].

— Ha ! Seigneur, reprit Célère qui ne savait point le dessein d'Amilcar, une belle enjouée donne de l'amour sans en prendre ; et je ne sache rien de plus insupportable que de trouver une de ces belles d'humeur brillante et gaie, qui dès le premier jour vous fait mille civilités obligeantes, qui fait cent parties de plaisir avec vous, qui souffre qu'on lui dise des douceurs, et qui en dit elle-même à sa manière, qui rit, qui chante, qui danse, et qui raille avec la même liberté que si vous l'aviez vue toute votre vie, qui vous fait même cent petits secrets de bagatelles, qui vous prie de l'aller voir, qui vous reçoit admirablement, qui souffre que vos yeux rencontrent les siens et leur disent mille douceurs, et qui donne enfin les plus belles espérances du monde pour rien. En effet, dès que ces belles enjouées ne vous voient plus, elles ne se souviennent ni de ce que vous leur avez dit, ni de ce qu'elles vous ont répondu.

— Pour moi, reprit Amilcar, je ne sais pas trop bien de quoi vous vous plaignez ; car je ne trouve rien de si commode, que de sentir naître l'espérance avec l'amour, que d'être récompensé dès qu'on commence d'aimer, que de trouver le plaisir au commencement d'une passion, que les autres ne cherchent qu'à la fin, et que de ne verser que des larmes de joie en aimant ; car pour ce que vous dites que dès que de belles enjouées ne vous voient plus, elles ne savent ce qu'elles vous ont répondu, rendez-leur oubli pour oubli, et ne vous souvenez point de ce que vous leur avez dit, si elles ne s'en souviennent.

— Si j'étais de l'humeur d'Amilcar, répliqua Célère, il ne me serait pas trop difficile.

— Je vous assure, reprit-il, que ce que vous dites n'est pas si aisé à définir que vous le croyez ; car j'ai eu des amours de toutes les manières dont on en peut avoir. En effet comme j'ai presque été l'amant de toutes de mes amies, et l'ami de toutes mes maîtresses, je suis plus expérimenté que vous ne pensez, et plus difficile à connaître ; car j'ai aimé des personnes enjouées et brillantes ; j'en ai aimé de mélancoliques, de fières, d'inégales, de capricieuses, de petites, de grandes, de brunes et de blondes ; et ce qui est le plus surprenant, c'est que j'ai eu deux ou trois grandes passions, et que cela n'a pas empêché que je n'en aie eu aussi de médiocres, et de petites, et que je n'aie même été capable de faire semblant d'en avoir, quoique je n'en eusse pas.

— Cela étant, dit le prince Sextus, vous pouvez donc nous dire bien précisément, s'il est plus doux d'aimer une personne enjouée, qu'une mélancolique ou une capricieuse.

— Il est vrai, reprit Aronce, qu'il appartient plus à Amilcar d'en parler qu'à un autre.

— Il est pourtant lui-même si enjoué, et d'une humeur si égale, dit alors Artémidore, que je doute si le parti des mélancoliques est bien entre ses mains, non plus que celui des fières capricieuses.

— Pour vous témoigner, répliqua-t-il en riant, que je suis assez accommodant, je vous donne le choix de ces trois choses, et je m'engage à soutenir laquelle il vous plaira.

— Eh de grâce, reprit l'agréable Plotine, n'abandonnez pas le parti des enjouées, et laissez celui des capricieuses et des mélancoliques à soutenir aux autres.

— Vous le soutenez si bien par votre propre beauté, et par l'agrément de votre humeur, reprit Amilcar, que vous n'avez besoin de personne pour cela. Cependant je consens que ce soit moi qui sois le protecteur des belles enjouées.

— En mon particulier, dit le prince Sextus, je prétends être juge.

— Pour ce qui me regarde, ajouta Aronce, je ne veux point mettre en doute une chose qu'il y a longtemps que j'ai résolue dans mon cœur.

— Et pour ce qui me touche, dit Zénocrate, comme je suis encore fort irrésolu en matière d'amour, je ne puis prendre d'autre parti que celui d'écouter.

— Puisque cela est, dit Célère, je choisis de soutenir les mélancoliques.

— Et pour faire quelque chose de plus difficile, ajouta Artémidore, pourvu qu'on me veuille pardonner quelques fautes de langage, je soutiendrai qu'il y a de plus grands plaisirs à être aimé d'une belle fière et capricieuse, que de nulle autre, quoique je tombe d'accord qu'il y ait aussi beaucoup de douceur à être aimé d'une mélancolique sans caprice.

— Pour votre accent grec, je vous le pardonne, dit alors Amilcar ; mais de grâce laissez-moi parler le premier ; car je ne hais rien davantage que de m'aller donner la peine de retenir les raisons des autres pour y répondre.

— Mais pensez-vous, répliqua Clélie en souriant, que les autres aiment mieux retenir celles que vous leur direz ?

— Peut-être, reprit Plotine, les trouveront-ils si bonnes, qu'ils n'auront pas la hardiesse de dire les leurs.

— Comme vous êtes ici la seule, répliqua Césonie, qui pouvez raisonnablement prétendre à la qualité d'enjouée, il pourra être que les autres ne demeureront pas sans protection.

— Je vous assure, reprit Amilcar, qu'il ne leur sera pas aisé d'en trouver. Car enfin pour commencer d'entrer en matière, n'est-il pas vrai que l'amour naît parmi la joie, qu'il ne vit que dans les plaisirs, et que sa fin n'est regardée que comme la plus grande félicité du monde ? En effet les plus grands soupireurs de la terre, ne soupirent que pour avoir de la joie ; et toutes les douleurs et tous les désespoirs d'un amant, ont toujours pour but l'espérance d'être heureux. Pourquoi donc ne vaut-il pas mieux trouver la joie partout, et la trouver sans douleur, que de l'aller chercher par des sentiers difficiles, et que de se mettre en état de ne rire jamais qu'après avoir pleuré ? Car enfin de l'humeur dont je suis, si j'avais été appelé au conseil de la Nature, lorsqu'elle inventa toutes les fleurs qu'elle produit, je n'aurais point donné d'épines aux roses, tant il est vrai que j'aime les plaisirs sans aucun mélange de mal, et que je suis ennemi déclaré de ces amants sombres et mélancoliques, qui n'aiment que les longs chemins en amour, qui ne veulent pas un plaisir qui ne leur coûte cent douleurs, et qui aiment mieux gémir comme des tourterelles que chanter comme des rossignols.

— Ha ! Amilcar, s'écria Plotine en riant, vous défendez si peu sérieusement notre cause, que je crois que vous la voulez perdre.

— Comme l'expérience a quelquefois plus de force que les raisons, reprit Amilcar, si vous le voulez nous détruirons toutes celles que ces protecteurs de fières et de mélancoliques peuvent apporter ; en effet, poursuivit-il, vous n'avez qu'à souffrir que je vous aime, et qu'à m'aimer, pour leur donner un exemple sensible, qu'il y a plus d'avantage d'être aimé d'une personne brillante et enjouée, que d'une mélancolique ou d'une capricieuse.

— Quand vous aurez dit vos raisons, reprit-elle en souriant, nous verrons si nous les autoriserons par notre exemple.

— Je dis donc, reprit-il, que je ne sache rien de plus fâcheux, que d'entreprendre d'aimer une mélancolique, ou une fière capricieuse, ni rien de si doux, que d'aimer une enjouée. Car premièrement quand on aime une mélancolique, il faut l'aimer par les formes ; il faut de grands respects ; il faut soupirer longtemps ; il faut une déclaration d'amour adroite ; il faut de grands et de petits services ; il faut des louanges, des douceurs, des tendresses, des transports, de l'assiduité, et un peu de désespoir parmi tout cela. Il faut, dis-je, des billets galants, des billets doux, et mille autres sortes de choses qui seraient trop longues à dire[1] ; et puis au bout de tant de peines, vous êtes aimé, ou vous ne l'êtes pas ; si vous ne l'êtes pas, poursuivit-il, c'est bien du temps perdu ; et si vous l'êtes, pour l'ordinaire vous l'êtes trop ; car de cent mélancoliques qui aiment, il n'y en a pas deux qui ne soient jalouses et difficiles, et qui ne vous fassent désespérer par leurs plaintes continuelles. De sorte que bien souvent on est beaucoup plus malheureux quand elles vous ont donné leur affection, que quand elles vous la refusent. Pour les fières et les capricieuses, ajouta-t-il, c'est bien encore pis ; car on ne sait par où s'y prendre. En effet au commencement à peine regardent-elles les cœurs qu'on leur offre ; on dirait qu'on les outrage en les adorant, ou que du moins on leur doit un tribut d'encens, qu'elles vous font trop d'honneur de recevoir. Quand vous rencontrez leurs yeux, vous n'y voyez que de la fierté ; elles détournent même bien souvent méprisamment la tête pour ne rencontrer pas les vôtres ; elles vous regardent de haut en bas en cent occasions ; et on dirait, vu comme elles agissent quelquefois, qu'on leur doit rendre grâce de ce qu'elles ne vous tuent pas. Je sais bien qu'il y a des caprices heureux, et qu'en certains jours on les oblige en leur disant les mêmes choses qui les ont fâchées en une autre heure. Mais je sais bien aussi qu'en un autre temps les mêmes choses qui leur ont plu, leur déplaisent ; de sorte que vous ne sauriez répondre[2] que ce qui vous a aujourd'hui acquis leur amour, ne vous acquière pas demain leur haine. Le moyen donc d'avoir nul repos, ni

nul plaisir avec elles ? et le moyen que leurs faveurs mêmes vous plaisent ? car pour moi je ne
pourrais souffrir d'être favorisé par une personne
que je croirais qui me voudrait peut-être mal traiter le lendemain. Je sais bien que les fières et les
capricieuses, vont quelquefois plus loin que les
autres ; mais je sais aussi qu'elles s'en repentent
souvent, qu'elles ne s'acquièrent pas sans peine,
qu'elles ne se conservent que par hasard, et qu'on
ne peut posséder leur affection avec un plaisir
tranquille. C'est pourquoi je trouve beaucoup
plus d'avantage à se faire aimer d'une personne
enjouée ; car premièrement la conquête en est
plus facile ; on la possède en paix ; si elle a quelque léger sentiment de jalousie, on l'apaise avec
une sérénade ; on n'a jamais que de petites querelles ; et tous les raccommodements se passent en
fêtes et en divertissements. Je sais bien que ces
belles enjouées n'aiment peut-être pas si ardemment ; mais elles ne veulent pas aussi qu'on les
aime si terriblement ; de sorte que donnant autant
de liberté qu'elles en prennent, il n'y a rien d'injuste ni rien d'incommode. Elles ne veulent de
vous que des choses qui sont plaisantes d'elles-mêmes ; car elles aiment à se promener, à se divertir,
à railler, à chanter, et à danser. Jugez donc si
tout cela est difficile à faire pour l'amour d'elles ?
et s'il ne vaut pas bien mieux les servir, que ces
autres qui ont fait une morale et une politique
d'amour, qu'il faut savoir exactement si on en
veut être aimé, et où les soupirs et les larmes
sont mis au rang des plaisirs ? J'aurais bien encore d'autres choses à dire, ajouta Amilcar, mais
je ne veux pas me servir de toutes mes forces,
contre des ennemis qui ne me sont pas redoutables, parce qu'ils soutiennent une mauvaise cause,

que je ne m'étais offert de soutenir, que pour
faire voir que j'en pourrais gagner une qui ne serait pas bonne.

— Quoique je n'aie pas votre adresse, reprit Artémidore, je ne laisse pas de croire que la justice
l'emportera sur des raisons ingénieuses, qui n'ont
aucune solidité, bien que vous les disiez avec
beaucoup d'art. Car enfin, il ne s'agit pas de savoir s'il y a plus ou moins de commodité à aimer
une enjouée qu'une capricieuse, ou une mélancolique ; mais il s'agit d'examiner de laquelle il est
plus doux d'être aimé. C'est pourquoi je soutiens
hardiment que de tous les divers tempéraments
dont on peut avoir une maîtresse, il n'y en a point
de si propre à donner de grands et de sensibles
plaisirs, que celui qui fait une belle fière, et un
peu capricieuse. Car n'est-il pas vrai, que qui ôte
la résistance et la difficulté à l'amour, le détruit,
ou lui ôte du moins toutes ces douceurs, et tous
ces agréables transports qui rendent les amants
heureux ? Je soutiens même que pour l'être entièrement, il faut que la gloire se mêle avec l'amour
pour la rendre ardente, et qu'une espèce d'ambition amoureuse, redouble la violence de cette passion. En effet il y a un plaisir extrême, après avoir
été l'esclave de sa maîtresse, d'en être le conquérant ; mais pour pouvoir mériter ce glorieux titre,
il faut avoir trouvé de la résistance, il faut pouvoir s'imaginer qu'il est glorieux d'avoir surmonté
un cœur qui paraissait invincible, et il faut se
pouvoir dire à soi-même qu'on a mérité de vaincre. De plus, quand un sentiment de gloire ne serait pas nécessaire à cette passion pour la rendre
plus ardente, il faut bien demeurer d'accord que
l'amour n'est faible ou forte, qu'à proportion de ce
que les désirs sont faibles ou forts ; ainsi il faut

conclure qu'il est impossible que les désirs que l'amour d'une belle enjouée fait naître dans un cœur amoureux, puissent être aussi piquants que ceux que l'on a pour une de ces beautés fières dont les faveurs paraissent plus exquises, parce qu'elles semblent d'abord plus difficiles à obtenir. Ce n'est pas que quand un honnête homme est heureux et opiniâtre dans son amour, il ne soit presque assuré de vaincre, s'il sait bien ménager les occasions, et se servir à propos de certains moments favorables, que l'on trouve quelquefois en la conversation de toutes les fières, et de toutes les capricieuses. En effet il y a des heures, où l'on dirait qu'il y a un interrègne dans leur cœur, et qu'il n'y a qu'à s'en vouloir emparer pour s'en rendre maître. Je soutiens même que les faveurs les plus sensibles, s'obtiennent plus souvent par caprice, et par emportement que par tendresse, et par reconnaissance, et qu'une fière capricieuse fait quelquefois plus de chemin en une heure qu'une enjouée n'en fait en un an.

— J'en tombe d'accord, interrompit Amilcar ; mais pour l'ordinaire ces capricieuses se repentent un quart d'heure après, des faveurs qu'elles vous ont faites ; elles se haïssent elles-mêmes de ce qu'elles vous aiment trop, et elles vous punissent quelquefois de ce qu'elles vous ont accordé volontairement ; de sorte que le repentir d'avoir dit une chose trop obligeante, les oblige à en dire mille fâcheuses.

— Il est vrai, répliqua Artémidore, qu'il arrive souvent des querelles lorsqu'on aime une beauté fière ; mais Amilcar, que les raccommodements sont doux ! et quel plaisir il y a de voir une de ces personnes capables d'amour et de fierté tout ensemble se repentir de s'être repentie, se justifier avec empressement, payer avec usure les grâces qu'elle a suspendues, et en faire de nouvelles pour réparer cet outrage ! Quel plaisir, dis-je, de voir ce noble orgueil assujetti à faire des excuses, et à donner des marques de déférence et de soumission ! et quel plaisir encore de voir quelquefois que dans le même temps qu'elles vous favorisent, elles ont des moments de dépit, de sentir dans leur cœur cette obligeante faiblesse, qui les force d'être favorables ! De plus dès qu'on peut se vanter d'avoir obtenu quelque faveur d'une beauté fière, sa fierté devient pour vous la plus douce chose du monde ; car comme on se trompe toujours avantageusement quand on aime, on lui sait gré de toute la fierté qu'elle a pour les autres, quoiqu'elle ne l'ait que par tempérament, et on s'imagine qu'on lui en doit rendre grâce ; où au contraire, quand on aime une personne qui est presque toujours également enjouée, cet enjouement universel qu'elle a pour tout ce qui l'environne vous fait dépit, et celui qu'elle a même pour vous ne vous oblige que médiocrement. Ainsi je conclus qu'il y a plus de gloire et plus de plaisir à aimer une fière capricieuse, qu'une personne gaie, brillante, et d'humeur égale ; et je soutiens même que, quand on est heureux et adroit, la conquête n'en est pas plus longue à faire, que celle de ces personnes qui donnent de si grandes espérances dès le premier moment qu'on commence de les aimer.

— Si Célère, répliqua Amilcar, soutient aussi bien le parti des belles mélancoliques, que vous avez soutenu celui des fières, j'aurai besoin de tout l'agrément de la belle Plotine pour gagner la cause que je défends.

— Comme les Grecs sont plus éloquents que les autres, répliqua Célère, et qu'Artémidore a in-

finiment de l'esprit, il pourra être que je ne dirai
pas si bien mes raisons qu'il a dit les siennes. Ce
n'est pas que son parti et le mien soient opposés ;
car il est peu de capricieuses et de fières, qui aient
un fort grand enjouement ; et il en est peu aussi
qui n'aient du moins quelque léger penchant à la
mélancolie. Mais après tout, il n'appartient qu'à
une certaine espèce de mélancolie charmante et
douce, de faire naître les violentes et les tendres
passions dans le cœur d'une dame. Quand je parle
d'une belle mélancolique, poursuivit-il, il ne faut
pas qu'on s'imagine que j'entende parler de ces
femmes qui ont une humeur sombre, chagrine,
désagréable, et rude ; car je fais une grande distinction de la tristesse à la mélancolie. Au contraire,
j'entends parler d'une mélancolie douce et charmante, qui n'est point ennemie des plaisirs, et
qui n'est point incompatible avec tous les divertissements galants et raisonnables. J'entends, dis-
je, parler d'une mélancolie qui met de la langueur
et de la passion dans les regards, qui fait le cœur
grand, généreux, tendre, et sensible, et qui y met
une certaine disposition si propre à aimer ardemment, que qui ne connaît l'amour d'un cœur mélancolique, ne connaît point l'amour. En effet je
soutiens qu'un amant qui connaît toute la délicatesse de cette passion, trouvera plus de plaisir à
voir dans les yeux de la personne qu'il aime, un
certain éclat languissant et passionné, que tout
l'enjouement des yeux d'une personne gaie ne lui
en saurait donner en toute sa vie. Au reste il ne
faut pas qu'on s'imagine qu'on ne puisse avoir de
plaisir sans rire éternellement, comme j'ai vu une
femme qui le croyait, et qui pensait être fort à
plaindre, quand elle n'avait pas ri depuis le matin
jusques au soir. Au contraire, je soutiens que

quoiqu'on dise que les jeux et les ris[1] sont insépa-
rables de l'amour, qu'il est pourtant vrai que les
sensibles plaisirs que cette passion donne, ne
sont point des plaisirs qui fassent rire. En effet si
après mille et mille soupirs, et mille et mille
plaintes, une belle dit une parole favorable, qui
donne lieu d'espérer, on ne voit pas qu'un amant
qui l'écoute, et qui l'écoute avec un plaisir infiniment sensible, s'éclate de rire comme s'il avait
entendu dire quelque raillerie ingénieuse et surprenante ; cependant ce n'est pas qu'il n'ait de la
joie ; mais c'est que toutes les grandes et sensibles
joies qui appartiennent véritablement à l'amour,
ont de la langueur, plutôt que de l'enjouement, et
que la mélancolie est si particulière à cette passion, que ses plaisirs mêmes ont quelquefois
quelque chose de mélancolique. En effet il est des
rêveries infiniment agréables, qui paraissent sombres, et chagrines ; il est même certains saisisse-
ments d'esprit, si doux, et si charmants, qu'ils sont
préférables à tous les divertissements du monde.
Cependant quand on a l'âme en cette assiette, on
n'a nul enjouement dans les yeux, on ne rit point,
et on ne laisse pourtant pas d'être heureux.

Je sais bien que l'abord d'une personne enjouée
plaît infiniment, et qu'il y a beaucoup plus de facilité à faire connaissance avec elle qu'avec une
personne plus sérieuse ; car comme l'a fort agréablement dit Amilcar, on est en familiarité avec
elle dès le premier jour qu'on la connaît ; on rit,
on chante, on danse, on dit des petits secrets, et
on fait mille parties de plaisir ; où au contraire il
faut aller plus lentement avec celles qui sont du
tempérament que je les veux ; car pour l'ordinaire
vous ne voyez le premier jour que leur beauté et
une partie de leur esprit. Elles n'achèvent même

de vous le montrer que dans une longue suite de temps ; et quand vous le connaissez tout entier, vous ne connaissez pas encore leur cœur. De sorte que découvrant tous les jours de nouvelles grâces, vous avez tous les jours de nouveaux plaisirs ; mais il n'en est pas de même d'une personne enjouée ; car elle vous montre presque dès la première fois que vous la voyez toute sa beauté, tout son esprit, tout son cœur, et toute son affection, étant certain que si elle ne vous aime d'abord, elle ne vous aime presque jamais. Joint que quand elle vous aimera, elle ne vous aimera guère, et ne vous donnera que de médiocres plaisirs. En effet il n'appartient qu'à celles qui ont l'âme passionnée, de savoir faire des faveurs de toutes choses, d'inventer des plaisirs innocents, et de faire durer l'espérance après qu'elles ont donné toute leur affection. Pour moi, j'avoue que j'en ai aimé d'enjouées, et de mélancoliques ; mais dans les sentiments où je suis, je renonce à aimer l'enjouement pour toute ma vie. Je l'aime fort en mes amies ; mais je ne veux point de maîtresse de ce tempérament-là ; car il n'y a rien de plus cruel, que d'aimer une personne, qui ne fait réflexion à rien, qui n'observe rien[1], et qui ne se souvient de rien. Il n'en est pas de même d'une mélancolique passionnée ; car si vous lui dites une parole obligeante, elle s'en souvient cent fois, elle se la redit en secret, et elle vous donne même la joie de vous faire voir qu'elle ne l'a pas oubliée, en vous disant adroitement quelque chose qui peut vous le faire connaître. Si vous jouez de la lyre en sa présence, et qu'il y ait quelques endroits passionnés qui puissent convenir à l'affection que vous avez pour elle, elle y attribue des sentiments tendres ; elle en est touchée ; elle s'en fait l'application, et vous y répond par des regards languissants et doux, qui vous donnent un plaisir fort sensible. Où au contraire une personne gaie, sans écouter un air passionné que vous direz pour elle, commencera de chanter elle-même quelque autre chanson, qui ne convient à rien. Si vous écrivez une lettre à une enjouée, elle l'ouvre en tumulte, elle la lit en courant ; et même si elle a alors quelque chose de plus divertissant à faire, elle la met dans sa poche sans la lire, jusques à ce qu'elle ait plus de loisir ; et quand elle l'a lue, elle l'efface des tablettes où elle est écrite, ou elle la jette dans une cassette sans la relire jamais. Mais quand une femme un peu mélancolique et passionnée reçoit une lettre de la personne qu'elle aime, le cœur lui en bat, elle l'ouvre en rougissant, elle la lit avec attention, et en secret, elle la relit plusieurs fois ; et elle en considère jusques aux moindres choses. S'il y a une rature, elle la veut deviner ; elle serre soigneusement cette lettre ; elle la relit de temps en temps, quoiqu'elle l'ait dans sa mémoire ; et elle fait enfin mille choses obligeantes qu'une enjouée ne saurait faire. Au reste vous n'avez pas même seulement obligation à ces charmantes personnes de ce qu'elles font pour vous ; mais vous leur en avez encore de certaines choses qu'elles ne font pas. En effet il n'y a rien de si doux, lorsqu'on est aimé par une de ces agréables mélancoliques vertueuses, que de voir quelle est la peine qu'elles ont à vous refuser quelque légère grâce que vous leur demandez ; car elles vous la refusent d'une manière si obligeante, qu'une enjouée vous obligerait beaucoup moins en vous l'accordant. Je sais bien que comme celles que je dis aiment ardemment, elles veulent être ardemment aimées, et qu'ainsi elles se plaignent souvent ; mais y a-t-il rien de si doux que de voir une personne qu'on aime, qui se plaint de n'être point assez aimée, et qui vous donne par là une très sensible marque d'amour ? Une enjouée se plaint quelquefois que vous ne la divertissez pas assez ; mais elle ne s'avise point de se plaindre de ce que votre passion n'est pas assez forte. Il n'en est pas ainsi de celles dont je parle ; car elles s'en plaignent ; elles en sont affligées ; elles en sont même malades de dépit et de douleur ; elles veulent rompre avec vous sans le pouvoir faire ; et quand vous les apaisez, elles vous donnent des joies infinies, et vous retrouvez toute la grâce et toute l'ardeur d'une nouvelle amour, en ces sortes de réconciliations. On a même l'avantage, en aimant une personne sérieuse et d'un tempérament passionné, de ne devoir rien au hasard comme on lui doit quelquefois lorsqu'on aime une enjouée, ou une capricieuse ; car pour la première, si vous vous trouvez avec elle en un de ces jours d'emportement de joie, où elle n'a pas la force de refuser son cœur à ceux qui la divertissent, elle vous le donne ; mais elle vous le donne plutôt par hasard que par choix. Une fière capricieuse, fait aussi bien souvent la même chose ; car c'est quelquefois plutôt son caprice que sa propre inclination, qui vous rend heureux. Mais une mélancolique vertueuse, qui a l'âme tendre, et le cœur noble, se défend longtemps et ne donne son affection que lorsqu'elle ne peut plus s'empêcher de la donner. Elle la donne pourtant comme si elle la donnait volontairement ; mais elle ne la donne pas tout d'un coup comme les autres. Elle vous montre son cœur peu à peu ; et quand elle vous le montre tout entier, vous avez la satisfaction de n'y voir rien que vous. En effet une mélancolique passionnée n'a que son amour dans la tête. Elle y rapporte tout ce qu'elle voit ; où qu'elle soit, son esprit est toujours avec son amant ; elle se souvient de tous les lieux où elle l'a vu ; elle voudrait le pouvoir toujours voir ; elle a éternellement cent mille choses à lui dire, qu'elle ne lui dit pourtant jamais ; et il se fait en cette sorte d'amour un si agréable mélange de joie et d'inquiétude, qu'elles se succèdent continuellement l'une à l'autre.

Car afin qu'on ne s'y trompe pas, je soutiens que pour connaître tous les plaisirs de l'amour, il en faut connaître toutes les peines, et que quiconque ne peut se faire un grand malheur d'une fort petite chose, ne trouvera pas même un grand plaisir à une grande faveur. Cependant pour être heureux en amour, il faut se faire de grands plaisirs de très petites faveurs, et il faut avoir le cœur si sensible que la seule vue du lieu où demeure la personne que l'on aime donne de la joie, et de la joie qui trouble le cœur. Il faut que son nom prononcé inopinément vous fasse rougir ; il faut la souhaiter partout où l'on se trouve, ou se désirer en tous les lieux où elle est. Il faut en avoir le cœur tout rempli ; il faut ne penser à autre chose ; et il faut y penser tantôt avec plaisir et tantôt avec douleur. Cependant il n'appartient pas ni à une belle enjouée, ni à une capricieuse d'avoir des sentiments si tendres ; et ce n'est qu'à la charmante mélancolie, dont j'entends parler, qu'il appartient d'inspirer une passion ardente, durable, et divertissante tout ensemble. Pour une enjouée, on peut plutôt dire qu'elle vous prête son cœur, que de dire, qu'elle vous le donne ; car elle ne le donne jamais si absolument, qu'elle ne puisse le retirer toutes les fois qu'elle trouve quelqu'un qui la divertit davantage. Pour une fière capricieuse, on peut dire qu'on ne peut avoir son cœur qu'en le lui arrachant, si ce n'est qu'elle vous le jette de dépit, plutôt que de vous le donner de bonne grâce ; ainsi il n'est jamais si bien à vous, que vous ne puissiez le perdre, par le même caprice qui l'a mis entre vos mains. Mais pour une mélancolique, elle vous donne son cœur tout entier ; et vous le donne d'une manière si engageante, qu'il n'est pas aisé de changer d'amour, quand on a une fois connu toute la délicatesse de cette sorte d'affection que si peu de gens connaissent, et qui sait pourtant toute seule l'art de redoubler tous les plaisirs et de les rendre éternels. Enfin, s'il est permis d'employer à Rome une comparaison si sainte, à un usage profane, la mélancolie est la Vestale qui conserve le feu de l'amour dans le cœur d'une personne qui aime, puisqu'il est vrai que sans elle, il ne peut y avoir d'amour ardente, ni d'amour durable.

— De grâce Célère, répliqua Amilcar, ne dites plus rien ; car quoique je sois le protecteur de l'enjouement, et des enjouées, je sens bien que si je n'étais pas auprès de l'aimable Plotine, vous me persuaderiez malgré que j'en eusse.

— Il est vrai, dit Artémidore, que Célère a dit des choses qui m'ont attendri le cœur.

— Et ce qu'il y a d'étrange, dit Aronce, c'est que Célère qui parle si éloquemment d'amour, n'a pourtant jamais eu de ces grandes et violentes passions qui instruisent si bien ceux qui les ont, de tous les sentiments qu'elles inspirent.

— Il est vrai, répliqua Célère, mais quoiqu'on puisse dire que je n'ai eu que des commencements d'amour, je ne laisse pas de connaître bien cette passion, parce que si je ne m'opposais pas à mon tempérament, ou que j'eusse trouvé quelque aimable mélancolique qui m'eût voulu aimer, j'aurais été le plus amoureux de tous les hommes.

— Pour moi, répliqua Amilcar, je n'ai point de peine à vous croire ; car je sais bien que dans le commencement de ma vie, j'ai eu cent commencements d'amour, qui m'avaient rendu aussi savant de cette passion que je l'ai été depuis, après avoir aimé deux ou trois fois avec toute la violence imaginable.

— Mais à ce que je vois, répliqua Sextus, si l'on vous priait de raconter votre vie, il ne faudrait pas vous demander une seule histoire.

— Non Seigneur, répliqua Amilcar en riant, et pour parler proprement, il faudrait me demander le récit de mes aventures.

— Pour moi, dit alors Plotine, j'aurais grande envie de les savoir.

— Je pense, ajouta Césonie, que cette curiosité serait générale, si on pensait qu'elle pût être satisfaite.

— En mon particulier, poursuivit Clélie, je ne sais si je me trompe, mais je suis persuadée qu'Amilcar aime bien autant à raconter les aventures d'autrui que les siennes.

— Vous avez raison Madame, répondit-il, car il est vrai qu'il n'y a rien de plus incommode que de raconter soi-même son histoire ; car enfin, si l'on est modeste, on n'ose se louer ; et si on ne l'est pas, on se loue trop.

— Mais à ce que je vois, dit alors Plotine en parlant à Sextus, la dispute[1] a fini sans qu'on sache si les mélancoliques ont l'avantage sur les capricieuses, et sur les enjouées.

— Il faudrait être bien hardi, dit Sextus, pour prononcer un arrêt de cette sorte devant tant de belles personnes que je connais si peu, quoique

j'aie dit que je voulais être juge. En effet il peut
être qu'il y en a plus d'enjouées que je ne pense,
et que celles qui me paraissent mélancoliques le
sont par une cause étrangère, et non pas par tempérament ; c'est pourquoi il vaudrait beaucoup
mieux obliger Amilcar à nous raconter quelques-
uns de ces commencements d'amour dont il nous
a parlé.

— Ha ! Seigneur, reprit-il, je ne suis point propre à être mon historien ; mais si c'est que vous
ayez quelque envie d'entendre raconter quelques
événements de cette nature, j'ai eu cent amis en
ma vie qui ont eu des aventures galantes et extraordinaires, que je sais comme les miennes propres, et vous n'avez qu'à me dire de quelle sorte
vous les voulez.

— Comme il s'agit de divertir des prisonnières,
reprit Sextus, il ne faut point d'histoires tragiques[1].

— J'en suis bien aise, répliqua Amilcar, car
c'est de celles-là dont je sais le moins. Mais encore, ajouta-t-il, voudrais-je bien savoir à peu
près de quelle nature vous voulez une histoire.

— J'en voudrais une s'il était possible, répliqua
Sextus, qui ne finît ni par mort, ni par mariage[2].

— Ha ! Seigneur, reprit Amilcar, j'ai justement
ce qu'il vous faut ; car j'ai un ami qui a eu assez
d'aventures en sa vie pour faire cent histoires au
lieu d'une, qui n'en a jamais fini de cette sorte. »

Toute la compagnie ayant ri de ce que disait
Amilcar, et de l'air dont il le disait, on se mit à le
presser de vouloir raconter quelqu'une de ces
cent histoires ; si bien que comme il croyait rendre un fort grand service à Aronce d'empêcher
Sextus de parler à Clélie, il se disposa à raconter
une aventure galante dont il était bien instruit, et

qui par sa singularité méritait d'être dite en une
si aimable compagnie. Ainsi après qu'Amilcar eut
agréablement contrefait ceux qui se préparent sérieusement à réciter une grande histoire, il changea de visage tout d'un coup ; et remettant dans
ses yeux tout l'enjouement de son humeur, il
commença de parler avec un air aussi libre, et
l'esprit aussi peu embarrassé que s'il n'eût eu que
trois mots à dire. Mais comme il voulut se tourner vers Sextus pour lui adresser la parole, ce
prince ne le voulut pas, et l'obligea de l'adresser
aux dames en général, si bien qu'Amilcar lui
obéissant, commença son récit en ces termes :

HISTOIRE D'ARTAXANDRE

Comme je suis fort sincère, il faut que je vous
dise d'abord que les noms dont je me servirai en
vous racontant cette aventure, sont des noms
supposés[1], que je changerai aussi ceux des lieux
où les choses que j'ai à vous dire se sont passées,
et que vous ne saurez même point de moi si celui
que j'appellerai Artaxandre est grand, petit, blond,
ou brun. Mais après cela je puis vous assurer qu'il
n'est pas plus vrai que vous êtes les plus belles
captives du monde, qu'il est vrai que tout ce que je
m'en vais vous raconter est positivement arrivé en
quelque lieu de la terre, et arrivé depuis peu de
temps ; car je n'aime pas ces vieilles histoires que
font certaines gens qui ont près d'un siècle, et
qu'ils n'ont fait pourtant qu'entendre dire en sortant du berceau. Ce que je m'en vais donc vous raconter, est une aventure amoureuse, une aventure
nouvelle, une aventure galante, et une aventure véritable. Mais enfin, après vous avoir donné le
choix de tous ces titres, je vous dirai qu'Artaxan-

dre, quel qu'il soit, étant arrivé à Crète[1] qui est
une des villes du monde où les femmes sont les
plus belles, et les plus galantes, et y ayant bientôt
acquis pour amis, et pour amies, tout ce qu'il y a
d'honnêtes gens, et d'aimables femmes en ce lieu-
là, sans avoir alors nul engagement d'amour dans
l'âme, il fut se promener avec un de ses amis à un
jardin qui est hors de la ville, et qui est un des plus
aimables lieux de cette île, qui comme vous le
savez est une des plus belles de toute la mer Égée.
Mais comme ce jardin est à deux milles de la ville,
pour compter à l'italienne, ils y furent à cheval. En
y arrivant ils virent deux chariots devant la porte ;
de sorte qu'Artaxandre s'informant à l'heure même
à qui ils étaient, il sut qu'il y en avait un à une
dame que je nommerai Céphise, et que l'autre était
à une autre femme de qualité qui avait une nièce
qui demeurait avec elle, que j'appellerai Pasithée,
parce qu'en effet elle semble être une des grâces, à
qui ce nom appartient. Mais à peine eut-il entendu
ce qu'on lui disait, qu'il en fut fort aise ; car il avait
fort ouï parler de Pasithée sans l'avoir vue, parce
qu'elle avait toujours été à la campagne depuis
qu'il était arrivé à Crète ; si bien que se tournant
vers son ami, qui se nommait Philionte, « À la fin,
lui dit-il, je verrai donc cette belle enjouée dont j'ai
tant entendu parler. — Vous la verrez sans doute,
répliqua-t-il, et je suis le plus trompé de tous les
hommes, si elle ne vous plaît à peu près autant
que vous lui plairez. »

Après cela, Artaxandre qui a naturellement
l'action assez libre, entra dans ce jardin ; il n'y fut
pas plutôt qu'il vit cinq ou six femmes à l'entour
d'une fontaine, qui parlaient assez haut, et qui
parlaient avec assez de joie. Mais entre les autres,
Artaxandre en vit une qui était de taille médiocre,

et admirable en beauté, qui ayant l'action vive, le port agréable, les yeux brillants, et enjoués, le sourire sur le visage, et l'enjouement en toute sa personne, semblait contrefaire quelqu'un en parlant à une de ces dames qui se nomme Céphise. Et en effet Artaxandre et Philionte s'étant arrêtés derrière une palissade à regarder cette belle troupe, virent qu'effectivement Pasithée contrefaisait un amant à la vieille mode, qui était alors à Crète, et qui avait un certain air contraint et ridicule, qui le rendait insupportable, quoiqu'il eût de l'esprit. Cependant Pasithée le contrefaisait si admirablement, que quoiqu'Artaxandre et Philionte n'entendissent pas le nom de celui dont elle imitait si bien et le son de la voix, et le marcher, et l'action, ils connurent sans en pouvoir douter qui était celui qu'elle représentait si parfaitement. De sorte qu'Artaxandre qui savait faire aussi quand il le voulait une pareille chose admirablement, et qui était ami particulier de toutes ces dames, à la réserve de Pasithée, se résolut à faire une galanterie, qui lui réussit heureusement ; car comme il connaissait fort celui que Pasithée contrefaisait, il sortit de derrière cette palissade en marchant comme lui, en faisant les mêmes mines qu'il faisait quand il voulait faire l'agréable ; et pour porter la chose encore plus loin, après avoir salué toute la compagnie en général, il aborda Pasithée en particulier, avec une éloquence si semblable à celle de cet amant qu'elle avait imité, que toute la compagnie en fut agréablement surprise. Mais pour Pasithée, elle en fut si étonnée, et elle prit un si grand plaisir à cette galanterie, qu'après avoir ri d'assez bon cœur de cette folie, « Eh de grâce, dit-elle à Artaxandre, devenez de mes amis, je vous en conjure ; car comme je meurs d'envie de pouvoir juger de moi-même, et de savoir précisément comment j'agis, et comment je parle, je vous prierai quelque jour de me contrefaire aussi bien que vous contrefaites celui que vous représentez ; et je vous promets à mon tour de vous donner le même plaisir, si vous avez la même curiosité que j'ai.

— Pour votre ami Madame, lui dit-il en reprenant son ton de voix ordinaire que tout le monde trouve assez agréable, je ne sais si je le pourrai être, car vous êtes bien belle pour une amie.

— Il est vrai, répliqua-t-elle en riant, qu'on fait quelquefois des maîtresses qui ne me valent pas ; mais puisque tout galant que vous me paraissez, je ne laisse pas de me vouloir contenter que vous soyez mon ami sans être mon amant, il ne vous sera peut-être pas si difficile que vous pensez de ne me considérer que comme votre amie.

— Quoi qu'il en soit Madame, lui dit-il, laissons l'avenir à la conduite de l'amour et de la fortune ; et souffrez seulement que je vous assure, que quoique je n'aie jamais eu l'honneur de vous voir que depuis un quart d'heure, il y a plus de quinze jours que je vous attends avec impatience. Vous m'avez même l'obligation, ajouta-t-il en riant, de n'avoir point voulu donner mon cœur à pas une des belles qui sont ici, jusques à ce que j'eusse eu l'honneur de vous voir, de peur d'être contraint de l'ôter à celle à qui je l'aurais donné, quand vous y seriez arrivée.

— Il est vrai, dit alors l'aimable Céphise, qu'Artaxandre tout galant qu'il est n'a encore fait nulle galanterie particulière avec pas une de nos belles.

— Je lui en suis tout à fait obligée, répliqua Pasithée ; et pour lui rendre civilité pour civilité, je veux l'assurer que durant mon voyage je n'ai accepté pas un des cœurs que l'on m'a offerts. J'étais pourtant peut-être prête, ajouta-t-elle, en adressant la parole à Artaxandre, d'en accepter un qui m'était offert d'assez bonne grâce, lorsque je reçus une lettre de Céphise qui me parlait de vous ; car je ne doute nullement que vous ne soyez cet Artaxandre dont elle me disait mille biens.

— Oui Madame, lui dit-il, je suis Artaxandre ; mais la difficulté est de savoir si je soutiendrai aussi bien toutes les louanges que Céphise m'a données, que vous soutenez celles que tout le monde vous donne. Mais en attendant que je le puisse savoir, poursuivit-il, souffrez que je vous dise, que comme je fais profession particulière de ne vouloir jamais qu'on perde rien pour l'amour de moi, je crois être obligé de vous donner mon cœur pour vous récompenser de celui que vous dites que vous n'avez pas accepté à ma considération ; car aussi bien quand je ne vous le donnerais pas, avez-vous bien la mine de me l'ôter malgré que j'en aie ; de sorte que pour vous empêcher de faire un larcin j'aime mieux vous faire une libéralité.

— Si vous connaissiez bien mon humeur, reprit-elle en riant, vous ne diriez pas ce que vous dites ; car par un caprice dont je ne puis dire la raison, j'aime mieux ce que je dérobe que ce que l'on me donne.

— Puisque cela est, répliqua-t-il, vous n'avez qu'à me rendre mon cœur aujourd'hui, et vous me le déroberez demain. »

Après cela ces autres dames se mêlant dans la conversation, et Philionte aussi, elle devint tout à fait agréable ; car Artaxandre ayant un nouveau dessein de plaire, et Pasithée aussi, ils se divertirent extrêmement, et divertirent fort les autres. Car enfin ils mirent admirablement en pratique ce que je disais tantôt en parlant des personnes enjouées ; étant certain que quand Artaxandre eût connu toute sa vie Pasithée, il n'eût pu être avec plus de familiarité avec elle qu'il y était. En effet devant qu'ils se séparassent, Pasithée lui fit tout bas une demi-raillerie des dames avec qui il était alors ; et Artaxandre lui confia aussi je ne sais quelle demi-malice d'une autre. Il lui apprit une chanson, et elle lui en apprit une ; il fit même des vers à l'improviste sur des fleurs qu'elle avait cueillies, et qu'elle lui jeta ; et elle essaya d'en faire pour lui répondre. De plus elle lui donna son voile à garder, durant qu'elle fit collation avec ses amies, dans un cabinet de verdure ; elle lui donna même une partie des plus beaux fruits qu'on lui offrit ; et ayant laissé fortuitement tomber une fort jolie bague qu'il ramassa, et qui n'était pas d'un prix considérable elle souffrit qu'il la gardât. Elle la lui redemanda pourtant d'abord ; mais comme il lui dit qu'il aimait autant à garder ce qu'il trouvait, qu'elle disait aimer ce qu'elle dérobait, elle lui répondit qu'elle ne voulait point qu'il l'eût, s'il ne la gagnait à quelque chose. « Pourvu que vous le veuilliez Madame, lui dit-il, cela ne sera pas malaisé ; car vous n'avez qu'à gager cette bague contre moi, que vous n'êtes pas une des plus belles personnes du monde, et qu'à choisir des juges, pour faire que je la gagne, et que je ne la doive ni à vous, ni au hasard. » Et en effet ils firent cette gageure tout à fait plaisamment, et la bague demeura à Artaxandre. Après cela ils furent voir la maison de ce jardin, s'il est permis de parler ainsi, afin de s'y reposer, et de jouir de la belle vue d'un cabinet où toute cette belle troupe s'assit. Mais comme Pasithée y entra la dernière, parce qu'elle s'était arrêtée à parler avec Artaxandre, elle trouva que toutes les places étaient prises, à la réserve de deux qui étaient exposées au grand jour qui venait d'un grand balcon qui se jette hors d'œuvre. « À ce que je vois, dit Pasithée en riant, on sait bien que je n'ai pas la fantaisie de ces dames qui ne veulent jamais être vues qu'à l'ombre, puisqu'on me met le soleil aux yeux.

— Quand on a le teint aussi beau que vous l'avez, reprit Artaxandre, qu'on a les yeux brillants et enjoués, et que l'on est fort jeune, et admirablement belle, on ne peut être mieux qu'où vous êtes.

— Principalement, ajouta Céphise en souriant, quand on ne hait pas à se montrer.

— Il est vrai, répliqua Pasithée, qu'il y a certains jours où je serais bien embarrassée à dire si j'aime mieux voir, qu'être vue ; mais après tout il faut que vous avouiez que je n'ai point de ces sottes affectations qu'ont la plupart des femmes, qui veulent à quelque prix que ce soit montrer ce qu'elles ont de plus beau, et qui ont éternellement l'esprit occupé de ces sortes de soins qui paraissent ridicules à ceux qui s'en aperçoivent.

— Cependant, dit Artaxandre, cela est de tout pays, car je n'ai jamais été en nulle part que je n'aie vu des dames qui ont cherché à se mettre à un jour favorable, comme on cherche celui d'un portrait.

— J'en connais une à Crète, reprit Philionte, qui est une des plus ambitieuses femmes de la terre, et qui l'est si fort que je crois qu'elle ne veut même paraître plus belle qu'une autre, que par un sentiment d'ambition où la galanterie n'a nulle part, qui se trouva un jour bien embarrassée. Car imaginez-vous que cette femme qui a eu cent querelles en sa vie pour vouloir passer devant d'autres, et qui dispute jusques à la porte des temples à celles qui sont beaucoup au-dessus de sa condition, arriva dans la chambre d'une de ses amies, qui est disposée de telle sorte que la place d'honneur est au plus mauvais jour du monde pour une belle ; car celles qui ont le teint le plus vif y paraissent jaunes, à cause d'un jour de réflexion[1] qui y donne, et qui vient de ce que cette maison a une aile qui s'avance vers le jardin, et qui fait cet effet-là. Joint que de la façon dont est la beauté de cette dame, si elle n'est en une situation avantageuse, elle paraît avoir les yeux creux, à cause qu'elle les a toujours un peu battus. De sorte que sachant que cette place ne lui était pas favorable, elle se trouva bien embarrassée entre l'intérêt de son ambition, et celui de sa beauté ; car en s'y mettant, elle savait bien qu'elle paraîtrait moins belle à ceux qui viendraient, et en ne s'y mettant pas, elle craignait que quelque autre dame ne s'y mît et ne fût au-dessus d'elle. Si bien que ne pouvant résoudre cela en tumulte, parce que c'était une chose qu'elle n'avait pas prévue, à cause que c'était un appartement neuf, où elle n'avait jamais entré[2], elle se trouva en une grande inquiétude[3].

— Mais si elle n'y avait point entré, reprit une dame de la compagnie, comment savait-elle que cette place était si mauvaise ?

— La demande est ingénieuse, reprit Artaxandre, mais la réponse est facile à faire ; car vous saurez que lorsque cette dame ambitieuse entra, il y en avait une à cette dangereuse place, sur le visage de qui elle vit ce qu'elle appréhenda qu'on ne vît au sien. De sorte que ne sachant si elle devait se résoudre à s'y mettre, ou à ne s'y mettre pas, pour gagner temps, elle fit semblant d'avoir quelque chose de particulier à dire à celle qu'elle venait voir ; si bien que nous laissant debout, un de mes amis et moi, elle la mena à l'autre côté de la chambre pour l'entretenir. Mais ce qu'il y eut de plaisant, fut qu'elle ne savait quel secret lui faire, et que dans l'embarras où elle était, elle ne trouvait rien à lui dire qui ressemblât seulement à un secret. De sorte que celle à qui elle parlait n'était guère moins embarrassée à demander pourquoi elle lui disait tant de choses inutiles, que l'autre l'était à trouver un expédient pour ne se placer point désavantageusement. Mais à la fin après plusieurs discours sans suite, elle lui donna lieu de le deviner ; car elle se mit à trouver que la chambre qu'elle habitait auparavant était beaucoup plus belle et plus commode que celle-là. Elle la trouvait mal située ; elle n'y trouvait point de place raisonnable pour mettre le lit ; elle en voulait changer la porte, et les croisées ; et pour y faire un jour qui fût propre à la faire paraître belle, et à contenter son ambition, elle voulait la tourner au soleil couchant, renverser tout l'ordre des meubles, et détruire même plutôt la maison tout entière, quoiqu'elle fût admirablement belle, que de s'exposer à être quelquefois à un jour désavantageux à sa beauté.

— Je connais une dame au lieu d'où je viens, répliqua Pasithée, qui en ferait bien autant si l'occasion s'en présentait ; mais j'en connais d'autres à Crète qui sont bien aussi plaisantes à voir quand on les observe, et que l'on sait leur faiblesse[1]. En effet il y a une fille, que Céphise connaît aussi bien que moi, qui parce qu'elle a les mains belles, fait éternellement quelque chose qui lui donne occasion de les montrer ; car tantôt elle raccommode je ne sais quoi à sa coiffure ; une autre fois faisant l'officieuse, elle en fait autant à celle de quelqu'une de ses amies ; en une autre occasion, elle laisse exprès tomber son voile, pour avoir sujet de le relever et de montrer ses mains ; et je suis même persuadée que quand elle est en quelque collation galante, elle mange bien plus de ce qui est loin d'elle, que de ce qui en est proche, afin d'avoir un prétexte de faire voir qu'elle a les bras beaux et les mains belles.

— Ha ! Pasithée, reprit Céphise, vous en dites trop !

— En vérité, répliqua-t-elle, je n'en dis pas encore assez ; car il y en a qui ne montrent pas seulement leurs mains aux autres, mais qui les regardent continuellement elles-mêmes, tant elles les trouvent belles.

— Pour moi, dit alors Artaxandre, je connais une dame qui sans doute a les dents admirablement belles, qui n'aurait assurément jamais ri si elle les eût eues laides ; car elle a tout l'air du visage froid et mélancolique. Cependant, parce qu'elle sait qu'elle a de belles dents, elle les veut montrer malgré la nature ; de sorte qu'elle s'est fait un rire artificiel, qui est la plus ridicule chose du monde ; car elle a toujours la bouche ouverte pour rire, sans qu'il paraisse dans ses yeux, ni en tout le reste de son visage, nulle marque d'enjouement ; et ses lèvres sont tellement accoutumées à ne cacher point ses dents, que je suis persuadé qu'elle dort sans les cacher. »

Toute la compagnie s'étant mise à rire de la plaisante description qu'Artaxandre faisait de cette dame, elle tomba pourtant d'accord que ce qu'il disait arrivait souvent, et que c'était une faiblesse dont une belle raisonnable se devait corriger,

n'y ayant rien de plus désagréable que l'affectation. « Cependant il n'y a rien de si ordinaire, reprit Céphise, principalement parmi les jeunes
personnes ; car enfin y a-t-il rien de plus bizarre,
que de vouloir faire un art de la conduite des
yeux ? Il est pourtant vrai qu'il y a des femmes qui
consultent leur miroir pour le savoir, et qui se regardent longtemps pour apprendre à regarder les
autres. Je suis néanmoins persuadée, ajouta-t-elle,
qu'une femme ne doit chercher autre artifice pour
plaire que celui d'être propre[1], d'avoir bonne grâce,
de ne faire point d'action qui choque les yeux, de
choisir des couleurs qui siéent bien, et de cacher
même avec adresse quelques défauts si elle en a ;
mais je ne puis souffrir que l'on veuille montrer
avec affectation ce que l'on a de beau, comme si
on le voulait vendre. Il est pourtant certain que
les marchands de Tyr et de Sidon[2], ne montrent
pas les riches tapis qui s'y font avec plus de soin,
que la plus grande partie des belles se montrent.

— Pour moi, dit Pasithée, on ne me reprochera
pas l'affectation.

— J'en tombe d'accord, répliqua Céphise ; mais
en vous reprochant cet enjouement qui fait que
rien ne vous attache, l'on vous reproche sans
doute quelque chose de fort considérable.

— En vérité, reprit-elle, on a tort de penser que
je ne m'attache pas fortement ; car enfin je ne me
détache jamais de ce qui me plaît.

— De sorte, reprit Artaxandre, que pour vous
attacher pour toujours, il ne faudrait que vous
plaire toute sa vie.

— Il est vrai, dit-elle en riant, et si vous me
plaisez toujours autant qu'aujourd'hui, nous serons toujours bien ensemble.

— Ha ! aimable Pasithée, reprit-il, que vous me donnez de joie de parler comme vous faites ! Mais afin que vous me connaissiez mieux, sachez que je ne suis pas comme ces gens qui ne sont pas maîtres de leur esprit, qui sont tantôt gais et tantôt tristes, et qui ne peuvent répondre de leur humeur ; car pour moi, comme j'ai de quatre ou cinq sortes d'esprits, je montre précisément celui que je veux montrer ; c'est pourquoi, puisque celui que j'ai aujourd'hui vous plaît, vous me le verrez toute votre vie[1]. »

Et en effet après cela Artaxandre et Pasithée furent en la plus grande familiarité du monde. Pasithée lui dit où elle demeurait ; Artaxandre lui demanda la permission de l'aller voir ; elle la lui accorda ; et lorsqu'il fallut s'en aller, il la remena chez elle ; et ils se séparèrent avec tant de marques d'amitié, que jamais affection naissante n'avait paru plus empressée que celle qui paraissait être entre ces deux personnes. En effet dès le lendemain Artaxandre, sans se faire mener par quelqu'un de ses amis, fut visiter la tante de Pasithée, pour voir Pasithée, qui le mit d'une partie de promenade[2] dont elle était ; et depuis ce jour-là ils furent presque toujours ensemble. Car comme l'humeur d'Artaxandre divertissait Pasithée, et que celle de Pasithée divertissait aussi Artaxandre, un intérêt de plaisir les unissait, et faisait qu'ils étaient toujours en même lieu ; de sorte qu'en fort peu de jours Artaxandre sentit qu'il avait une amour assez forte dans le cœur. Il est vrai que cette passion avait tout ce qui la pouvait rendre agréable, parce qu'Artaxandre pouvait raisonnablement et sans vanité avoir autant d'espérance que d'amour ; car Pasithée était si douce pour lui, et il connaissait si bien qu'il lui plaisait, qu'étant assuré de plaire, il l'était presque d'être bientôt aimé. Et en effet en fort peu de jours Pasithée lui donna toutes les innocentes marques d'affection qu'elle était capable de lui donner ; car elle l'écouta avec plaisir ; elle souffrit qu'il lui parlât de son amour ; elle ne lui défendit pas d'espérer ; et peu de jours après elle voulut même bien qu'il crût qu'il était aimé. Il est vrai que les cœurs de ces deux personnes étaient si accoutumés au plaisir, qu'ils ne sentirent peut-être pas aussi sensiblement que d'autres le bonheur dont ils jouissaient ; car il faut tomber d'accord que quand on passe de la douleur à la joie, elle en est beaucoup plus sensible. Mais enfin ils étaient heureux ; et si Artaxandre contre sa coutume, ne se fût pas mis dans la tête un bizarre sentiment digne d'un mélancolique, l'amour qu'il avait pour Pasithée eût bien duré davantage. Mais pour vous faire mieux entendre comment cela se fit, il faut que vous sachiez, que lorsqu'Artaxandre était le plus content de Pasithée, et qu'il était en effet assuré qu'il faisait tous les plaisirs de cette belle personne, il se mit à en parler avec Céphise dont il n'était pas haï, et à lui exagérer sa bonne fortune ; car il ne lui cachait rien de ce qu'il avait dans l'âme. Mais comme il lui sembla que Céphise n'entrait pas assez dans ses sentiments, et qu'elle ne le croyait pas aussi heureux qu'il le pensait être, il lui en demanda la cause, s'étonnant fort de ce qu'elle n'admirait pas assez son bonheur. « Car enfin, lui disait-il, Pasithée est belle ; son humeur est brillante et agréable ; je me divertis en la divertissant ; elle m'estime plus que je ne mérite de l'être ; elle m'aime presque autant que je le veux ; et nous nous voyons éternellement.

— Vous avez bien fait, dit Céphise, de dire cette dernière chose ; car sans celle-là les autres ne subsisteraient pas, étant certain que si Pasithée était un mois sans vous voir, elle se désaccoutumerait aisément de vous, quelque agréable que vous soyez.

— Vous autres mélancoliques, reprit Artaxandre en riant, êtes si fort persuadées que les enjouées se consolent de tout, que je ne croirai pas ce que vous me dites, à moins que de m'en donner un exemple.

— S'il ne faut que cela pour vous convaincre, reprit Céphise, je vous en donnerai un fort aisément. Mais comme vous pourriez vous imaginer que je vous déguiserais la vérité, demandez à Philionte qui est votre ami particulier, ajouta-t-elle, ce qui s'est passé entre Pasithée et un des hommes du monde le mieux fait, qui mourut il y a quatre mois ; et pour porter encore la chose plus loin, demandez même à Pasithée un récit de son aventure avec cet illustre mort, afin que vous la puissiez mieux connaître, et que vous puissiez ensuite n'engager votre cœur qu'à proportion de ce qu'elle engagera le sien. »

Artaxandre voulut alors obliger Céphise à lui dire ce qu'elle ne lui disait pas, mais elle demeura ferme dans sa résolution ; et il fallut qu'il eût recours à Philionte, qu'il fut chercher dès qu'il fut sorti de chez Céphise. Mais à peine l'eut-il rencontré, qu'il le pria de lui dire s'il était vrai que Pasithée eût perdu un ami ou un amant depuis quatre mois. « Pour des amis, reprit Philionte en riant, Pasithée n'en saurait perdre, car les personnes de son humeur n'en ont jamais ; mais pour un amant, elle en a perdu un qu'elle aimait autant qu'elle peut aimer, et qu'elle devait regretter toute sa vie.

— Mais d'où vient que vous ne m'avez rien dit de cette aventure ? reprit Artaxandre.

— Je vous ai vu d'abord si satisfait de Pasithée, répliqua Philionte, que je n'ai pas cru que je dusse vous dire une chose qui ne lui est pas avantageuse ; et je ne vous en aurais jamais parlé, si vous ne m'en aviez parlé le premier.

— Mais encore, reprit Artaxandre, comment se nommait celui qu'elle a aimé, et comment était-il fait ?

— Il était si beau et de si bonne mine, reprit-il, qu'il n'y a jamais eu d'homme mieux fait que celui-là ; il était d'une condition beaucoup au-dessus de celle de Pasithée ; ils avaient commencé de s'aimer en se jouant[1] ensemble dans leur enfance ; cet aimable amant avait donné mille héroïques marques d'amour à cette personne ; il avait hasardé tout son bien à sa considération ; il avait exposé sa vie pour elle ; et il n'est point de témoignages d'amour qu'il ne lui eût rendus. Aussi pour reconnaître son affection, Pasithée avait-elle fait pour lui tout ce qu'une personne de sa vertu pouvait faire, sans exception aucune ; et je suis assuré que Philicrate tant qu'il a vécu n'a eu aucun sujet de se plaindre de Pasithée ; car comme il ne l'avait jamais perdue de vue, et qu'en la voyant, il l'avait toujours divertie, il ne connaissait pas bien son cœur.

— Quoi, reprit alors Artaxandre, Philicrate que j'ai vu il y a environ quatre mois, et qui mourut au lieu où j'étais, est ce même Philicrate qui a aimé Pasithée, et qui en a été aimé ?

— Oui Artaxandre, reprit Philionte, c'est ce même Philicrate qui a été si tôt oublié après sa mort, quoiqu'il eût été si chèrement aimé durant sa vie.

— Ha ! Philionte, reprit Artaxandre, il n'est pas possible qu'un homme du mérite de celui-là pût être si tôt oublié, si Pasithée et lui n'avaient eu quelque démêlé ensemble en se séparant.

— Vous êtes si bien avec Pasithée, répliqua Philionte, que vous lui ferez aisément dire tout ce qui s'est passé entre eux ; c'est pourquoi je ne veux pas vous en dire davantage. » Et en effet, quoi qu'Artaxandre pût faire, il ne put obliger Philionte à lui apprendre ce qu'il voulait savoir. De sorte que sa curiosité s'augmentant par la difficulté qu'il trouvait à la satisfaire, il se mit cette bizarre fantaisie dans la tête, de vouloir savoir bien précisément comment il était possible que Pasithée eût été si tôt consolée de la mort d'un amant d'un si grand mérite. De sorte que l'étant allée voir suivant sa coutume, et l'ayant trouvée seule, il fit si bien que ne faisant d'abord aucun semblant de savoir rien[1] de l'amour que Philicrate avait eue pour elle, il fit venir à propos de le nommer comme un homme qui avait été de ses amis. Mais à peine l'eut-il nommé, que Pasithée prenant la parole, « Quoi, lui dit-elle sans aucune émotion extraordinaire, vous avez connu Philicrate ?

— Oui, répliqua-t-il, et il mourut entre mes bras, dont j'eus beaucoup de douleur, car c'était un fort honnête homme.

— En mon particulier, répliqua Pasithée, il m'avait fort divertie durant longtemps ; mais pour vous, ajouta-t-elle en souriant, je ne sais si vous avez tant de sujet de le regretter ; car je crois que vous n'eussiez pas été amis, si vous l'eussiez vu à Crète.

— Je vous entends bien Madame, répliqua Artaxandre, et à dire vrai vous avez raison, car ce

n'est guère la coutume que deux rivaux soient
amis.

— Vous en savez beaucoup pour un étranger,
lui dit-elle.

— Je ne sais si j'en sais beaucoup pour un
étranger, reprit-il, mais je trouve que je n'en sais
guère pour un homme à qui vous avez fait la
grâce de donner votre cœur. C'est pourquoi je
vous conjure, aimable Pasithée, de me dire ingénument tout ce qui s'y est passé ; car pour ce qui
s'y passe, je ne vous le demande point, parce que
je suis persuadé que je ne l'ignore pas. Dites-moi
donc sincèrement, tout ce qui s'est passé entre
vous et Philicrate, jusques à son départ de Crète,
sans craindre que j'en sois jaloux ; car vous jugez
bien qu'il n'est pas aisé de l'être d'un rival mort. »
D'abord Pasithée fit quelque difficulté de satisfaire la curiosité d'Artaxandre, parce, disait-elle,
qu'elle ne trouvait rien de plus mal à propos que
de s'amuser à parler de choses passées, si ce
n'était qu'elles pussent servir à l'avenir ou au présent. Mais à la fin, se laissant vaincre aux persua-
sions d'Artaxandre, elle se mit à lui raconter tout
ce qui s'était passé à l'amour que Philicrate avait
eue pour elle, principalement tous les divertissements qu'il lui avait donnés, et toutes les conversations galantes et enjouées qu'ils avaient eues
ensemble. De sorte que comme ils en avaient eu
de fort plaisantes, et qu'ils avaient eu cent aventures divertissantes et agréables, elle riait encore
d'aussi bon cœur en lui racontant toutes ces choses, que si celui avec qui elles lui étaient arrivées
n'eût pas été mort, et mort depuis assez peu de
temps. Mais ce qu'il y avait de plaisant à ce récit,
c'était qu'elle avouait ingénument qu'elle avait eu
une affection très forte pour Philicrate, qu'il ne

lui avait jamais donné nul sujet de plainte, qu'ils s'étaient séparés comme deux personnes qui s'aimaient chèrement, et qu'elle lui avait même eu de l'obligation après sa mort, parce qu'ayant fait son testament en partant, il lui avait laissé tout ce qu'il lui pouvait laisser de son bien. « De sorte, lui dit alors Artaxandre, que la mémoire de [Philicrate] vous est fort chère ? — Je vous assure, reprit-elle, que je m'en souviens quelquefois avec beaucoup de plaisir, car il est vrai que nous avons bien ri ensemble. » Et alors se ressouvenant encore de certaines choses qu'elle n'avait pas dites, elle se mit à les dire, mais avec une telle liberté d'esprit, qu'il ne semblait pas qu'elle eût jamais eu nul intérêt à tout ce qu'elle racontait. Si bien que tant que ce récit dura, Artaxandre ne vit ni dans ses yeux, ni sur son visage, nulles marques de chagrin ni de douleur. Au contraire il y avait des instants où il y avait un enjouement extrême, et en ses paroles, et au son de sa voix, et dans ses yeux ; de sorte que tout enjoué qu'il est, et quelque joie qu'il dût avoir de voir que même le souvenir de ses rivaux morts ne touchait plus le cœur de sa maîtresse, il en devint assez rêveur. Si bien que Pasithée pensant que c'était qu'il s'imaginait qu'elle se souvenait trop obligeamment de celui dont elle venait de lui raconter l'aventure, affecta de montrer toute son insensibilité, en montrant tout son enjouement. Pour cet effet, elle se mit à dire cent agréables folies ; elle railla même sur une chose que cet amant qu'elle avait perdu lui avait dite autrefois, qu'elle raconta à Artaxandre. « Car imaginez-vous, lui dit-elle, que comme Philicrate me parlait le jour qui précéda son départ, il me dit que quoique la mort semblât lui devoir être égale partout, il serait pourtant bien plus fâché de mourir loin de Crète, que de mourir auprès de moi. "Je vous assure, lui répliquai-je, que je n'en comprends pas trop bien la raison, puisque je vous déclare que si vous étiez dangereusement malade, je ne vous irais pas voir ; car quelque plaisir qu'on s'imagine aux soupirs d'un amant, je ne voudrais jamais être présente à votre dernier soupir ; c'est pourquoi je ne vois pas qu'il vous importât beaucoup de mourir à Crète ou au fond de l'Afrique. — Mais Madame, me dit-il, si je mourais à Crète j'y aurais un tombeau ; ainsi je pourrais espérer que peut-être la vue de mes cendres vous empêcherait de vous engager en une nouvelle affection." De sorte Artaxandre, ajouta-t-elle en riant, que lorsque vous avez eu soin de la sépulture de votre rival, vous ne saviez pas que vous feriez une chose contre son intention, et qui vous servirait un jour. Cependant puisqu'il avait à mourir, je suis tout à fait aise qu'il soit mort en Afrique ; car effectivement j'aurais eu la peine de m'empêcher de passer par le lieu où l'on aurait bâti son tombeau, parce que je n'aime point les objets funestes ; et en effet je ne sache pas de plus grande folie que celle de s'affliger inutilement.

— Ha ! de ce côté-là, Madame, reprit brusquement Artaxandre, vous êtes la plus sage personne de la terre !

— Vous me dites cela d'un ton si plaisant, dit-elle, qu'on dirait que vous trouvez fort mauvais que je ne pleure point votre rival.

— Je ne sais Madame, répliqua-t-il, si je trouverais fort bon que vous le pleurassiez ; mais je vous avoue que je trouve un peu étrange que vous l'ayez si peu regretté ; et à vous dire ce que je pense, il n'est rien que je ne fisse pour pouvoir du moins me persuader que c'est moi qui vous ai consolée de sa perte. Mais Madame, il n'y a pas moyen que je me le persuade ; car la première fois que j'eus l'honneur de vous voir dans ce jardin où vous contrefaisiez si plaisamment cet amant ridicule, de qui toutes les galanteries sont hors de mode, vous aviez plus d'enjouement dans les yeux et dans l'esprit, que je ne vous en ai jamais vu. Cependant il y avait si peu que mon rival était mort, qu'on pouvait presque encore s'imaginer qu'il ne l'était pas. Ainsi il faut que je conclue cruellement pour moi, que je ne vous ai point consolée de sa perte, et que vous ne l'avez été que par votre propre tempérament, qui fait que vous n'aimez que ce qui vous divertit, sans aimer même ceux qui vous donnent quelque divertissement, si ce n'est qu'il soit directement attaché à leur personne. De sorte que ceux qui se seraient mis dans la fantaisie d'être tendrement aimés de vous, seraient bien attrapés et bien malheureux ; car puisque mon rival n'a pu être aimé plus parfaitement, il ne faut pas qu'un autre y prétende ; et à n'en mentir pas, je crois que ce serait être fort sage, que de se dégager d'avec une personne aussi peu capable que vous d'une violente affection.

— Comme vous trouvez sans doute ce sujet de plainte nouveau, capricieux, et plaisant, répliqua-t-elle, je ne m'étonne pas que vous veuilliez vous en divertir ; et je veux bien entendre raillerie, et vous répondre si vous le voulez, comme si je croyais que vous parlassiez selon votre véritable sentiment.

— Sérieusement Madame, reprit Artaxandre, je suis tout à fait affligé de voir que vous sachiez si mal aimer, et que vous ayez si peu aimé, le plus aimable de tous les hommes.

— Je vous assure, répliqua-t-elle, que je l'ai aimé autant que je puis aimer, et que je ne vous aime pas davantage.

— Je le crois, Madame, répondit-il, et je le crois aisément ; car mon rival était incomparablement mieux fait que moi ; il vous avait rendu mille services ; il avait fait mille choses pour vous que je n'ai pas faites ; et je ne doute nullement que vous ne l'ayez plus aimé que vous ne m'aimez. C'est pourquoi vous ne devez pas trouver étrange si je suis affligé du peu d'affection que vous avez eu pour lui, et du peu de sentiment que vous avez de sa perte. Car Madame, je vous le dis encore, je voudrais vous en avoir consolée, je voudrais vous avoir vue pleurer la première fois que j'eus l'honneur de vous voir, au lieu de vous avoir vue rire ; et je voudrais que vous m'eussiez l'obligation d'avoir essuyé vos larmes.

— Mais si vous m'aviez vue pleurer, répliqua-t-elle en riant, vous ne m'auriez point aimée, et bien loin de me chercher avec empressement comme vous avez fait, vous m'auriez fuie avec soin ; ainsi je ne vois pas bien de quoi vous vous plaignez.

— Je me plains Madame, reprit-il, de ce que vous n'avez pas assez aimé mon rival, car puisque je suis persuadé que vous m'aimez moins que lui, il importe étrangement à mon repos que je croie que vous l'avez fort aimé ; c'est pourquoi il n'est pas si bizarre que vous pensez, d'avoir de la douleur de ce que vous n'en avez point eu de sa perte.

— Je ne vous dis pas, répliqua-t-elle, que je vous aime moins que je ne l'ai aimé ; mais comme je suis sincère, je vous avoue que je ne vous aime pas plus, et que je ne puis aimer davantage.

— Je vous crois Madame, je vous crois, répliqua brusquement Artaxandre, et je ne vous crois que trop pour mon repos ; car quand je m'imagine qu'un amant absent est presque un amant mort pour une personne de votre humeur, que je pense ensuite que dès que je ne vous verrai plus, vous serez comme si vous ne m'aviez jamais vu, je sens un dépit que je ne vous puis représenter. De plus, comme j'ai l'imagination assez vive, et assez forte, je me figure que si j'étais mort ou absent, vous recommenceriez dans un mois une nouvelle affection avec quelque autre, et que vous lui raconteriez toute notre aventure aussi plaisamment, que vous venez de me raconter celle de mon malheureux rival. De sorte qu'à vous dire les choses comme elles sont, il n'y a rien que je ne sois résolu de faire, pour tâcher de dégager mon cœur ; et dans les sentiments où votre peu de sensibilité vient de me mettre, je pense que si je pouvais ressusciter mon rival je le ferais, afin qu'il vous fît mille reproches de l'affection que vous avez pour moi.

— En vérité, dit-elle en riant, vous m'embarrasseriez fort, si vous faisiez ce prodige, et je ne sais si je ne serais point obligée de vous quitter également, et s'il ne me serait point plus aisé d'en choisir un troisième, que de choisir entre vous deux. »

Comme Pasithée parlait ainsi, il vint assez de monde chez elle ; de sorte qu'il fallut de nécessité que la conversation devînt générale. Mais comme le hasard se mêle de tout, elle se tourna d'un côté qui convenait en quelque façon à ce qu'Artaxandre et elle venaient de dire ; car Céphise qui était là se mit à parler d'une dame qui après avoir perdu son mari, avait fait des choses tout à fait

extraordinaires pour témoigner l'excès de sa douleur, et qui s'en était après si bien consolée, qu'on
eût dit qu'elle ne s'en souvenait plus. « Pour moi,
dit alors Pasithée, je n'ai jamais ouï parler d'une
injustice égale à celle du monde[1], pour ces sortes
de choses ; car quand on fait quelque perte de
cette nature, on voit un empressement universel
dans toute la ville d'où l'on est, pour aller consoler la personne qui est affligée. En effet si vous
rencontrez quelqu'un de ceux qui y vont pour
cela, et que vous lui demandiez où il va, il vous
dira qu'il s'en va consoler celle qui a fait une
semblable perte ; demandez-le encore à un autre,
il vous répondra la même chose ; cependant il se
trouve que ces mêmes gens qui disent qu'ils vont
consoler, ne veulent point qu'on se console, et
qu'ils murmurent aussi fortement quand une
affligée cesse de pleurer, que si toutes les fontaines, et tous les fleuves du monde avaient tari ; et
l'on dirait, ajouta-t-elle en riant, que les larmes des
autres sont effectivement des perles qui doivent
les enrichir, tant ils sont fâchés lorsqu'ils voient
qu'on se laisse consoler par la raison, sans avoir
besoin du secours du temps. Je suis pourtant fortement persuadée que la plus grande folie est
celle de s'affliger avec excès, de ce qui n'a point
de remède, et que la plus grande sagesse est de se
consoler promptement ; aussi puis-je vous assurer que je n'oublie rien pour cela, et que quand
j'ai perdu quelqu'un que j'aimais, je n'ai jamais
manqué de me défaire de tout ce qui pouvait
m'en faire souvenir.

— Il est vrai, dit malicieusement Céphise, que
j'ai ouï dire que Pasithée ayant perdu une personne qui lui était fort chère, et dont elle avait un
portrait et des lettres, brûla fort diligemment tou-

tes les lettres qu'elle en avait, et qu'elle se défit du portrait qu'on lui avait donné.

— Je l'avoue, répliqua brusquement Pasithée en rougissant, et je soutiens même que c'est ainsi qu'il en faut user ; car de quoi servirait toute ma douleur à une personne morte ?

— Mais de quoi sert votre affection à une personne vivante, répliqua Artaxandre, puisqu'il est impossible de s'en tenir assuré ?

— Mais croyez-vous, dit-elle, que l'amitié de ces pleureuses de morts, soit plus sûre que la mienne ? car à ne vous en mentir pas, je suis persuadée qu'elles pleurent plus par tempérament, que par affection.

— Je tombe d'accord qu'elles pleurent par tempérament, reprit Artaxandre, mais c'est qu'il est constamment vrai, que l'on aime ardemment, ou faiblement, par cette même raison, et qu'ainsi comme vous êtes d'un tempérament à n'aimer que la joie, vous ne sauriez être capable ni de douleur, ni d'affection.

— Mais encore, dit une dame de la compagnie, voudrais-je bien savoir précisément quelles bornes on doit donner à la douleur.

— Si vous en croyez aujourd'hui Artaxandre, dit Pasithée, il vous dira qu'il faut s'enterrer dans le tombeau de ceux qu'on aime, ou que du moins il faut se faire fontaine et pleurer éternellement.

— Et si vous en croyez Pasithée, reprit-il, elle vous dira qu'il est permis de danser sur le tombeau de ses amis, que la douleur est une faiblesse honteuse, et qu'il faut beaucoup plus s'affliger d'avoir perdu un beau jour pour la promenade, que d'avoir perdu le plus respectueux amant de la terre, ou le plus fidèle ami du monde.

— Pour moi, dit Céphise, qui n'aime les extrémités à rien, je trouve qu'il y a un milieu à prendre, et que sans être ni désespéré, ni insensible, on peut s'affliger et se consoler raisonnablement.

— En mon particulier, dit Pasithée, je voudrais bien que vous voulussiez un peu nous dire comment vous l'entendez, afin que je susse si lorsqu'on a perdu un amant, on en peut faire un autre ; si lorsqu'on a perdu un mari, on peut se remarier ; et si lorsqu'on perd un ami ou une amie, on peut donner leur place à une nouvelle amie, ou à un nouvel ami.

— Vous demandez bien des choses à la fois, répliqua Céphise.

— Et ce qu'il y a d'admirable, ajouta Artaxandre, c'est que quand vous auriez fait les plus équitables lois du monde, elle les enfreindrait toutes, en pensant même faire une fort belle chose, que de ne s'assujettir à rien.

— Comme je ne puis rien refuser à Pasithée, reprit Céphise, je veux bien la contenter, quoique je sois persuadée aussi bien que vous, qu'elle demande à savoir ce qu'elle ne veut pas apprendre, ou du moins ce qu'elle ne veut pas mettre en pratique.

— Quand j'enfreindrai toutes ces lois, répliquat-elle, je ne ferai rien de fort extraordinaire, puisqu'on enfreint bien celles des plus grands rois du monde ; parlez donc Céphise, poursuivit-elle en riant, et apprenez-nous l'art de pleurer de bonne grâce.

— Vous savez si bien celui de rire agréablement, reprit Artaxandre, que je ne pense pas que vous puissiez apprendre à pleurer.

— Quand je n'aurais point su ce que vous dites que je sais si bien, répliqua-t-elle, vous me

l'auriez enseigné depuis que je vous connais.
Mais enfin Céphise, poursuivit Pasithée en la regardant, répondez à toutes mes questions l'une
après l'autre ; et pour commencer par la première, dites-moi si quand on a perdu un amant,
il se faut enterrer avec lui, ou s'il faut faire vœu
de n'être plus belle, et de n'employer plus ses
yeux qu'à pleurer ? car je vous avoue que si cela
doit être ainsi, je ne m'engagerai jamais à souffrir
un amant, à moins qu'il ne me prouve qu'il est
immortel, de peur que s'il devait mourir, je ne
fusse obligée à mourir aussi, ou à mener la plus
mélancolique vie du monde.

— À dire les choses comme elles sont, reprit Céphise, il faudrait ne s'engager jamais à nulle affection particulière ; mais enfin comme une amour
innocente peut être permise, je crois qu'à parler
raisonnablement, quand on a eu le malheur d'engager fortement son cœur à aimer quelqu'un qu'on
perd par la mort, sans avoir eu sujet de s'en plaindre, on ne doit plus s'engager à rien. Néanmoins
comme il est assez naturel de se consoler avec le
temps des plus sensibles douleurs, je ne voudrais
pas absolument condamner une personne de qui
le cœur serait touché une seconde fois de quelque
tendresse particulière ; mais au-delà de deux, je
vous déclare que je ne tiens plus une femme pour
raisonnable, ni même pour vertueuse, quoique ses
actions ne soient pas criminelles.

— De sorte, reprit Pasithée, qu'il est donc permis d'avoir un second amant, après avoir perdu
le premier ?

— Il serait plus beau, répliqua Céphise, de n'en
avoir point, ou de n'en avoir eu qu'un ; mais
enfin pour accommoder mes lois à la faiblesse humaine, je souffre que l'on puisse en avoir deux ;

mais c'est à condition qu'il y ait un fort grand intervalle entre la mort du premier amant, et la
naissance de la seconde amour. Je veux même
que le dernier amant soit digne de succéder au
premier ; je veux encore qu'on défende son cœur
plus opiniâtrement cette seconde fois que la première, qu'on ait quelque secrète confusion de ce
nouvel engagement, et qu'on ne s'engage enfin
qu'après que le temps et la raison ont effectivement dû vous consoler. Car je ne veux pas que ce
soit le nouvel amant qui chasse le premier du
cœur de la dame ; au contraire je veux que ce soit
la raison et le temps qui l'aient consolée, et qui
l'aient mise en état de pouvoir aimer une seconde
fois. En effet, poursuivit Céphise avec une malice
extrême, je ne fais point de difficulté de dire
qu'une femme qui s'engage à une nouvelle affection aussitôt après la mort de son premier amant,
est une infidèle, et une infidèle plus inhumaine,
et plus insensible, que si elle l'était pour un
amant vivant.

— On voit bien, interrompit Pasithée en riant,
que tous vos amants vivent, et se portent bien ;
car si vous pouviez seulement craindre qu'ils
mourussent devant vous, vous ne parleriez peut-
être pas comme vous faites. Cependant je suis
contente de cet article ; car plus vous diriez de
choses, moins je trouverais ce que je cherche ;
c'est pourquoi dites-moi un peu s'il est permis
d'avoir deux maris, aussi bien que deux amants ?

— Puisque l'usage a déterminé que cela ne choque point la bienséance, reprit Céphise, je n'ai
garde de dire le contraire ; mais si vous voulez
que je vous dise positivement ce que je pense sur
cette matière, je vous avouerai ingénument que je
pardonne plus volontiers à une femme d'avoir

deux amants en sa vie, que deux maris ; car enfin
il y a encore quelque chose de moins étrange, et
qui blesse moins une imagination délicate, de
donner deux fois son cœur tout entier pour un
temps, que de se donner pour toute sa vie ; et je
soutiens enfin que si un sentiment d'ambition ou
d'amour, n'excuse celles qui se remarient, elles
sont inexcusables ; du moins sais-je bien que je
trouverais plus honnête d'être une coquette prude,
que d'être une de ces femmes qui n'ont pas
plutôt perdu un mari, qu'elles en prennent un
autre, et qui ne pleurent celui qu'elles perdent,
qu'afin que leurs larmes leur servent à en trouver
un qui leur soit plus agréable. Encore pour celles
qui ont deux passions innocentes en leur vie,
elles ont plus de choses à dire pour excuser leur
faiblesse ; car enfin on ne peut nier qu'il n'y ait
quelque douceur à régner dans le cœur d'un fort
honnête homme, et à en être aimée ardemment ;
ainsi le seul plaisir d'avoir un esclave fidèle et
obéissant, peut en quelque sorte faire excuser celle
à qui un long temps a ôté la plus sensible douleur
de la perte qu'elle a faite, lorsqu'elle se résout à
donner de nouvelles chaînes. Mais qu'une femme
prenne un nouveau maître, c'est ce que je ne puis
concevoir, et ce que je ne croirais point possible,
si l'expérience ne nous faisait voir tous les jours
qu'il y en a qui se marient seulement pour se ma-
ricr, sans que l'ambition ni l'amour les y porte, et
sans pouvoir dire une bonne raison de leur mariage. Aussi ne me fiai-je jamais à ces grandes
pleureuses, qui veulent s'enfermer dans les tombeaux de leurs maris ; car j'en ai tant vu qui se sont
consolées trop tôt, que j'aime beaucoup mieux une
douleur plus sage et plus longue ; et j'aime mieux

aussi, comme je l'ai déjà dit, qu'une femme ait deux amants que deux maris.

— Pour cela, dit Artaxandre, je crois que Pasithée ne vous contredira point.

— Je l'avoue, reprit-elle, et pour reconnaître dignement ce que Céphise a dit sur cet article, je la dispense de se donner la peine de dire si l'on peut avoir de nouvelles amies, et de nouveaux amis, quand on a perdu les premiers.

— Il est vrai, reprit Artaxandre, que vous n'avez guère à faire de le savoir.

— Je l'avoue encore, dit-elle, mais c'est parce que toutes mes amies et tous mes amis se portent si bien que je ne serai de longtemps en la peine de délibérer si j'en veux faire d'autres, ou si je n'en veux pas faire.

— Vous devriez ajouter à ce que vous dites, répliqua Céphise, que vous savez déjà comment il en faut user ; car n'avez-vous pas perdu Philicrate ?

— Il est vrai, dit-elle sans rougir et sans être déconcertée, que j'ai pris Artaxandre à sa place.

— Je ne sais pas Madame, reprit-il, si je suis à la place de Philicrate ; mais je suis persuadé que la sienne est presque meilleure que la mienne ; car je pense qu'il est plus doux d'être dans le tombeau que d'être dans le cœur d'une personne de votre humeur.

— Mais il me semble, reprit Pasithée en riant, que Céphise n'a pas mis Philicrate au rang où il devait être ; car il était mon amant, et elle ne l'a placé qu'au rang de mes amis. » Après cela Artaxandre qui avait l'esprit irrité de l'insensibilité du cœur de cette personne, lui dit encore cent choses où il paraissait quelque aigreur et quelque malice ; ensuite de quoi la compagnie s'étant séparée, Artaxandre remena Céphise chez elle, qui avait sans doute pour lui une espèce d'amitié qui eût pu aisément devenir amour. De sorte qu'elle n'était pas marrie de lui voir l'esprit un peu irrité contre Pasithée ; au contraire elle lui dit encore cent choses qui l'irritèrent davantage. Car elle lui apprit cent particularités de sa première galanterie, que Pasithée ne lui avait pas dites, parce qu'elle ne s'en souvenait plus. Et en effet Artaxandre avec tout son enjouement, se mit si avant dans la tête de s'imaginer qu'il avait sujet de s'estimer malheureux de ce que Pasithée avait eu si peu de sentiment de la mort de son rival, qu'il n'eût pas été guère plus fâché si elle en eût aimé quelque autre, qu'il l'était de ce qu'elle n'avait pas assez aimé celui-là. « Car enfin, disait-il à Philionte en lui exagérant ce qu'il souffrait, quelle sûreté puis-je jamais avoir de l'affection de Pasithée ? puisque je sais de sa bouche qu'elle ne peut m'aimer davantage qu'elle a aimé Philicrate qu'elle n'a point aimé, puisqu'elle s'en est si tôt consolée.

— Mais vous en aimez quelquefois tant d'autres, reprit Philionte, qui ne vous aiment pas plus qu'elle, sans que vous vous en tourmentiez.

— Il est vrai, disait-il, mais c'est que je ne les aime pas plus qu'elles m'aiment ; cependant il n'en est pas ainsi de Pasithée ; car je m'étais mis dans la fantaisie d'avoir pour elle une de ces grandes passions qu'on propose pour exemple à tous les nouveaux amants ; mais je vois bien que le mieux que je puisse faire est de tâcher de ne l'aimer plus du tout ; aussi bien me semble-t-il que je dois ce respect-là à mon ami mort, de ne contribuer rien aux plaisirs[1] d'une personne qui l'a si peu regretté ; et dans les sentiments bizarres où je suis présentement, il me semble que je serais bien vengé si je mettais Pasithée en état de regretter Philicrate.

— Mais pour savoir précisément, reprit Philionte en riant, si cette belle enjouée ne vous aime point mieux que son premier amant, faites mourir Artaxandre.

— Ha ! Philionte, reprit-il, ce remède est trop violent !

— Quand vous m'entendrez bien, répliqua-t-il, vous le trouverez plus doux que vous ne pensez ; car enfin ce que j'entends, est que Pasithée ne trouve plus en vous durant quelque temps, cet Artaxandre qu'elle aime, et qui sait l'art de lui plaire et de la divertir ; cessez donc si vous m'en croyez d'être enjoué, complaisant, et agréable ; ne la voyez plus que pour vous plaindre d'elle ; soyez rêveur, et chagrin ; et faites enfin mourir cet aimable Artaxandre qu'elle aime, pour voir si elle l'aimera encore après sa mort, et si elle fera tout ce qu'il faut faire pour le ressusciter. » Et en effet comme Artaxandre, quand il l'a entrepris, renferme toute sa joie, et paraît tout à fait sombre et mélancolique, il commença d'agir comme un homme qui ne pensait plus à divertir Pasithée ; car il ne la voyait plus qu'avec une tristesse sur le visage qui commençait de l'ennuyer dès qu'elle le voyait ; il ne disait plus rien de ce qu'il avait accoutumé de dire ; il ne riait pas même de ce qu'elle disait ; il ne lui donnait nul plaisir ; et il se plaignait continuellement quand il lui parlait ; de sorte que Pasithée vint à trouver qu'il lui eût été bien plus commode qu'il eût été mort, que d'être auprès d'elle comme il y était. Aussi lui en dit-elle un jour ce qu'elle en pensait ; car comme il se mit à lui reprocher son peu d'affection, « De grâce Artaxandre, lui dit Pasithée, reprenez votre belle humeur, ou je ferai pis pour vous que pour Philicrate, puisque je n'ai fait que l'oublier, et que je vous haïrai horriblement.

— Ha ! Madame, lui dit-il, je vous en défie ; car je suis persuadé que vous ne savez ni aimer, ni haïr ; ainsi comme je ne puis espérer d'être fortement aimé, je ne puis craindre d'être fort haï. Mais enfin Madame, lui dit-il, si vous voulez que cet Artaxandre qui ne vous importunait pas ressuscite, il faut pour mettre son esprit en repos, que vous fassiez plus pour lui, que vous n'avez fait pour Philicrate.

— En vérité, dit-elle, je ne saurais ; car j'avais fait pour Philicrate, tout ce que la vertu me permettait de faire ; et je ne veux, ni ne dois faire rien davantage.

— Il faut donc que je ne vous aime plus, reprit-il, puisque je ne saurais être content d'une affection semblable à celle que vous avez eue pour Philicrate. Si je pouvais n'avoir pour vous, ajouta-t-il, qu'une amour galante et coquette, comme j'en ai eu pour cent autres en ma vie, je ne vous parlerais pas ainsi ; mais pour mon malheur, je me suis avisé de vouloir vous aimer d'une autre manière ; c'est pourquoi la chose n'a point de milieu ; car il faut m'aimer plus que vous n'avez aimé Philicrate, ou que je ne vous aime plus.

— Comme je ne saurais faire ce que vous voulez, reprit-elle, faites si vous pouvez ce que vous dites que vous voulez faire.

— Vous m'en défiez Madame, lui dit-il, parce que vous ne croyez pas que je le puisse ; mais je vous montrerai peut-être, qu'on peut rompre les fers que vous donnez ; car à n'en mentir pas, j'en ai autant rompu que j'en ai porté ; et pour commencer de vous prouver que je suis maître de moi quand je le veux, je m'en vais me priver d'un fort grand plaisir en me privant de votre vue. » Et en effet Artaxandre se leva, et sortit de chez Pasithée ; et pour lui témoigner qu'effectivement il avait dessein de rompre avec elle, il lui renvoya un portrait qu'elle lui avait donné ; et il fut le lendemain aux champs avec Philionte, chez qui il était logé ; car comme son ami était fils unique, et fort honnête homme, il était presque maître de chez lui, quoiqu'il eût son père et sa mère ; de sorte qu'ayant une fort belle maison aux champs, il y mena Artaxandre pour un mois, qui se consola avec lui-même, et avec les Muses, de la perte de Pasithée ; car il fit les plus agréables choses du monde pendant son séjour de la campagne. Ainsi ce commencement d'amour n'eut point de fin ni par mort, ni par mariage, ni par haine, ni par jalousie.

Mais pour passer de celui-là à un autre, il faut que vous sachiez un accident qui arriva, le soir même qu'Artaxandre et Philionte revinrent à Crète. Il faut même que je vous apprenne que depuis leur départ, il était arrivé à cette ville, une dame qu'Artaxandre n'avait jamais vue, et qui a une fille d'une beauté si admirable, que si je n'avais pas vu ce que je vois, je dirais que c'est la plus belle fille du monde. Cependant comme cette dame à son retour de la campagne logea devant la maison du père de Philionte, et qu'elle fit amitié avec la mère de cet ami d'Artaxandre, elles se virent fort souvent pendant l'absence d'Artaxandre et de Philionte. Mais pour venir promptement à cet autre commencement d'amour que je vous ai promis, et à vous apprendre ce qui acheva de chasser Pasithée du cœur d'Artaxandre, il faut que vous sachiez qu'y ayant eu assez

de monde à souper chez Philire — c'est ainsi que
j'appellerai la mère de cette belle fille, que je
nommerai Cynésie —, le malheur voulut qu'après
que la compagnie fut partie, ceux qui eurent soin
d'éteindre les lampes qui éclairaient la salle, ne le
firent pas bien ; de sorte qu'une heure après le
feu prit à cette maison, mais avec tant de violence au commencement, que Philire et Cynésie,
craignant plus pour leur vie que pour toute autre
chose, en sortirent, et se sauvèrent chez le père
de Philionte, dont la maison était de l'autre côté
de la rue, qui était assez large pour ne devoir pas
craindre que le feu se communiquât aisément.
Cependant comme elles furent secourues promptement par tous ceux de leur voisinage, le feu
s'éteignit assez tôt ; Philire et Cynésie ne purent
pourtant retourner coucher chez elles, parce que
ne sachant pas si on pourrait éteindre ce feu,
leurs gens avaient diligemment démeublé leurs
chambres, pour en sauver leurs meubles ; si bien
que la mère de Philionte, qui est une personne
très officieuse, pria Philire et Cynésie de coucher
dans sa maison. Il lui était d'autant plus aisé de
leur faire cette civilité, qu'Artaxandre et Philionte
n'étant point à Crète, leurs chambres étaient toutes préparées à recevoir ces dames ; et en effet on
mit Philire à celle de Philionte, et la belle Cynésie
à celle d'Artaxandre. Mais comme dans ces sortes
de désordres, on ne fait rien régulièrement, et
que Cynésie n'avait pas ses femmes pour la servir, celles de la maison où elle était, ne firent que
pousser la porte de cette chambre sans la fermer
tout à fait ; et dans la précipitation où elles
étaient de s'aller vitement coucher, afin de se récompenser du temps qu'elles avaient perdu, elles
laissèrent une lampe allumée dans la chambre de

cette belle fille, qui ne fut pas trop marrie qu'elles l'y eussent laissée, parce qu'elle s'imagina qu'elle aurait beaucoup de peine à s'endormir, après la frayeur qu'elle avait eue. La chose n'alla pourtant pas ainsi ; car le silence, le repos, et la lassitude où elle était, d'avoir veillé d'une manière si incommode, firent qu'elle s'endormit très profondément, aussi bien que tous ceux qui étaient dans cette maison.

Cependant il faut que vous sachiez, que comme il faisait alors fort chaud, et que les nuits étaient beaucoup plus propres à voyager que le jour, Philionte et Artaxandre, afin d'éviter l'incommodité de l'excessive chaleur, s'étaient mis tous deux seuls dans une petite barque, comme le soleil se couchait, pour s'en retourner à Crète, laissant ordre à leurs gens de s'y en aller par terre le lendemain ; car comme la lune éclairait alors toute la nuit, ils espérèrent beaucoup de plaisir de s'en retourner de cette façon. Et en effet toute la commodité qu'on peut trouver en un petit voyage se trouva en celui-là ; car la mer était tranquille ; la nuit était fort claire ; il n'y avait qu'un petit vent frais qui soufflait ; la barque était couverte de branches d'orangers, et de myrte, qui avaient une odeur admirable ; ils avaient fait mettre des carreaux[1] sur quoi ils se pouvaient coucher quand l'envie de dormir les prendrait ; et ceux qui conduisaient la barque ramaient fort également, et savaient bien leur métier. Cette barque n'était pas même si petite qu'ils ne pussent s'entretenir sans être entendus de ceux qui la conduisaient ; de sorte que j'ai ouï assurer et à Philionte, et à Artaxandre, qu'ils n'ont jamais passé un plus agréable soir que celui-là. Il est vrai qu'ils firent tant de choses, qu'ils n'eurent pas loisir de s'ennuyer ; car ils parlèrent de tout ce que deux hommes qui ont de l'esprit peuvent parler ; ils chantèrent durant quelque temps ; ils rêvèrent ; ils firent des vers ; ils raillèrent avec leurs mariniers ; ils admirèrent la beauté de la mer en cet état, où le brillant des astres argente toutes les ondes ; ils écoutèrent même cet agréable murmure que font les vagues, durant le silence de la nuit ; et ils s'endormirent enfin en écoutant le battement des rames dans l'eau, dont le bruit par une cadence mesurée, est effectivement fort propre à exciter le sommeil. Mais enfin ils s'éveillèrent si à propos, qu'ils eurent le plaisir de jouir de la vue d'un des plus beaux objets du monde, en approchant de Crète ; car bien que le rivage le long duquel ils avaient été, ait presque partout de fort beaux endroits, ce n'est rien en comparaison de l'abord de Crète. Aussi Philionte et Artaxandre dissipèrent-ils si absolument leur sommeil, qu'ils s'imaginèrent qu'ils avaient dormi autant qu'à l'ordinaire, et qu'ils n'en avaient plus aucun besoin. Mais enfin ils abordèrent à Crète ; de sorte que comme la ville n'a point d'autres murailles que la mer de ce côté-là, ils eurent la liberté de s'en aller chez eux ; et en effet ils traversèrent toute cette belle ville sans trouver personne dans les rues, car ils y arrivèrent fort tard, et justement une heure après que Philire et Cynésie furent couchées dans la maison du père de Philionte.

Cependant comme ils ne pouvaient pas deviner que leurs chambres étaient occupées, ils allèrent droit chez eux ; il est vrai qu'en y arrivant, ils furent assez surpris de voir quelques marques d'embrasement dans leur voisinage. Mais à la fin frappant doucement à la porte, de peur d'éveiller le maître et la maîtresse de la maison, un esclave

qui était tout contre entendit frapper ; si bien que
s'imaginant que c'était peut-être quelqu'un de
chez Philire qui venait lui dire quelque chose, il
se lève à moitié éveillé, et va à la porte, où il ne
fut pas si tôt, que reconnaissant la voix du fils de
son maître, et celle d'Artaxandre, il ouvrit diligemment. À peine furent-ils entrés, que cet esclave voulut appeler des gens pour les servir, et
leur aller chercher de la lumière. Mais comme
Philionte ne voulait pas qu'on éveillât personne,
puisqu'il n'avait point ses gens, et que la lune
éclairait comme s'il eût été jour, il le lui défendit,
et sans s'amuser à lui[1] ni l'un ni l'autre, ils lui dirent qu'il se recouchât, et qu'il les laissât aller. De
sorte que cet esclave leur obéit ; joint que comme
c'était un homme qui ne servait qu'à ouvrir la
porte, et qui de plus était fort stupide, il ne savait
point que Philire et Cynésie occupaient les chambres de Philionte et d'Artaxandre. Il savait bien
qu'elles étaient dans cette maison, car il les y
avait vues entrer ; mais il n'avait pas pénétré plus
avant pour s'informer du lieu où on les avait lo-
gées. Si bien que Philionte et Artaxandre s'étant
séparés, parce que leurs appartements n'étaient
pas de même côté, ils prirent chacun le chemin
du leur.

Mais Artaxandre fut assez surpris, lorsqu'approchant de la porte de sa chambre, il la vit en-
trouverte, et qu'il y vit de la lumière ; il le fut
pourtant beaucoup davantage, lorsqu'étant entré
il vit sur la table un voile de femme, avec tout ce
qui a accoutumé d'être sur celle d'une dame
magnifique[2] qui s'est déshabillée ; et il le fut encore incomparablement plus de voir dans son lit
une des plus belles personnes du monde, et qui
semblait s'être mise exprès en une situation avan-

tageuse, pour paraître plus belle, et pour donner de l'amour à Artaxandre ; car comme il faisait chaud, un grand pavillon de couleur de pourpre, qui couvrait son lit, était retroussé, et laissait à Artaxandre la liberté de pouvoir admirer sa beauté, qui lui parut d'autant plus merveilleuse qu'il fut agréablement surpris par un si bel objet[1]. En effet Cynésie qui est grande et de belle taille, était couchée à demi sur le côté droit ; de sorte que comme la couverture qui la couvrait était assez simple, on voyait toute la forme de son corps, comme on voit celle de ces figures que les grands peintres font, qui ne laissent pas à travers tous les plis de ces admirables draperies qu'ils représentent si bien, de faire voir la juste proportion de toutes les parties du corps qu'ils veulent représenter. De plus, Cynésie avait la tête appuyée sur un bras, et la main pendante sur le carreau qui lui servait de chevet ; et comme elle s'était déshabillée avec assez de tumulte, une partie de ses tresses s'étant détachée, on voyait cinq ou six grosses boucles de cheveux noirs, qui lui tombaient négligemment sur la gorge qu'elle a admirable, et qui était à demi découverte, parce qu'un cordon qui attachait une tunique plissée qu'elle avait, s'était dénoué. Pour le bras gauche, elle l'avait nonchalamment étendu hors du lit, ce qui faisait qu'on pouvait voir qu'elle a les plus beaux bras du monde. De plus Artaxandre vit qu'elle avait tous les traits du visage admirables ; car encore qu'il ne la vît pas les yeux ouverts, il ne laissait pas de s'imaginer qu'elle les avait fort beaux. Il trouvait même qu'elle dormait de bonne grâce ; et quoique ce ne soit pas la coutume d'avoir le teint extrêmement vif en dormant, Cynésie ne laissait pas de l'avoir comme l'ont les

belles quand quelque chose d'agréable les anime.
Elle avait même les lèvres si incarnates, que cela
faisait le plus bel effet du monde avec son beau
teint, et ses cheveux noirs.

Artaxandre étant donc fort surpris par une si
belle apparition, ne savait qu'en penser ; et il
était d'autant plus surpris, qu'il ne connaissait
point Cynésie. Il jugeait pourtant bien qu'il fallait
que ce fût une personne de qualité, et par ses habillements qu'il voyait, et par un petit collier de
diamants qu'elle avait sur la gorge, et qu'elle
avait oublié d'ôter en se couchant, et par une
boîte de portrait qu'elle portait attachée au bras
gauche avec un cordon noir[1] ; car encore que cette
boîte ne fût pas fort riche, elle ne laissait pas de
faire connaître à Artaxandre, que celle qui la portait devait être une personne de qualité, parce
que celles qui n'en sont pas, ne portent point de
ces sortes de choses. Artaxandre étant donc en
cet état, ne savait pas trop bien ce qu'il devait
faire ; car il eût volontiers éveillé cette belle endormie, pour voir si elle avait les yeux aussi
beaux qu'il se les imaginait ; mais comme il craignait de s'en faire haïr, s'il lui donnait la frayeur
de l'éveiller, et de se voir en cet état avec un
homme comme lui, il n'osait l'entreprendre ; et il
imagina quelque chose de plus respectueux et de
plus galant à faire. Car ayant fortuitement dans
sa poche une boîte de portrait beaucoup plus riche, et beaucoup plus belle que celle que Cynésie
portait attachée au bras qu'elle avait si négligemment étendu, il s'approcha doucement de cette
belle endormie ; et se mettant à genoux, il dé-
noua avec une adresse extrême le cordon noir
qui tenait la boîte qu'elle portait, et la changeant
diligemment avec la sienne, il renoua ce cordon

après avoir fait cet échange, et le renoua si adroitement que Cynésie ne s'en éveilla pas. Mais j'oubliais de vous dire que comme cette boîte qu'Artaxandre mit au bras de Cynésie, avait été faite pour mettre un portrait de Pasithée qu'il lui avait rendu en rompant avec elle, il n'y avait rien dedans ; de sorte que comme il sait dessiner, quoiqu'il n'ait jamais appris, et qu'il porte ordinairement un crayon, comme il a l'imagination assez vive, il écrivit ces quatre vers dans cette boîte devant que de l'attacher au bras de Cynésie :

> *Plus heureux la nuit que le jour,*
> *Je veux avoir cet avantage,*
> *Que vous connaissiez mon amour,*
> *Sans avoir connu mon visage.*

Mais à peine eut-il écrit ces quatre vers, et eut-il attaché la boîte où il les avait écrits, qu'il entendit quelqu'un qui montait l'escalier. De sorte que craignant qu'on ne vînt éveiller cette belle endormie, il fut diligemment où il entendait ce bruit ; et il y fut pourtant si doucement qu'il n'éveilla point Cynésie. Mais à peine fut-il au haut de l'escalier, qu'il rencontra son ami, de qui l'aventure avait été bien différente de la sienne ; car au lieu de trouver une très belle personne dans son lit, il y avait trouvé la mère de Cynésie, que le temps avait rendue une des plus laides femmes de la terre. Néanmoins comme il l'avait reconnue, parce que la lune éclairait sa chambre comme s'il eût été jour, il en était ressorti tout doucement sans vouloir troubler son repos, et était allé voir si celle de son ami était aussi occupée. Si bien que l'ayant rencontré au haut de l'escalier, et s'étant raconté l'un à l'autre leurs aventures

différentes, Artaxandre à qui sa belle endormie
éveillait l'esprit, pria son ami de vouloir ressortir
avec lui, d'ordonner à celui qui leur avait ouvert
la porte de ne dire point qu'ils fussent revenus, et
de s'en aller coucher tous deux chez un de leurs
amis. Et en effet Philionte trouvant quelque
chose de plaisant à faire que Cynésie ne sût pas
d'abord comment on lui aurait donné une boîte
pour la sienne, consentit à ce que son ami lui proposa. De sorte que la chose fut exécutée comme
Artaxandre l'entendait ; car ils sortirent de la maison où ils étaient ; ils défendirent au portier de
dire qu'ils étaient revenus de la campagne ; et ils
furent passer le reste de la nuit chez un parent de
Philionte. Mais afin de n'aller que le soir chez
eux, ils envoyèrent au-devant de leurs gens qui
devaient venir par terre, pour faire qu'ils n'arri-
vassent qu'à la fin du jour, leur défendant de dire
qu'ils étaient venus dans une barque, et leur commandant au contraire de dire qu'ils étaient venus
par terre, et venus avec eux. Mais ce qu'il y eut de
plaisant à cette aventure, fut que comme Artaxandre avait dormi dans la barque, il n'était
point accablé de sommeil ; de sorte qu'il ne fit
autre chose que parler à Philionte de cette belle
endormie, et que lui en demander cent particularités. « Mais de grâce, lui disait-il, ne m'en dites
rien qui m'empêche de l'aimer ; car je vous assure qu'il m'ennuie si fort quand je ne suis point
amoureux, que c'est me rendre le plus agréable
office du monde que de contribuer quelque
chose à me donner de l'amour. Mais à vous dire la
vérité, poursuivit-il, je voudrais bien que cette
belle personne ne fût pourtant pas de l'humeur
de Pasithée, et que Pasithée avec tout son enjouement, eût plus de dépit de me voir porter d'autres

chaînes que les siennes, qu'elle n'a eu de douleur de voir Philicrate au tombeau.

— Je vous assure, reprit Philionte, que vous avez trouvé tout ce qu'il vous faut ; car premièrement toutes les belles en général n'aiment point à perdre leurs esclaves ; et vous êtes assuré de faire dépit à Pasithée, si vous aimez Cynésie. De plus, il est encore certain que cette belle fille n'est pas de l'humeur de l'autre ; car elle est de tempérament mélancolique, quoiqu'elle soit fort agréable en conversation, et qu'elle ait l'esprit très divertissant ; mais elle a parmi cela quelques heures un peu capricieuses. Il est vrai que comme elle a l'âme passionnée, et le cœur tendre, ses caprices ne sont pas plus longs.

— Ha ! Philionte, s'écria Artaxandre, voilà effectivement tout ce qu'il me faut ; car puisque Cynésie a de la beauté, de l'esprit, de l'agrément, de la mélancolie, et un peu de caprice, par la diversité seulement j'espère avoir mille plaisirs de l'amour que je veux avoir pour elle.

— Vous n'en avez donc pas encore ? reprit Philionte en riant.

— En vérité, dit Artaxandre, si je n'en ai, il ne s'en faut plus guère ; et si je l'avais vue les yeux ouverts, je ne doute point que je n'en eusse. Cependant, ajouta-t-il, je me suis engagé à en être amoureux, puisque je lui ai dit que je l'étais par les quatre vers que j'ai écrits dans la boîte que je lui ai attachée au bras ; c'est pourquoi quand je ne le serais pas, il faudrait que je fisse semblant de l'être durant quelques jours.

— Mais, lui dit Philionte, si vous n'étiez point amoureux de Cynésie, et qu'elle gardât votre boîte de portrait, votre galanterie vous coûterait un peu cher.

— Si elle la garde, reprit Artaxandre, elle me fera une faveur qui me donnera de l'amour ; car comme je ne suis naturellement pas cruel, je puis assurer que des faveurs et de la beauté me touchent infailliblement.

— Mais comment saura-t-elle, reprit Philionte, que c'est vous qui avez fait cet échange ?

— Il lui sera aisé de le deviner, reprit-il, car je prétends ce soir porter la boîte que je lui ai prise, attachée en lieu où elle la puisse voir. » En disant cela, Artaxandre tira cette boîte de sa poche, qu'il n'avait point encore ouverte, tant il avait eu l'esprit occupé de l'aventure qui lui était arrivée. Mais il fut fort étonné lorsqu'il vint à l'ouvrir, d'y trouver le même portrait de Pasithée, qu'il lui avait rendu quand ils s'étaient brouillés. Il crut pourtant d'abord que c'était que ces deux filles étaient amies sans qu'il l'eût su, et que Pasithée avait envoyé son portrait à Cynésie pendant qu'elle était à la campagne. Il est vrai qu'il ne fut pas longtemps en cette opinion ; car Philionte lui dit au contraire qu'elles étaient ennemies ; de sorte que ne sachant que penser de cette aventure, il en fut assez embarrassé. « Pour moi, lui dit Philionte, je croirais volontiers que comme Pasithée a une humeur qui ne la fait pas trop sévère, elle a donné ce portrait à quelque nouveau galant, qui l'a sacrifié à Cynésie.

— Mais si cela est, dit Artaxandre, il faut conclure que Cynésie a un amant qu'elle ne hait pas ; car quand on prend de ces sortes de sûretés, on s'engage autant qu'on pense engager les autres.

— Ce que je vous dis, reprit Philionte, n'est peut-être qu'une imagination, que je veux même croire être mal fondée ; car puisque vous voulez devenir amoureux à quelque prix que ce soit, il se faut bien garder de vous dire rien qui vous en puisse empêcher.

— Il est vrai, reprit Artaxandre, qu'une passion est un grand secours contre l'ennui, en un lieu où l'on n'a rien à faire ; car enfin le simple dessein de faire faire un message, ou d'en recevoir un, vous occupe agréablement tout un jour. Vous n'avez pas plutôt fait une chose, que vous pensez à en faire une autre ; vos propres rêveries vous divertissent ; et je ne trouve rien qui amuse plus doucement l'esprit qu'une galante amour ; car pour les grandes et violentes passions, elles occupent trop.

— Pour moi, dit Philionte, je suis persuadé qu'il ne faut point avoir d'amour, ou qu'il en faut avoir tout de bon ; car à n'en mentir pas, il n'appartient qu'aux grandes passions à donner les grands plaisirs.

— Il est vrai, dit Artaxandre, mais elles donnent aussi quelquefois de grandes douleurs.

— Je l'avoue, répondit Philionte, mais de l'humeur dont je suis, je veux tout ou rien ; et je n'aime point ces affections passagères qui demandent autant de soin qu'une belle passion, qui vous emportent autant de temps, et qui ne vous en récompensent point. Car cent de ces demi-amours, ne vous font pas seulement conquérir un cœur tout entier ; c'est pourquoi si vous m'en croyez, ou n'aimez point Cynésie, ou aimez-la tout de bon.

— J'y suis résolu, reprit Artaxandre, quand ce ne serait que pour me venger de Pasithée, qui se console si aisément de ma perte, s'il est vrai qu'elle ait donné le portrait que je viens de voir, comme il y a grande apparence. »

Mais pendant qu'Artaxandre et Philionte s'entretenaient de cette sorte, la belle Cynésie dormait paisiblement ; et par ce paisible sommeil,

on peut dire qu'elle préparait de nouvelles armes
pour achever de vaincre Artaxandre ; car elle s'en
éveilla le teint plus reposé, et les yeux plus
brillants. Mais en s'éveillant, elle fut fort surprise
de voir qu'au lieu d'une boîte de portrait garnie
d'émeraudes, qu'elle pensait avoir encore au
bras, elle y en avait une couverte de diamants,
qui était incomparablement plus riche que la
sienne. À peine eut-elle vu ce changement si surprenant, qu'elle rougit, et que s'asseyant sur son
lit, elle avança le bras tout à fait au jour, comme
si elle eût pensé n'avoir pas bien vu ; mais plus
elle regarda cette boîte, plus elle connut qu'il fallait qu'il fût venu quelqu'un dans la chambre où
elle était, pendant qu'elle avait dormi ; et elle
pensa même bien qu'il fallait que ce fût un
homme, ne lui semblant pas qu'une telle galanterie pût avoir été faite par une femme. De sorte
qu'un sentiment de modestie lui donna durant
quelque temps quelque espèce d'inquiétude ;
néanmoins après avoir bien pensé à cette aventure, elle crut qu'il fallait que celui qui avait fait
un échange si désavantageux pour lui, eût le
cœur assez noble ; si bien qu'elle a avoué depuis
qu'elle eut alors plus de curiosité que d'inquiétude. Ce qui l'embarrassait, était qu'elle savait
qu'il n'y avait point alors d'hommes dans cette
maison, que le père de Philionte, qui étant fort
vieux, n'était pas propre à être soupçonné d'une
pareille chose. Elle savait bien qu'il avait un fils,
car elle connaissait Philionte ; et elle n'ignorait
pas qu'Artaxandre logeait aussi dans cette maison ; car encore qu'elle ne le connût point, elle en
avait entendu parler ; mais elle ne songeait pas à
eux, parce qu'elle avait entendu dire qu'ils étaient
aux champs, et qu'ils n'avaient pas mandé quand

ils reviendraient. Comme elle était dans cet embarras, une amie particulière qu'elle avait, qui se nomme Cléophile, vint la voir avec empressement, pour se réjouir avec elle de ce que le feu qui avait été à la maison de sa mère, n'y avait pas fait plus de désordre, et pour lui demander comment elle se trouvait de la frayeur qu'elle avait eue. Mais dès qu'elle la vit, et qu'elle la vit si belle, « Ha ! Cynésie, lui dit-elle, comment est-il possible qu'il ne paraisse point à vos yeux que vous ayez mal dormi, après la mauvaise nuit que vous avez eue ? car pour moi si j'avais eu une semblable frayeur, il faudrait que je me cachasse le reste du jour, parce que j'aurais le teint si mauvais, les yeux si battus, et que je serais si accablée, que je ferais peur. Cependant je vous vois bien plus propre à porter le feu partout, qu'à faire croire que vous ayez eu peur d'être brûlée. — Il est vrai, dit Cynésie, que j'ai dormi aussi profondément cette nuit, que s'il ne me fût rien arrivé de fâcheux, et que je n'eusse point changé de lit ; et pour vous en donner une preuve, lui dit-elle, il faut que je vous raconte la plus surprenante galanterie dont vous ayez jamais entendu parler. » Après cela Cynésie raconta à Cléophile ce qui lui donnait tant de curiosité ; et afin de lui faire mieux voir cette boîte, elle tendit le bras à son amie, la priant de détacher le cordon qui la tenait. Cependant à peine Cléophile eut-elle détaché cette boîte, que Cynésie l'ouvrit ; mais elle fut bien surprise d'y trouver les quatre vers qu'Artaxandre y avait écrits ; et elle le fut si fort, qu'elle ne put s'empêcher de les relire tout haut, après les avoir lus tout bas ; et en effet sans rien dire autre chose à Cléophile, elle se mit à les réciter de cette sorte :

Plus heureux la nuit que le jour,
Je veux avoir cet avantage,
Que vous connaissiez mon amour,
Sans avoir connu mon visage.

Mais après les avoir dits, elle regarda Cléophile, qui n'était pas moins surprise qu'elle ; toutefois, après y avoir un peu pensé, Cléophile conclut qu'il fallait que ce fût Artaxandre qui eût fait un semblable tour. « Ce n'est pas, dit-elle, que je puisse reconnaître son style par ces quatre vers, car il en fait de plus justes et de plus raisonnables que ceux-là ; mais comme ils ont sans doute été faits tout à fait à l'improviste, il ne faut pas conclure qu'ils ne soient point d'Artaxandre ; joint que je lui en ai quelquefois vu faire sur-le-champ qui n'étaient guère mieux tournés[1]. De sorte que je conclus que c'est Artaxandre qui les a faits, que c'est Artaxandre qui vous a vue endormie, et que c'est Artaxandre qui est amoureux de vous.

— Mais Artaxandre, reprit Cynésie, est à la campagne.

— Artaxandre, reprit Cléophile, est donc en plus d'un lieu à la fois ; car je vous réponds que ce ne peut être que lui. Cependant je trouve qu'il vous est fort glorieux, ajouta-t-elle, d'avoir conquis son cœur en dormant.

— Ha ! pour son cœur, reprit Cynésie, je n'y prétends rien ; car on ne prend pas des cœurs en songeant, quoiqu'on en prenne quelquefois sans y songer.

— Je vous assure, reprit Cléophile, que quand vous auriez un peu moins de charmes que vous n'en avez, Artaxandre vous aimerait ; car ce commencement de connaissance et d'aventure a quelque chose de si plaisant, que je ne doute point qu'il ne veuille y faire une suite qui réponde à un si agréable commencement.

— Ce qui m'embarrasse, dit alors Cynésie, est que celui qui a fait ces vers m'a laissé une boîte que je ne veux pas garder ; et ce qui me fâche encore est que dans celle qu'il m'a prise, le portrait de Pasithée y est. De sorte que comme nous ne sommes pas trop bien ensemble cette fille et moi, ceux qui ne savent pas exactement cette aventure, croiront que je l'ai montré malicieusement ; car on sait bien qu'aux termes où nous en sommes, elle ne peut pas m'avoir donné son portrait.

— Quoi, s'écria Cléophile, vous aviez le portrait de Pasithée, et il est dans la boîte qu'on vous a prise ?

— Oui, reprit-elle, et c'est ce qui fait une partie de mon inquiétude ; car je n'aime pas qu'on me puisse soupçonner d'avoir fait une malice.

— Mais comment avez-vous eu cette peinture ? répliqua-t-elle.

— Ha ! Cléophile, répondit Cynésie en rougissant, je ne sais pas trop bien comment vous le dire.

— Il faut pourtant que je le sache, répondit-elle, ou vous ne saurez jamais rien de moi.

— Puisqu'il vous le faut donc dire, reprit Cynésie, il faut vous le dire en deux mots.

— Pourvu que je le sache, dit alors Cléophile, il ne m'importe si c'est en deux mots ou en mille ; mais de peur que nous ne soyons interrompues, hâtez-vous donc de parler.

— Vous savez il y a longtemps, répliqua Cynésie, que Clidamis a quelque affection pour moi ;

et vous vous souvenez bien que tout le monde lui a toujours fait la guerre de ce qu'il avait été toute sa vie malheureux en amour.

— Il est vrai, répondit Cléophile, qu'on ne peut pas l'être davantage ; car je crois que depuis que Clidamis est au monde, il a aimé cent femmes sans avoir jamais été aimé de pas une ; cependant il est très bien fait, et il a de l'esprit ; et j'avais cru que son malheur finirait en votre personne, et que vous ne le haïriez pas ; car j'avais su qu'il vous avait vue souvent à la campagne.

— Il est vrai, reprit Cynésie, qu'il m'a vue souvent ; mais il est vrai aussi que plus je l'ai vu moins je l'ai aimé ; et à mon avis la raison qui fait que Clidamis ne fait jamais nul progrès, c'est que qui le voit un jour le voit éternellement de la même manière. En effet, il est toujours également propre ; il est toujours également civil, et respectueux ; il ne vous aime jamais ni plus ni moins ; et il n'a jamais plus d'esprit à un jour qu'à un autre. De sorte que je crois qu'on s'accoutume tellement à le voir dans cette grande égalité, qu'il vient à ne divertir plus dès la quatrième visite, et à n'être pas plus aimé après qu'on l'a vu mille fois, que lorsqu'on ne l'a vu qu'une. Mais quoi qu'il en soit, ajouta-t-elle, ce n'est pas de cela dont il s'agit ; et pour en revenir où j'en étais, vous saurez que Clidamis me pressant un jour étrangement de lui dire pourquoi je ne l'aimais pas, je lui répondis assez brusquement, que c'était parce que je savais qu'il n'avait jamais été aimé. "En effet, lui dis-je, Clidamis, quand je voudrais vous aimer, je ne l'oserais ; car en vérité, après tous les malheurs que vous avez eus en amour, il me semble qu'il me serait honteux d'être plus indulgente qu'une autre, ou moins dif-

ficile ; et je suis tellement incapable de vouloir
faire ce que les autres ne font point, que je ne me
mêle jamais d'inventer de mode à ma fantaisie ;
jugez donc si ne voulant pas seulement porter un
ruban que les autres ne portent point, je voudrais
donner mon cœur à un galant malheureux, à qui
on n'en a jamais donné ? C'est pourquoi si vous
voulez que je vous aime, faites-vous aimer de
quelque autre, afin qu'ayant un exemple à suivre,
je puisse plus aisément me persuader que ce ne
sera pas faire une chose déraisonnable. — Mais
Madame, me dit-il, pour se faire aimer d'une
autre, il faudrait agir comme ne vous aimant
plus. — Agissez comme il vous plaira, lui dis-je,
mais je vous assure que je ne vous aimerai jamais, si vous n'avez été aimé, et si tout le monde
ne l'a su. — Je vois bien, Madame, me dit-il, que
tout ce que vous me dites n'est qu'une raillerie ingénieuse ; car étant persuadée que je ne puis
aimer que vous, et qu'on ne peut être aimé sans
aimer, vous jugez bien qu'il me sera difficile de
vous donner l'exemple que vous demandez ; joint
que quand je vous en aurais donné un, vous ne le
suivriez pas. Sincèrement, lui dis-je en riant, je
pense que je vous aimerais plus que je ne fais, si
vous aviez été aimé. — Nous le verrons Madame,
me dit-il, car je m'en vais à Crète durant que vous
n'y êtes pas ; et je m'y en vais avec la résolution
de tâcher de me faire aimer de quelque aimable
personne, à condition que vous me saurez gré de
la contrainte que je me ferai en la servant, et en
feignant d'avoir de l'amour pour elle." Comme je
ne cherchais qu'à me défaire de Clidamis, et que
je ne pensais pas effectivement qu'il pût être plus
heureux à l'avenir que par le passé, je lui dis que
je le voulais bien ; de sorte qu'il me laissa à la

campagne, et qu'il s'en revint à Crète, justement comme Artaxandre, à ce que j'ai su, rompit avec Pasithée, parce qu'elle n'avait pas assez regretté Philicrate. Si bien que le hasard ayant fait que Clidamis sut le désordre qui était entre eux, et qu'il connaissait l'humeur de Pasithée, il s'attacha à la voir ; et il trouva son cœur si bien disposé pour lui, que soit pour se venger d'Artaxandre, en lui faisant voir qu'elle l'oubliait encore plus promptement, tout vivant qu'il est, qu'elle n'avait oublié Philicrate mort, ou pour quelque autre cause, elle l'a fort bien reçu ; et elle lui a donné son portrait, qu'il m'envoya hier, en me sommant de ma parole, et en m'assurant qu'il était aimé de Pasithée, et qu'il m'aimait toujours. De sorte que comme le hasard se mêle de tout, il a fait qu'ayant attaché ce portrait à mon bras, afin de le rendre à Clidamis quand je le verrais, il se trouve qu'on me l'a pris de la manière que je vous l'ai dit.

— En vérité reprit Cléophile, cette aventure est tout à fait agréable ; car si c'est Artaxandre qui a ce portrait, comme je n'en doute point, il est bien embarrassé à deviner par où vous l'avez eu, n'étant pas possible qu'il ignore que vous n'êtes pas trop bien avec Pasithée ; joint que cela pourrait encore être plus plaisant ; car si Pasithée est peinte avec une guirlande de fleurs sur la tête, il y a apparence que c'est un portrait qu'elle lui a donné, et qu'il lui a rendu ; du moins sais-je bien que le peintre qui la peignit lorsqu'elle donna sa peinture à Artaxandre, me dit qu'il l'avait peinte ainsi.

— Assurément, reprit Cynésie, c'est ce portrait-là ; de sorte que si c'est Artaxandre qui me l'a pris, il aura été bien étonné de revoir entre ses mains un portrait qui a déjà été à lui.

— Quoi qu'il en soit, dit Cléophile, je suis assurée que vous ne serez point trop marrie de voir Artaxandre dans vos fers.

— Si cela faisait dépit à Pasithée, répliqua-t-elle, j'avoue que je n'en serais pas trop fâchée.

— En vérité, reprit Cléophile, quand cela ne ferait dépit à personne, vous n'en seriez pas encore trop marrie ; car Artaxandre est un si honnête homme, qu'il est difficile de n'être pas bien aise d'avoir conquis son cœur.

— Mais de grâce, reprit Cynésie, ne parlons plus d'Artaxandre ; car peut-être n'est-ce pas lui qui est venu dans cette chambre ; et quand ce serait lui, il pourra être que mes yeux détruiront un si galant commencement d'aventure.

— Vous les avez si beaux, reprit Cléophile, que vous savez bien que si le cœur de celui qui ne les a vus qu'endormis, n'est pas encore tout à fait à vous, ils achèveront de le vaincre. Cependant, ajouta-t-elle, comme il y a grande apparence que vous verrez aujourd'hui celui qui vous a vue cette nuit, et que vous ne vîtes jamais, coiffez-vous avec soin si vous m'en croyez. » Comme Cléophile disait cela en souriant, Cynésie en sourit aussi ; mais elle ne laissa pas, à ce qu'elle a elle-même avoué depuis, de s'habiller avec un peu plus de dessein d'être bien, que quand elle n'avait qu'un dessein général de plaire à tout le monde. Mais enfin comme elle n'était pas chez elle, dès que sa mère et elle furent habillées, elles remercièrent ceux qui les avait secourues, et s'en retournèrent dans leur maison. Cependant Cynésie ne montra point la boîte qu'Artaxandre lui avait laissée au lieu de la sienne, de peur qu'on ne changeât cette

aventure en la publiant, et qu'on n'en dît quelque
chose à son désavantage. Ce qui embarrassait
fort Cynésie, était qu'elle ne savait que dire à Clidamis, qu'elle jugeait bien qui la viendrait voir,
car elle ne pouvait lui rendre le portrait de Pasithée ; et elle ne voulait pas qu'il crût qu'elle le
voulût garder comme une sûreté de son amour.
De sorte que pour gagner temps, sur le prétexte
qu'il fallait tout ce jour-là à remeubler leur maison, elle obligea sa mère à aller passer l'après-
dînée chez une de ses amies, au lieu d'attendre
dans sa chambre les visites de ceux qui viendraient se réjouir de son retour. Si bien que de
cette façon, Cynésie ne retourna chez elle que le
soir ; ainsi Clidamis fut inutilement la demander.
Cependant Artaxandre et Philionte ayant été
avertis que leurs gens étaient à la porte de la
ville, les furent joindre par une rue détournée ; et
traversant alors une grande place, il arriva qu'ils
passèrent justement devant la porte de cette
dame, chez qui Cynésie, sa mère, et Cléophile
avaient passé le jour. Si bien que comme ces
trois dames sortaient dans le même temps qu'Artaxandre et Philionte passèrent aussi en habit de
campagne, et comme des gens qui arrivaient,
Cléophile fut fort surprise, car elle ne savait plus
qu'imaginer sur l'aventure de son amie. Elle lui
montra pourtant Artaxandre, qui ne prit pas
garde à ces dames, non plus que Philionte, parce
qu'ils parlaient alors ensemble avec assez d'attachement. De sorte que comme ils étaient à cheval, et qu'elles étaient à pied, elles les perdirent de
vue ; car comme il n'y avait guère loin chez eux,
ils furent entrés devant qu'elles pussent être à
leur porte. Cependant comme Cléophile avait une
curiosité fort grande d'être éclaircie de cette aven-

ture, et que l'arrivée d'Artaxandre l'embarrassait,
elle fit que Cynésie obligea adroitement sa mère
à prier Cléophile de passer le soir chez elle ; et en
effet la chose se fit ainsi. Mais à peine ces dames
eurent-elles soupé, que Clidamis vint avec des
femmes de qualité du voisinage, pour témoigner
à la mère de Cynésie, et à elle, combien il avait
de joie de leur retour ; et à peine ces dames et
Clidamis eurent-ils pris leur place, que Philionte
et Artaxandre entrèrent, ce premier présentant
son ami à la mère, et à la fille, comme un étranger que leur ville avait acquis pendant leur absence, Philionte disant ensuite mille choses
avantageuses d'Artaxandre à ces deux personnes,
qui les reçurent très civilement. Mais Cynésie après
le premier compliment fut étrangement étonnée,
de voir la boîte de portrait qu'on lui avait prise,
qu'Artaxandre portait attachée avec un cordon de
couleur fort vive, afin d'attirer davantage les yeux
de Cynésie, qu'il voulait qui la vît. Mais si elle fut
surprise de la voir, Clidamis le fut bien encore davantage ; car il ne pouvait comprendre par quelle
aventure cette boîte qu'il avait envoyée à Cynésie,
pouvait être entre les mains d'Artaxandre qu'elle
n'avait jamais vu qu'alors, et qu'on lui présentait
comme un homme qui effectivement lui était inconnu. Cependant Cynésie ne pouvant plus douter que ce ne fût Artaxandre qui fût venu dans la
chambre où elle avait couché, en rougit par un
sentiment de modestie ; et pour cacher sa rougeur, elle se mit à parler bas à Cléophile, qui
étant fort aise d'avoir si bien deviné, lui demanda
en riant, après qu'elle eut cessé de parler, ce qu'il
lui semblait de son nouvel amant. « Je suis si embarrassée de l'embarras de Clidamis, reprit-elle,
que je n'ai pas loisir de répondre à la folie que

vous me dites. — Pour Clidamis, répliqua Cléophile, il ne s'en faut pas mettre en peine ; car
puisqu'il sait que vous ne connaissez pas Artaxandre, il ne peut tirer nulle conséquence fâcheuse
pour vous de cette plaisante aventure. »

Après cela tout le monde ayant pris sa place, et
Artaxandre ayant si bien fait qu'il se mit auprès
de Cynésie, il commença de lui parler sans que
Clidamis pût entendre ce qu'il lui disait ; car Philire mère de Cynésie s'étant mise à lui raconter
avec exagération l'accident qui était arrivé chez
elle, et quelle avait été la frayeur que cet embrasement lui avait donnée, il en eut presque pour
tout le soir sans pouvoir l'interrompre, ni cesser
de l'écouter ; car c'est une des femmes du monde
qui parle le plus, et dont les récits sont les plus
longs. Mais pendant que le pauvre Clidamis
l'écoutait malgré lui, et que les autres dames qui
étaient là l'écoutaient aussi, Cléophile parlait à
Philionte, pour tâcher de savoir comment l'aventure de la dernière nuit était arrivée, et Artaxandre parlait à Cynésie, qui n'ayant rien plus
fortement dans la pensée, que de rendre à Artaxandre la magnifique boîte qu'il lui avait laissée, et de pouvoir retirer celle qu'il avait pour la
rendre à Clidamis, était fort aise qu'il lui parlât
en particulier, espérant qu'elle trouverait occasion de faire ce qu'elle voulait. Il ne lui fut pourtant pas aussi aisé qu'elle se l'était figuré ; car
Artaxandre tourna la conversation d'une manière,
qui ne lui permit pas de faire tout ce qu'elle souhaitait. En effet suivant son enjouement ordinaire, il se mit à lui faire autant de reproches de
ce qu'elle avait été trop longtemps aux champs,
que s'il eût été le meilleur et le plus ancien de ses
amis, et à faire une satire de la vie de la campagne,

la plus agréable du monde. « Mais, lui dit alors
Cynésie en riant, de quoi vous plaignez-vous ?
car enfin vous ne me connaissiez pas hier, et
vous ne me connaissez encore guère aujourd'hui.

— C'est de cela dont je me plains Madame, reprit-il, puisque si j'avais eu l'honneur de vous
connaître plus tôt, je n'aurais pas la honte d'avoir
porté d'autres chaînes que les vôtres, et j'aurais
peut-être la gloire d'avoir déjà acquis quelque
place en votre cœur. Mais afin que vous ne pensiez pas que je sois un de ces diseurs de flatteries,
qui les disent bien souvent sans savoir à qui,
souffrez que je vous assure que vous ne m'êtes
pas aussi inconnue que vous le pensez, et qu'il y
a plus de dix-huit heures que j'ai de l'admiration
pour vous, et quelque chose de plus. Cependant,
ajouta-t-il en la regardant attentivement, souffrez
s'il vous plaît que je me réjouisse avec vous, de ce
que vous avez encore les yeux plus beaux que je
ne me les étais imaginés, quoique je me fusse
pourtant imaginé que vous aviez les plus beaux
yeux du monde. Et certes ce n'était pas sans raison que je me l'imaginais ; car quelle apparence y
aurait-il que les dieux vous eussent donné tout ce
qui peut faire une grande beauté, sans vous donner de beaux yeux ? Aussi vous puis-je assurer,
charmante Cynésie, que dès que ma bonne fortune m'eut conduit en un lieu où je vis la plus
belle endormie que je verrai jamais, je ne doutai
point que vous n'eussiez les plus dangereux yeux
de la terre.

— Eh de grâce Artaxandre, s'écria Cynésie en
détournant la tête, ne me faites point rougir !

— Eh de grâce Madame, reprit-il, sachez-moi
quelque gré d'avoir attendu dix-huit heures à voir
vos beaux yeux, et d'avoir été si respectueux, que

quelque envie que j'eusse de les voir, je n'osai
vous éveiller.

— En vérité, répliqua Cynésie en rougissant,
j'ai la plus grande confusion qu'on puisse avoir,
de la hardiesse que vous avez eue.

— Ha ! Madame, dit alors Artaxandre, j'ai été
heureux sans être hardi ; et si vous voulez me pardonner la témérité que j'ai de vous dire que selon
toutes les apparences je serai fort amoureux de
vous, je vous apprendrai quelle a été mon aventure.

— Comme je suis persuadée, reprit-elle, que je
ne puis jamais donner d'amour, il ne serait pas
aisé que je crusse que vous sentez quelque disposition à en avoir ; mais je vous avoue qu'il est peu
de crimes que je ne vous pardonnasse, à condition de me dire précisément la bizarre aventure
qui vous a fait faire une action de libéralité, en
faisant un larcin. Je vous déclare pourtant par
avance, ajouta-t-elle, que la boîte que vous avez
prise n'est pas à moi, et que celle que j'ai à vous
n'y sera jamais.

— Je vous assure Madame, reprit Artaxandre,
que je ne me souviens point que vous ayez rien à
moi que mon cœur, que je vous prie pourtant
très sérieusement de ne me rendre point ; car en
vérité, je ne saurais le mettre ni en de meilleures,
ni en de plus belles mains.

— Quoi qu'il en soit, dit-elle, apprenez-moi par
quel enchantement cette aventure est arrivée.

— Vous avez raison Madame, répliqua-t-il, de
la nommer un enchantement ; car depuis qu'il est
des amours, on n'en a jamais vu naître de cette
manière.

— De grâce, répliqua Cynésie, laissez les
amours avec leur mère, et dites-moi seulement ce

que je veux savoir. » Et en effet Artaxandre se mit
à lui faire un fidèle récit de son aventure ; mais il
le lui fit avec tant de bonheur pour lui, et si flat-
teusement pour Cynésie, qu'elle y prit quelque
plaisir. Elle l'interrompit pourtant, lorsqu'il voulut lui représenter combien il l'avait trouvée
belle. « C'est assez Artaxandre, lui dit-elle alors,
c'est assez ; car je ne voulais savoir autre chose
que ce qui vous pouvait justifier ; et pour vous témoigner que je ne suis pas injuste, je veux bien
vous traiter en innocent, et vous conjurer de me
mettre en état de vous avoir une obligation.

— Quoiqu'il me fût plus agréable de vous en
avoir qu'il ne me le sera que vous m'en ayez, reprit-il, je vous assure toutefois qu'il n'est rien que
je ne sois capable de faire pour votre service.

— Si cela est, ajouta-t-elle, vous me rendrez le
portrait et la boîte que vous avez, et vous repren-
drez celle que j'ai que je vous rendrai même sans
l'avoir ouverte ; car, comme je vous l'ai déjà dit,
ce que vous m'avez pris n'est pas à moi, et ce que
j'ai à vous ne m'appartient pas.

— Pour le portrait qui est dans la boîte que je
vous ai prise, reprit-il, je n'aurai nulle peine à
vous le rendre ; et pour la boîte, puisqu'elle n'a
pas l'honneur d'être à vous, je vous la rendrai
aussi fort aisément ; ce sera pourtant à condition
que vous aurez la bonté, de me dire à qui elle est,
car je ne serai pas trop marri de savoir à qui Pasithée a donné cette peinture. Mais Madame,
pour l'autre boîte que vous avez, puisque vous ne
l'avez pas ouverte, ouvrez-la ; et croyez que ce qui
est dedans est encore plus vrai qu'il ne l'était
quand je l'ai écrit.

— Si je ne connaissais pas Artaxandre par
autrui, reprit Cynésie, je pourrais peut-être n'en-

tendre pas tout à fait raillerie ; mais comme je sais quelle est son humeur, je veux l'entendre admirablement aujourd'hui ; et pour vous le témoigner, ajouta-t-elle, je veux me confier à vous, et vous avouer que ce portrait de Pasithée est à Clidamis.

— Quoi, reprit Artaxandre, Clidamis est mon successeur ! car grâces aux dieux, il ne sera jamais mon rival, s'il ne devient amoureux de vous.

— Vous me parlez si peu sérieusement, reprit Cynésie en souriant, que je ne sais si je fais bien de vous faire une confidence de cette nature ; cependant comme diverses raisons font que je serai bien aise que Clidamis ait le portrait qui lui appartient, et qu'il ne sache pas par quelle bizarre aventure vous l'avez eu, je vous prie s'il vous en parle, de lui dire que vous l'avez trouvé à votre retour sur la table de votre chambre où je l'ai oublié sans y penser, quand j'en suis sortie.

— Je veux bien Madame, répliqua Artaxandre, lui dire ce que vous me dites, pourvu que vous me disiez aussi pourquoi Clidamis a remis ce portrait entre vos mains ; car il n'ignore pas que vous et Pasithée n'êtes pas trop bien ensemble ; de sorte que s'il aime Pasithée, il est fort imprudent de vous confier sa peinture.

— Il y a encore si peu que nous nous connaissons, répliqua-t-elle, qu'il faudrait que j'eusse perdu la raison pour vous dire tout ce que vous me demandez.

— Vous m'avez donc ôté toute la mienne, répliqua Artaxandre, car quoique je ne vous connaisse que quelques heures plus tôt que vous ne me connaissez, je suis pourtant tout prêt à vous confier tout ce qu'il y a de plus secret dans mon cœur. Mais pour en revenir à Clidamis, ajouta-t-il,

je m'aperçois qu'il me regarde de temps en temps
avec beaucoup de curiosité ; et je vois même qu'il
vous regarde d'une certaine manière, qui me fait
croire que s'il est mon successeur dans le cœur de
Pasithée, il peut être mon rival pour Cynésie. »
Comme Artaxandre disait cela, Cléophile qui
avait enfin obligé Philionte à lui dire comment
leur aventure de nuit s'était passée, s'approcha
d'eux, et se mit à faire la guerre à Artaxandre ; et
Philionte s'y étant aussi joint, il se fit une conversation fort agréable entre ces quatre personnes.
« Pour moi, disait Artaxandre, je suis plus persuadé que jamais de l'infaillibilité du destin ; car
enfin si le hasard eût fait que l'on eût fait coucher
la belle Cynésie dans la chambre de Philionte, ce
serait peut-être lui qui en serait amoureux, et
non pas moi.

— De grâce, interrompit alors agréablement Cynésie, ne pensez pas être engagé à dire que vous
m'aimez, parce que vous me l'avez dit par quatre
vers ; et de peur que cela ne soit, reprenez-les,
ajouta t elle, en lui voulant rendre sa boîte.

— Mais Madame, lui dit-il, vous disiez il n'y a
qu'un moment, que vous ne l'aviez point ouverte.

— Il est vrai, dit-elle, mais puisque je veux bien
vous pardonner tous les mensonges flatteurs que
vous m'avez dits depuis que vous me parlez, il
faut que vous me pardonniez celui-là.

— Ha ! Madame, reprit-il, je vous le pardonne
de tout mon cœur, pourvu que vous croyiez que
je ne vous mentirai jamais quand je vous parlerai
de vous. » Après cela Cynésie venant toujours à
lui redemander la boîte qu'il lui avait prise, et à
lui vouloir rendre la sienne, il lui dit qu'il ne fallait pas faire tant de choses en un jour, et qu'il la
priait d'attendre à lui rendre celle qu'elle avait à

lui, qu'il fût assez bien avec elle, pour l'obliger à
la lui rendre avec son portrait. Et en effet, quoi
que Cynésie pût faire, elle ne put la lui faire reprendre ce soir-là, et il fallut qu'elle se contentât
qu'il lui rendît celle de Clidamis, qui était si
épouvanté de voir une conversation si particulière, entre Artaxandre et Cynésie, qu'il ne savait
qu'en penser. Mais à la fin comme il était tard, la
compagnie se sépara.

Cependant comme Cynésie ne voulait pas que
Clidamis s'amusât à vouloir pénétrer plus avant
dans cette aventure, elle fit qu'il alla reconduire
Cléophile chez elle, et que cette dame se chargea
de lui rendre sa boîte de portrait, et de lui dire
suivant son intention, qu'Artaxandre l'avait trouvée fortuitement sur la table de sa chambre, et
qu'il ne s'en devait pas inquiéter, parce que Cynésie n'avait pas dit à Artaxandre que ce portrait fût
à lui. Pour Artaxandre, il trouva Cynésie encore
plus charmante éveillée qu'endormie ; et il s'en
retourna chez son ami, avec une fort grande disposition à l'aimer. En effet il s'aperçut aisément de
cette amour naissante ; car quoique cette passion
ne l'empêche pas souvent de dormir, il ne dormit
pourtant guère cette nuit-là ; car quand il pensait
qu'il était dans la même chambre où il avait vu
Cynésie, et qu'il était couché dans le même lit où
il avait vu cette belle endormie, son imagination
la lui représentant parfaitement, il ne pouvait
trouver de repos, quoiqu'il n'eût que des rêveries
agréables. D'autre part Cynésie qui avait ouï dire
qu'Artaxandre n'avait pas toujours été haï, le
trouvait plus aimable que Clidamis, qui l'avait
toujours été, et n'était pas marrie d'avoir acquis
cette nouvelle connaissance. Mais comme elle ne
voulait pas garder la boîte qu'elle avait à lui, elle

la lui renvoya le lendemain, et elle la lui renvoya si adroitement, qu'il ne put s'empêcher de la recevoir, parce qu'elle fut baillée à un de ses gens, qui la lui rendit sans savoir ce que c'était. De sorte que comme Cynésie n'était pas une personne à qui on pût faire un présent de cette nature, Artaxandre n'osa s'opiniâtrer à la lui vouloir faire garder ; ainsi il fit une galanterie qui le fit passer pour libéral, sans qu'il lui en coûtât rien. Il est vrai qu'à parler raisonnablement, il lui en coûta quelque chose de plus précieux que cette boîte, puisque pour avoir vu Cynésie, il perdit son cœur et sa liberté. Artaxandre ne sentit pourtant pas d'abord son malheur ; au contraire il se trouvait si heureux de sentir cette amour naissante dans son cœur, qu'il ne pouvait cacher la joie qu'il en avait. De plus, la pensée de se venger de Pasithéc lui donnait encore beaucoup de satisfaction ; car il avait un secret dépit de la faiblesse de cette personne, qui lui faisait connaître que si Cynésie n'eût achevé de la lui faire oublier, il n'eût pas été impossible qu'il eût renoué avec elle. D'autre part Pasithée qui ne cherchait jamais guère en aimant qu'un amusement agréable qui la divertît, et qui pensait être aimée de Clidamis, se consolait de la perte d'Artaxandre, quoiqu'il y eût pourtant toujours quelques heures au jour où elle le regrettait, parce qu'elle ne trouvait pas que les autres la divertissent autant que lui. Pour Clidamis il était très malheureux, car il n'était pas aimé où il eût voulu l'être, et il l'était d'une personne pour qui il n'avait pas le cœur touché ; ainsi il avait presque toutes les faveurs que l'amour peut faire obtenir sans être heureux, et il avait aussi toutes les douleurs que cette passion peut faire sentir ; car il aimait sans être aimé ; il était jaloux sans savoir bien précisément la cause de sa jalousie ; la nouvelle connaissance d'Artaxandre lui déplaisait ; il était fâché que le portrait de Pasithée eût été en ses mains ; il ne savait s'il devait cesser de feindre de l'aimer, ou s'il devait faire semblant de n'aimer plus Cynésie, pour voir si elle ne le rappellerait point ; et il était enfin si embarrassé, qu'on ne pouvait pas l'être davantage. Pour Cynésie, elle avait aussi quelque secrète agitation de cœur ; toutefois comme cette agitation n'avait rien de désagréable, elle ne s'en inquiéta pas au commencement. Mais pour Artaxandre, il était si aise d'être amoureux, comme je l'ai déjà dit, que ne pouvant cacher la joie qu'il en avait, il la montra tout entière à Cynésie le quatre ou le cinquième jour de leur connaissance. Car comme il se trouva seul auprès d'elle, il se mit à lui faire des remerciements ; et il les lui fit avec tant d'exagération qu'elle crut effectivement qu'elle avait ou dit ou fait quelque chose qui l'avait obligé, dont elle ne se souvenait plus. Aussi cherchait-elle dans sa mémoire avec assez d'attention, pour tâcher de trouver ce qui faisait qu'il la remerciait avec tant d'empressement. Mais après y avoir bien pensé, elle ne trouva autre chose, sinon qu'ayant dit beaucoup de bien de lui à tous ceux à qui elle en avait parlé, il pouvait l'avoir su par quelqu'un de ses amis. Néanmoins comme elle ne pensait pas que ce fût une cause assez forte pour obliger Artaxandre à lui faire tant de remerciements, elle lui demanda à la fin ce qu'elle avait fait pour lui. D'abord il ne voulut pas le lui dire. « Car enfin Madame, lui dit-il, je crains que vous ne vous repentiez de ce que vous avez fait pour moi, si je vous le dis, et que cela ne diminue ma joie.

— Ce n'est guère ma coutume, répliqua-t-elle, de me repentir d'avoir fait une chose qui plaise aux gens que j'estime ; et je puis vous assurer que la véritable cause qui me porte à vouloir savoir ce qui vous a obligé, est afin de faire encore une autre fois la même chose.

— Ha ! Madame, s'écria Artaxandre, je n'ai que faire de vous dire ce que vous avez fait pour moi, pour vous obliger à le faire encore, car vous ne sauriez vous en empêcher ; et malgré vous, vous ferez toute votre vie, la chose du monde qui m'est la plus agréable.

— Eh de grâce, reprit alors Cynésie, dites-moi un peu plus précisément ce que j'ai fait qui vous plaît, et que je ne puis m'empêcher de faire !

— Vous m'avez donné de l'amour Madame, répliqua-t-il, et en m'en donnant vous m'avez rendu tous mes plaisirs ; et vous m'avez délivré d'un ennui effroyable ; car je croyais que je n'en pourrais plus avoir à Crète. Ainsi Madame, ajouta-t-il, sans lui donner loisir de lui répondre, je vous ai des obligations infinies ; car il est vrai que vous m'avez tiré d'une langueur d'esprit qui est la plus insupportable chose du monde.

— Quand je tomberais d'accord, répliqua-t-elle, de vous avoir donné de l'amour, je n'avouerais pas que vous m'en dussiez remercier. En effet, poursuivit-elle en souriant, à moins que d'être assuré d'être traité favorablement, je ne vois pas que vos remerciements soient raisonnables. Cependant je suis assurée que vous ne le sauriez savoir, puisque je ne le sais pas moi-même.

— Ha ! Madame, reprit-il, je n'ai que faire de faveurs pour être plus heureux en vous aimant, que je ne le serais en n'aimant rien ; car c'est que l'amour a certains charmes secrets pour moi, qui font que je préfère tous ses supplices à tous les autres plaisirs ; ainsi sans savoir si vous me serez douce ou rigoureuse, je vous remercie de m'avoir donné de l'amour, comme de la plus agréable chose que vous pouviez jamais faire pour Artaxandre.

— Quoique je sache bien, reprit agréablement Cynésie, que la bienséance veut qu'on ne reçoive nuls amants, je pense pourtant n'être pas tout à fait obligée à vous traiter aussi sévèrement qu'un autre ; car puisqu'il vous suffit d'aimer pour être heureux, on ne doit pas craindre d'être importunée de vos plaintes.

— Je ne vous ai pas dit Madame, reprit Artaxandre, que j'étais tout à fait heureux, dès que j'avais de l'amour ; mais je vous ai fait entendre que je suis tout à fait malheureux quand je n'en ai pas, et que je suis beaucoup moins misérable quand j'en ai, que quand je n'en ai point. » Après cela Cynésie lui répondit avec toute la modestie de son sexe ; mais ce fut pourtant sans aigreur, et sans rudesse ; et si elle lui défendit de lui parler de sa passion, ce fut d'une manière à ne lui faire pas craindre d'être haï quand il ne lui obéirait pas. Aussi Artaxandre continua-t-il de lui dire qu'il l'aimait ; et il le lui dit tant de fois qu'il le lui persuada. Comme Artaxandre, tout enjoué qu'il est, a pourtant l'esprit sérieux quand il veut, il trouva en Cynésie tout ce qu'il fallait pour lui plaire ; car elle a un certain esprit où l'on trouve tout ce que l'on y veut chercher. En effet ceux qui y veulent trouver de l'enjouement, y en trouvent ; ceux qui veulent y chercher de la mélancolie douce, ne cherchent pas inutilement ; car elle en a une si passionnée dans l'âme qu'on n'en peut trouver qui le soit davantage. De plus, elle a beaucoup de modestie ; mais c'est pourtant une modestie qui ne met pas son esprit à la géhenne[1], et qui laisse à son imagination une honnête liberté qui rend sa conversation particulière tout à fait divertissante. Elle a même certains petits caprices de délicatesse d'amitié, qui servent merveilleusement à redoubler l'amour qu'on a pour elle ; mais ces agréables caprices ne paraissent qu'à ses amants, et ne paraissent point du tout dans sa conversation ordinaire. Le mal est que Cynésie est sujette à se laisser emporter à ses inclinations ; et si elle ne les avait pas très vertueuses, toute sa raison ne les pourrait retenir tant elle les a fortes. Cependant Cynésie est assurément une des personnes du monde la plus aimable ; aussi fut-elle fort aimée d'Artaxandre, qui voulant s'en faire aimer en peu de temps, et faire dépit à Pasithée, n'oublia rien de tout ce que font ceux qui veulent être aimés, et qui se veulent venger d'une première maîtresse. Pour Clidamis, il fut si mal traité de Cynésie depuis qu'elle connut Artaxandre, qu'il chercha soigneusement les voies de lui nuire, puisqu'il ne pouvait trouver celles d'en être aimé ; et pour Pasithée, il n'est point d'invention malicieuse qu'elle ne cherchât pour faire dépit à Artaxandre et à Cynésie.

Mais au lieu de leur en faire, elle leur donnait du plaisir ; car Artaxandre n'était pas marri de voir qu'il lui tenait plus au cœur qu'il n'avait pensé ; et Cynésie était assez aise d'avoir ôté un esclave à cette belle enjouée. De sorte que toutes ces petites choses jointes ensemble, firent qu'il y eut entre Artaxandre et Cynésie un commencement d'amour fort tendre, fort galant, et fort public ; car Clidamis et Pasithée les observaient, ou les faisaient observer si soigneusement qu'ils ne

manquaient pas de publier jusques aux moindres
petites choses qui se passaient entre eux. Ainsi ils
ne faisaient pas une partie de promenade qui ne
fût sue ; ils n'avaient pas une conversation particulière, qu'on ne le dît, et Artaxandre était si généralement connu pour amant de Cynésie, qu'il
ne l'était pas plus par son nom. Mais bien loin de
s'en fâcher, il en était fort aise ; car Cynésie était
une personne illustre en toutes choses. En effet
elle était de très grande qualité ; elle était admirablement belle ; elle avait infiniment de l'esprit ; et
dans le même temps qu'on disait qu'il en était
amoureux, on ne disait pas qu'il en fût haï.

Les choses étant donc en ces termes, il en arriva une qui apporta bien du changement dans le
cœur d'Artaxandre, qui était sans doute alors assez
chèrement aimé de Cynésie. Mais avant que de
vous dire précisément ce qui le causa, il faut que
vous sachiez qu'il y a un homme à Crète, qui se
nomme Alphimédon, qui a le malheur de n'être
estimé de personne. Il n'est pourtant pas trop
mal fait ; et à parler raisonnablement, il n'est
guère plus sot que mille autres dont on ne dit ni
bien ni mal. Il a même assez de condition pour
faire valoir le médiocre mérite, s'il en avait
l'adresse ; mais après tout, il est mis au rang des
fâcheux, par ceux qui le sont eux-mêmes ; et il
n'est point du tout estimé. De sorte qu'Artaxandre
en arrivant à Crète l'avait vu comme les autres, et
en avait raillé mille fois en sa vie, sans prévoir
qu'il prendrait un jour quelque intérêt à Alphimédon. Mais enfin Artaxandre étant avec Cynésie
aux termes où je vous ai dit qu'il en était, il fut un
soir se promener dans un jardin avec Philionte,
avec qui il s'entretenait alors de la joie qu'il avait
d'aimer Cynésie, et de pouvoir espérer d'en être

aimé, exagérant avec beaucoup de plaisir, la gloire qu'il y avait à toucher le cœur d'une personne si illustre. Après avoir donc marché assez longtemps, ils entrèrent dans un cabinet de verdure, avec intention de s'y reposer ; mais en y entrant ils y trouvèrent Céphise et Pasithée. D'abord ils voulurent se retirer, comme si c'eût été par respect ; mais comme Pasithée se trouva avoir ce soir-là toute son humeur enjouée et malicieuse, elle appela Artaxandre. « Eh de grâce, lui dit-elle, ne fuyez pas Céphise qui est votre amie, en attendant votre nouvelle maîtresse.

— Comme je n'aime pas à troubler les plaisirs des autres, reprit-il en riant, je voulais me retirer, de peur que vous n'attendissiez ici mon successeur, à qui je veux céder toutes choses.

— Je vous assure, répliqua brusquement Pasithée, qu'il vous est plus glorieux que Clidamis soit votre successeur, qu'il ne vous l'est d'être le successeur d'Alphimédon ; et à dire les choses comme elles sont, je trouve qu'il m'est plus avantageux que vous m'ayez reproché de n'avoir pas assez aimé un fort honnête homme, qu'il ne l'est à Cynésie d'en avoir aimé un qui l'est si peu ; et je trouve enfin qu'il vous est plus honteux d'avoir succédé à Alphimédon, qu'il ne vous l'était de n'être pas plus aimé que Philicrate. » Le discours de Pasithée surprit d'une telle sorte Artaxandre, qu'il ne savait quelle réponse y faire ; car il connut bien qu'elle n'aurait pas eu la hardiesse de lui parler ainsi en présence de Céphise et de Philionte, s'il n'y eût eu quelque fondement véritable à l'accusation qu'elle faisait contre Cynésie. Il s'en tira pourtant avec adresse ; car sans paraître touché de ce qu'elle lui disait, « Si vous saviez, lui dit-il, quel avantage je tire de tout ce que vous dites et contre Cynésie, et contre moi, vous ne me le diriez pas, et vous vous résoudriez plutôt à donner mille et mille louanges à Clidamis, qu'à blâmer Cynésie, dont le mérite et la vertu ne peuvent être mis en contestation.

— Je ne dis rien du mérite de Cynésie, répliqua malicieusement Pasithée ; au contraire j'avoue qu'elle en a infiniment ; et c'est pour cela que je la blâme d'avoir aimé un homme qui n'en a point. » Comme Artaxandre allait répondre, sans qu'il sût pourtant ce qu'il allait dire — car je sais tous ses sentiments comme les miens propres — une grande troupe de dames conduites par Alphimédon vinrent dans ce cabinet. Mais à peine y furent-elles entrées qu'Alphimédon dit diverses choses si mal à propos, qu'Artaxandre fut contraint d'en sortir, pour savoir diligemment s'il était vrai que Cynésie, qui était une personne si pleine d'esprit, pût avoir aimé un tel homme. De sorte que dès qu'il fut à une allée solitaire qui n'était pas loin de là, il se mit à regarder Philionte qui l'avait suivi, et prenant la parole, « De grâce, lui dit-il, tirez-moi de la peine où je suis, et m'apprenez avec sincérité si ce que Pasithée m'a dit de Cynésie a quelque fondement véritable. Car comme je suis étranger à Crète, je n'en sais pas bien l'histoire ; c'est pourquoi je vous conjure au nom de notre amitié, de vouloir m'apprendre s'il est vrai que Cynésie ait aimé Alphimédon.

— Tout ce que je vous en puis dire, reprit Philionte, est que toute la ville l'a dit, et que tout le monde le croit.

— Mais d'où vient donc, reprit brusquement Artaxandre, que vous ne me le dîtes point lorsque je commençai de connaître Cynésie ?

— Vous me priâtes si instamment, reprit-il en riant, de ne vous dire rien qui vous pût empêcher d'avoir de l'amour pour elle, que j'eusse été mauvais ami de vous en parler. Joint qu'à dire les choses encore plus sincèrement, je ne crus pas que je dusse vous apprendre une aventure passée, qui n'était pas avantageuse à Cynésie, que j'estime infiniment, et qui a infiniment du mérite. Après tout, si elle a aimé Alphimédon, elle ne l'aime plus ; et la médisance même n'a jamais dit que l'affection qui a été entre ces deux personnes ait été une affection criminelle.

— Ha ! Philionte, reprit brusquement Artaxandre, une femme d'esprit ne peut jamais être innocente dès qu'elle aime un homme comme Alphimédon, quand elle serait aussi modeste que Diane ; et j'aimerais beaucoup mieux être le successeur d'un fort honnête homme qui aurait obtenu de la personne que j'aimerais, quelques faveurs considérables, que d'être le successeur d'un sot rival ; car enfin il y a quelque chose à cette cruelle aventure qui me blesse tellement l'imagination, que de l'heure que je parle, mon cœur, qui était si fort assujetti à Cynésie, commence de se révolter.

— Mais que vous importe, répliqua Philionte, qui Cynésie a aimé, puisqu'elle vous aime ?

— Il m'importe tellement, reprit-il, que je ne pense pas que je puisse continuer de l'aimer. Du moins sais-je bien, que de la manière dont Alphimédon est dans mon esprit, il est impossible, puisqu'il a été aimé de Cynésie, et que tout le monde le sait, qu'elle me puisse jamais faire nulle faveur qui m'oblige, ni qui me soit glorieuse. Car quand je me souviens de tout ce que j'ai vu faire mal à propos à Alphimédon, et de tout ce que j'en

ai entendu dire et que je me souviens positivement de tout ce qu'on m'en a jamais dit, et de
tout ce que je lui ai vu faire j'ai une telle confusion de lui avoir succédé dans le cœur de Cynésie,
que toute belle, et toute charmante qu'est cette
personne, elle cesse de m'être agréable, dès que je
pense qu'Alphimédon le lui a été. En effet je regarde son cœur comme un lieu profané où je ne
voudrais plus régner ; je crois même que je ne
trouverai plus ses yeux beaux, parce qu'ils ont regardé Alphimédon favorablement ; et il me semble enfin qu'elle me fait une injure de m'aimer,
puisqu'elle a aimé Alphimédon.

— En vérité, reprit Philionte, ce serait une plaisante chose, si après avoir rompu avec Pasithée,
parce qu'elle n'avait pas assez aimé un fort honnête homme, vous alliez rompre avec Cynésie,
parce qu'elle en a aimé un qui ne l'est pas, et
qu'elle n'aime plus.

— Ha ! Philionte, reprit Artaxandre, cette dernière aventure est bien plus fâcheuse que l'autre,
puisqu'elle choque tout à la fois et la gloire, et
l'amour. Car à n'en mentir pas, la haine de Cynésie me serait plus glorieuse que son affection,
puisqu'elle a aimé un homme qui ne la mérite
point ; et dans les sentiments où je suis, je pense
que je souffrirais moins, si j'apprenais que Cynésie me fît quelque infidélité en partageant son
cœur avec quelqu'un de mes rivaux qui fût un galant homme, que de savoir qu'elle ait été fidèle à
Alphimédon ; et si je puis guérir de la passion
que j'ai pour elle, je fais vœu de ne m'engager jamais à en aimer une autre, sans m'informer soigneusement qui elle aura aimé. Car encore une
fois, être le successeur d'un sot rival, est la plus
fâcheuse qualité du monde. Et effectivement je

trouve qu'il est moins honteux d'avoir eu un père qui n'était pas honnête homme, que de se résoudre à succéder à Alphimédon. En effet pour le premier, on n'en est pas maître, puisqu'on ne peut s'empêcher d'être fils de son père ; mais pour le second, on peut n'offrir pas son cœur, ou le retirer quand on l'a offert, dès qu'on apprend qu'on ne peut être aimé sans être le successeur d'un homme sans mérite. Cependant, ajouta-t-il, comme on dit quelquefois beaucoup de choses qui ne sont pas, je veux savoir de la bouche de Cynésie si ce qu'on dit d'elle est vrai, comme je sus de celle de Pasithée ce qui s'était passé entre Philicrate et elle. »

Ainsi dès le lendemain, Artaxandre fut chercher l'occasion de voir Cynésie en particulier ; mais par malheur pour cette belle fille, il ne la trouva point ; si bien qu'Artaxandre étant allé faire quelques visites dans son voisinage, en attendant qu'elle revînt chez elle, ne fit autre chose qu'entendre parler désavantageusement d'Alphimédon. Les uns disaient qu'il était malpropre ; les autres qu'il était grossier ; les autres qu'il avait une grande médiocrité d'esprit ; les autres qu'il était trop brusque ; les autres qu'il était déréglé dans ses mœurs ; et tous enfin en faisant une terrible peinture, donnaient une douleur si sensible à Artaxandre, qu'il n'avait jamais eu plus de dépit en sa vie. Car encore qu'on aime pour l'ordinaire à trouver des défauts en ses rivaux, et à en entendre dire des choses fâcheuses, il était dans des sentiments bien éloignés de ceux-là ; car il croyait que tout ce que l'on disait au désavantage d'Alphémidon, était au sien, et qu'on ne lui attribuait nulle mauvaise qualité, qui ne lui fût honteuse. De sorte qu'ayant l'esprit fort irrité, il retourna chez Cynésie, qu'il trouva cette seconde fois, et qu'il trouva seule ; car Philire était allée en un lieu où elle n'avait pas mené cette belle fille, qui reçut Artaxandre avec toute la joie qu'elle avait accoutumé d'avoir en le voyant. Mais pour lui, il avait je ne sais quelle fierté dans les yeux, et je ne sais quoi de sombre dans l'humeur, qui donna bientôt la curiosité à Cynésie de lui en demander la cause. Si bien que sans se donner la peine de chercher un grand détour, pour s'éclaircir de ce qu'il voulait savoir, il prit la parole, et la regardant attentivement, « De grâce Madame, lui dit-il, ayez de la sincérité je vous en conjure ; et promettez-moi de répondre précisément à ce que je vous demanderai.

— Je vous le promets, répliqua-t-elle en rougissant, car je suis assurée que vous ne me demanderez rien que je ne vous doive dire.

— Non non Madame, reprit-il, ne vous y trompez pas ; car ce que je vous veux demander est d'une nature à ne devoir jamais être dit si vous ne vous y étiez engagée par serment ; et c'est pour cela que je veux que vous me promettiez de me dire ce que je veux savoir, avant que je vous le demande.

— Si vous y pensiez bien, reprit Cynésie, vous verriez que ce que vous me dites est si étrange, qu'il mériterait que je vous refusasse ce que vous me demandez ; car enfin vous me dites que vous voulez que je vous promette de vous dire une chose que je ne vous devrais jamais dire, si je ne m'y étais pas engagée par serment ; comment voulez-vous donc que je vous promette de vous dire ce que la raison ne veut pas que je vous dise ? Pensez donc mieux à ce que vous dites, poursuivit-elle, et sans m'obliger à vous rien promettre, dites-moi ce

que vous voulez savoir ; et puis après cela je verrai
si je dois satisfaire votre curiosité ou non.

— Ha ! Madame, s'écria-t-il, si vous n'aviez rien
de fâcheux à dire, vous m'auriez promis une seconde fois ce que je veux ; ainsi en ne me disant
rien vous me dites tout ; et je n'ai plus rien à vous
demander. » Artaxandre dit cela d'un ton si fier
et si mutin, que Cynésie en étant en peine, et sachant bien qu'elle n'avait rien fait depuis qu'elle
connaissait Artaxandre qui l'eût pu fâcher, se résolut enfin à lui promettre de lui dire sincèrement la vérité d'une chose qu'il lui demandait. De
sorte qu'Artaxandre reprenant la parole, « Je
vous conjure donc Madame, lui dit-il, de me dire
ingénument s'il est vrai qu'Alphimédon ait été
aimé de vous.

— Alphimédon, reprit-elle en rougissant, m'a
vue si jeune, qu'on peut dire que nous avons
commencé de voir le jour ensemble.

— Il ne s'agit pas, reprit-il, de savoir quand il a
commencé de vous connaître, mais il s'agit de me
dire si vous l'avez aimé, ce qui vous l'a fait aimer,
combien il y a que vous ne l'aimez plus, et par
quelle raison vous avez changé de sentiments
pour lui.

— Vous me demandez cela d'un ton si fier,
reprit-elle, et ce que vous me demandez est si fâcheux à dire, que si je n'avais pour vous une indulgence extrême, et une bonté infinie, je ne vous
dirais rien de tout ce que vous voulez savoir. Mais
comme vous pourriez penser que j'aurais bien des
crimes à cacher, si je ne satisfaisais pas votre
curiosité, je veux bien la contenter. Je vous dirai
donc, poursuivit-elle, que dès que j'ai ouvert les
yeux, j'ai connu Alphimédon ; et je vous avouerai
même que j'avais pour lui dans le commence-

ment de ma vie une inclination si forte, qu'elle me fit souffrir agréablement d'en être aimée. Et pour porter la confiance que j'ai en votre discrétion, aussi loin qu'elle peut aller, je vous avouerai que la longueur et l'assiduité de ses soins fortifiant encore mon inclination, je vins enfin à l'aimer, et que je l'aurais toujours aimé, s'il n'eût pas été capable d'une légèreté qui me rebuta l'esprit, et qui m'obligea de rompre avec lui. En effet quoique je sache bien qu'Alphimédon n'a pas dans le monde une fort grande réputation, je n'eusse pas laissé de lui être fidèle s'il l'eût été ; car après tout je suis obligée de dire pour ma justification, que le monde fait tort à Alphimédon, et qu'il est beaucoup plus aimable qu'on ne le croit, pour une personne qu'il aime, étant certain qu'il est fort civil, fort doux, et fort complaisant.

— Ha ! Madame, s'écria Artaxandre, Alphimédon est encore moins aimable pour celles qu'il aime, que pour celles qu'il n'aime pas, parce qu'il les voit plus souvent ; mais il l'est sans doute pour celles dont il est aimé ; et c'est ce qui fait que vous ne le trouvez pas aussi désagréable que tout le monde le trouve.

— Avec la même ingénuité que j'ai à vous avouer que j'ai eu de l'affection pour lui, reprit-elle, je vous dis ensuite que je n'en ai plus.

— Je le veux croire Madame, reprit-il, mais il suffit que vous l'ayez aimé, pour me rendre le plus malheureux de tous les hommes ; et dans les sentiments où je suis, je serais beaucoup moins misérable si vous aimiez quelqu'un qui fût digne de vous, que je ne le suis de savoir que vous avez aimé le plus indigne de tous les amants que vous avez jamais eus. Au reste Madame, j'avoue que je ne conçois point comment j'ai pu toucher votre cœur, puisqu'Alphimédon l'a touché ; car je ne suis point fait comme lui ; je ne fais rien de ce qu'il fait ; je ne dis rien de ce qu'il dit ; je ne pense rien de ce qu'il pense ; et je ne sache rien enfin de si opposé qu'Alphimédon et Artaxandre. Comment est-il donc possible qu'il vous ait plu, et que je vous plaise ? que vous l'ayez aimé, et que vous m'aimiez ? et que l'homme du monde que je méprise le plus, ait été l'homme du monde que vous ayez le plus estimé ?

— Ha ! pour cela, dit-elle, je n'en tombe pas d'accord ; car pour vous expliquer l'affection que j'ai eue pour Alphimédon, et celle que j'ai pour vous, je n'ai qu'à vous dire que je l'ai aimé par inclination, et que je vous aime et par inclination, et par connaissance.

— Eh de grâce Madame, lui dit-il, ôtez-moi votre inclination ; car je ne veux rien avoir de commun avec Alphimédon.

— Je vous ôterai même mon cœur, reprit brusquement Cynésie, qui se fâcha du ton dont Artaxandre lui parlait ; car on s'en peut rendre indigne par caprice, aussi bien que par défaut de mérite.

— Quand je commençai de vous aimer, reprit Artaxandre, je vous remerciai de m'avoir donné de l'amour, comme d'une grande faveur ; mais puisque vous avez aimé Alphimédon, je vous avoue Madame, que si vous pouvez m'ôter l'amour que vous m'avez donnée, je vous en remercierai bien davantage, puisqu'il est vrai que je ne sache rien de plus cruel que d'être le successeur d'Alphimédon ; car enfin Madame, ce bienheureux Alphimédon ne peut avoir gagné votre cœur qu'en vous disant mille sottises, et mille impertinences, et qu'en faisant devant vous les mêmes choses qui l'ont fait mépriser de toute la ville. Jugez donc Madame, quelle gloire peut être la mienne, d'avoir fait la même conquête que lui. »

Cynésie se sentant alors offensée de ce que lui disait Artaxandre, s'emporta ; et sans lui pouvoir dire une bonne raison pour excuser l'affection qu'elle avait eue pour Alphimédon, ils se querellèrent jusques au retour de Philire, qui fit changer la conversation. Mais au sortir de là il fut chez Céphise, qui comme je l'ai déjà dit, avait une espèce d'amitié pour Artaxandre, qui eût pu devenir un peu trop tendre, si elle ne se fût opposée à cette inclination naissante. De sorte que lorsqu'Artaxandre qui l'aimait fort lui racontait ses démêlés avec ses maîtresses, Céphise sans avoir dessein de l'irriter, ne laissait pas de le faire, et de donner toujours le tort à l'amante, pour flatter l'amant qui était son ami. Si bien que comme elle n'avait point vu Artaxandre depuis que Pasithée en sa présence l'avait fait désespérer en l'appelant successeur d'Alphimédon, elle ne le vit pas plutôt entrer dans sa chambre, où elle était seule, que se mettant à sourire, « En vérité Artaxandre, lui dit-elle, vous m'avez bien de l'obligation ; car enfin quoique ce que Pasithée vous dit devant moi fût assez plaisant pour en rire, je n'en ris point du tout ; et au contraire quand vous fûtes parti je la grondai de vous l'avoir dit ; et je me brouillai presque avec elle à votre considération.

— Je vous en suis bien obligé, reprit Artaxandre, mais je vous le serais bien davantage, ajouta-t-il, si vous me pouviez ôter l'amour que j'ai pour Cynésie.

— Ha ! Artaxandre, répliqua Céphise, vous ne songez pas à ce que vous dites !

— Je n'y songe que trop, répondit-il, car plus j'y songe plus je trouve qu'il m'est honteux d'être le successeur d'Alphimédon ; et je suis tellement rebuté de mes deux dernières aventures, que je suis presque résolu de changer ma forme de vie. En effet, poursuivit-il, si vous voulez bien que j'aie pour vous une de ces amitiés tendres, qui tiennent le milieu entre l'amour et l'amitié ordinaire, et que vous veuilliez bien endurer que je sois coquet, et que je vous rende compte de toutes mes folies, je renoncerai à toutes les grandes passions qu'on dit qui seules peuvent donner de grands plaisirs.

— Pour moi, dit Céphise, j'accepte volontiers le parti que vous m'offrez ; mais à vous dire la vérité, je ne crois pas que vous soyez en état de faire ce que vous dites.

— Je n'y suis pas encore, reprit-il, mais selon toutes les apparences j'y serai bientôt ; car enfin je ne puis plus trouver ni plaisir ni gloire à être aimé de Cynésie, puisqu'elle a aimé un homme indigne de son affection. J'ai même une imagination dans l'esprit, ajouta-t-il, dont je ne me puis défaire, qui servira encore à me guérir de la passion que j'ai pour Cynésie, puisqu'à n'en mentir pas, je suis presque persuadé qu'une femme ne peut avoir d'affection innocente pour un amant qui n'est pas un fort honnête homme. En effet, poursuivit Artaxandre, il n'appartient qu'à ceux qui ont de l'esprit, qui l'ont galant et bien tourné, de se faire mille chemins agréables depuis le premier jour d'une passion naissante jusques à celui où ils peuvent trouver place dans le cœur des personnes qu'ils aiment ; et il n'appartient encore qu'à eux d'imaginer cent plaisirs qui n'ont rien de criminel, et de se contenter de cent faveurs qui ne choquent ni la vertu, ni la bienséance. Mais pour un sot amant, je suis persuadé que dès qu'il a dit grossièrement qu'il aime, il dit brutalement qu'il veut être récompensé de son amour, et effectivement si on ne l'en récompense, il échappe à [sa] maîtresse.

— Ha ! pour cela, dit Céphise, vous allez trop loin, car Cynésie a de la vertu.

— Je le crois quand j'y pense bien, reprit Artaxandre ; mais quand je n'y pense guère, ajouta-t-il, il s'en faut peu que je n'en doute ; car que peut dire une femme d'esprit à un homme tel qu'Alphimédon ? de quoi la peut-il entretenir agréablement ? et quels plaisirs innocents imaginez-vous qu'un amant qui n'a rien de galant puisse donner ?

— De grâce Artaxandre, reprit Céphise, ne demandez jamais quel plaisir on trouve à aimer ; car l'amour porte son plaisir avec soi ; et dès qu'on a le cœur occupé de cette passion, l'esprit se préoccupe aisément ; on ne voit plus les choses comme elles sont, et on les voit seulement comme on veut qu'elles soient. Ainsi l'aimable Cynésie étant fort jeune se trouva avec une inclination très forte pour Alphimédon, qui ne permit pas à sa raison de lui en faire voir les défauts. Ce n'est pas, ajouta-t-elle, que je ne la condamne ; car je ne puis souffrir que l'on aime ce qui n'est point aimable.

— Vous avez raison, répliqua Artaxandre, puisqu'en vérité s'il se faut donner à quelqu'un, il faut se donner à propos, et ne se donner pas comme j'ai fait. Il est vrai que j'ai à dire pour ma consolation, que tout autre que moi y eût été attrapé. En effet le moyen alors de deviner que ce qui m'afflige, m'affligerait ? Aussi craignais-je bien d'autres choses en commençant d'aimer Cynésie ; car je craignais qu'elle n'eût l'esprit trop délicat, et trop difficile ; qu'elle ne me trouvât pas

assez honnête homme ; que ma galanterie ne lui
semblât un peu trop enjouée ; qu'elle n'eût l'esprit engagé pour quelque rival qui eût eu un si
grand mérite que je ne pusse le chasser de son
cœur ; ou qu'elle fût insensible à la passion que
j'avais dans l'âme. Mais j'appréhendai tout ce que
je ne devais pas appréhender, et je ne craignis
point la seule chose que je devais craindre. Il est
vrai qu'il n'y avait apparence aucune d'avoir cette
crainte ; car le moyen de penser que Cynésie qui
a infiniment de l'esprit et qui paraît glorieuse,
pût jamais avoir aimé Alphimédon, que tout le
monde n'estime pas, et qui n'est effectivement
pas digne d'être estimé ?

— Il est vrai, dit Céphise, que cela ne se pouvait pas deviner, et que cela serait même difficile
à croire, si l'on n'en savait pas cent circonstances
qui ne permettent pas d'en douter.

— Pour moi, reprit Artaxandre, j'en suis bien
mieux instruit que les autres ; car Cynésie m'a fait
l'honneur de m'avouer qu'elle a aimé Alphimédon ; et elle me l'a dit peut-être avec les mêmes
paroles dont elle m'a dit quelques choses avantageuses, à moi dis-je, qui ne ressemble point Alphimédon, qui ne lui ressemblerai de ma vie, et qui
ne veux rien avoir de ce qui a été à lui. »

Après cela, Artaxandre se mit à se promener en
rêvant, comme s'il eût été seul dans sa chambre,
quoiqu'il fût dans celle de Céphise ; et nommant
tantôt Alphimédon, et tantôt Cynésie, selon les
pensées qui lui passaient dans l'esprit, il fut plus
d'un quart d'heure dans cette rêverie, que Céphise ne voulait pas interrompre, parce qu'elle
trouvait cela assez plaisant à voir, et que de plus
elle n'était pas trop marrie que le cœur d'Artaxandre se dégageât de l'amour de Cynésie. Mais

à la fin Artaxandre s'apercevant de sa rêverie en revint, et dit encore cent plaisantes choses sur le chagrin qu'il avait d'être successeur d'Alphimédon. Après quoi il s'en retourna au lieu où il logeait ; mais en y allant il rencontra Alphimédon, qui l'irrita encore par sa vue seulement ; car il était suivant sa coutume, malpropre et fort négligé ; il lui fit même un certain compliment brusque et grossier, qui semblait ne pouvoir être fait par un homme de qualité ; et en arrivant chez le père de Philionte, il y entendit faire cent contes d'Alphimédon. De sorte qu'Artaxandre s'aigrissant de moment en moment, et trouvant de plus en plus, qu'il ne devait plus aimer une personne qui avait pu aimer Alphimédon, il résolut effectivement de rompre avec Cynésie. « Car enfin, disait-il à Philionte, qui voulait l'en dissuader, j'aurai la satisfaction de savoir, si je romps avec cette injuste personne, que dans le même temps que l'on dira qu'elle m'a voulu faire le successeur d'Alphimédon, on dira aussi que je ne lui ai pas voulu succéder, et que j'ai renoncé à sa succession.

— Vous donnerez un si grand plaisir à Pasithée, répliqua Philionte, si vous quittez Cynésie, que si vous étiez vindicatif, vous ne le feriez pas.

— Je suis plus vindicatif que vous ne pensez, reprit-il, mais je ne veux pas me venger sur moi-même ; et si je continuais d'aimer Cynésie, de peur de donner de la joie à Pasithée, je me couvrirais de la honte d'être le successeur d'Alphimédon.

— Mais, lui dit alors Philionte, aime-t-on quand on veut ? et cesse-t-on d'aimer quand on en a envie ?

— Je ne le sais pas trop bien, reprit-il, mais je le veux essayer. »

Et en effet Artaxandre ne fut plus chez Cynésie ; et il alla tous les jours chez Céphise, cherchant à se consoler par son amitié, de la perte de son amour. Cependant Clidamis qui sut bientôt le changement qui était arrivé entre Artaxandre et Cynésie, retourna chez elle, et quitta Pasithée ; mais comme Cynésie ne trouvait pas que Clidamis la pût consoler d'avoir perdu Artaxandre, elle le maltraita fort, s'imaginant qu'Artaxandre lui en saurait gré. D'autre part, Pasithée était en colère de voir que Clidamis l'abandonnait, et que cela divertissait Artaxandre, qu'elle eût volontiers rappelé. Mais pour Cynésie, elle ne savait qu'imaginer pour guérir Artaxandre ; car elle ne pouvait plus lui dire qu'elle n'avait pas aimé Alphimédon, puisqu'elle le lui avait avoué ; et elle ne pouvait pas faire qu'Alphimédon fût plus estimable, ni plus estimé qu'il était. De sorte qu'elle ne pouvait faire autre chose, comme elle était glorieuse, que faire semblant de ne se soucier pas de ce qu'Artaxandre ne la voyait plus.

Cependant comme Artaxandre n'est pas inconsolable, en matière de galanterie, l'amitié de Céphise le consola effectivement de cette cruelle aventure ; car ayant commencé quelque temps après cette espèce de vie coquette et galante dont il lui avait parlé, il s'en trouva si bien qu'il ne la changea point tant qu'il fut à Crète ; ainsi il rendait compte à Céphise de toutes les folies qui lui arrivaient ; et il avait quelquefois plus de plaisir à lui raconter ce qui lui était arrivé, que la chose même ne lui en donnait. Car comme Céphise a l'esprit galant, et agréable, qu'elle avait de l'amitié pour Artaxandre, et qu'il en avait pour elle, leur conversation avait une certaine liberté qui la rendait tout à fait agréable, et qui fit que lorsqu'Artaxandre fut obligé de

partir de Crète, il regretta plus son amie que toutes
ses maîtresses ; et je suis même assuré que de
l'heure que je parle, il se souvient plus agréablement de Céphise, que de Pasithée, et de Cynésie,
avec qui il a eu ces commencements d'amour que
vous avez voulu savoir, et que j'ai racontés avec si
peu d'art, que j'ai sujet de craindre que toutes les
illustres personnes qui m'écoutent ne se soient re-
penties de leur curiosité.

— En mon particulier, dit Clélie, voyant
qu'[Amilcar] n'avait plus rien à dire, je ne me repens pas d'avoir souhaité de les savoir ; car je
suis persuadée que ces deux commencements
d'amour, valent bien une histoire entière.

— Pour moi, dit le prince Sextus, je me suis
fort affectionné à Artaxandre, principalement
parce qu'il me semble qu'il ressemble à Amilcar.

— Il est vrai, reprit Aronce, que tout ce qu'a
fait Artaxandre est assez de son caractère.

— J'en tombe d'accord, dit l'enjouée Plotine,
mais il me semble pourtant que si Amilcar eût été
à la place d'Artaxandre, qu'il n'aurait point quitté
Pasithée si légèrement, ou qu'il serait retourné à
elle après avoir quitté Cynésie ; car il ne me semble pas qu'il soit aussi propre à avoir des amies
que des maîtresses.

— J'ai encore si peu l'honneur d'être connu de
vous, reprit Amilcar, que vous en parlez un peu
bien hardiment.

— Quoi qu'il en soit, dit Césonie, je voudrais
bien savoir qui est cet Artaxandre.

— Pour moi, dit Artémidore, j'ai la même curiosité

— En mon particulier, ajouta Zénocrate, je
voudrais aussi connaître et Pasithée, et Cynésie.

— J'aurais même quelque curiosité pour Céphise, ajouta Clélie ; car il me semble qu'une amie qui peut consoler de deux maîtresses, doit avoir bien du mérite.

— Sincèrement, dit alors Plotine, il est peu de choses que je ne fisse, pour savoir les véritables noms de toutes ces personnes.

— En vérité, dit Amilcar, votre curiosité est mal fondée, puisque vous n'en connaîtriez guère quand je vous les aurais nommées[1].

— Si vous le voulez, dit alors Célère en parlant bas à Plotine, je vous donnerai la clef de cette histoire, pourvu que vous fassiez semblant de l'avoir eue par enchantement[2]. »

Comme Plotine a l'esprit gai et agréable, elle imagina qu'elle ferait une plaisante chose, si Célère lui tenait sa parole ; si bien que l'en pressant obligeamment, il lui dit tous les véritables noms de ceux qu'Amilcar avait introduits dans l'aventure qu'il avait racontée ; après quoi il se retira adroitement d'auprès de Plotine, à qui Amilcar n'avait pas pris garde qu'il eût parlé bas, parce que dans le dessein qu'il avait d'empêcher Sextus de parler à Clélie, il s'était attaché à parler à ce prince ; de sorte que lorsque Célère fut hors d'auprès de Plotine, elle recommença de presser Amilcar de leur dire les véritables noms d'Artaxandre, de Pasithée, de Cynésie, de Céphise, et des autres dont il avait parlé ; et comme il continuait de s'en défendre, elle lui dit qu'elle lui demandait une chose qu'elle pouvait savoir sans lui. « Et pour vous témoigner, lui dit elle, que je cherchais seulement à vous avoir obligation, si vous me promettez d'avouer la vérité, je m'engage, ajouta-t-elle en riant, à faire certains caractères sur des tablettes qui sont dans ma poche,

qui ne seront pas plutôt faits, que toute la compagnie saura les véritables noms de ceux qui lui
donnent tant de curiosité.

— Ha ! aimable Plotine, reprit Amilcar, si vous
faites ce que vous dites, je m'engage aussi non
seulement à vous dire la vérité, mais je m'engage
encore à être toute ma vie amoureux de vous,
quand même vous auriez trop peu aimé quelque
autre Philicrate, ou trop aimé quelque autre Alphimédon.

— Je n'en veux pas davantage », reprit-elle.

Et en effet prenant des tablettes qu'elle avait,
elle se retira vers les fenêtres pour y aller écrire les
noms que Célère lui avait dits ; et après les avoir
écrits, elle donna ces tablettes à Zénocrate, afin
qu'il lût tout haut ce qu'elle y avait mis ; de sorte
que toute la compagnie s'empressant pour entendre ce que Zénocrate allait dire, il commença de
lire ce que Plotine avait écrit dans ces tablettes,
qui était conçu en ces termes :

LA VÉRITABLE CLEF
DE L'HISTOIRE D'ARTAXANDRE

Artaxandre.	*Amilcar.*
Pasithée.	*Bélise.*
Cynésie.	*Lindamire.*
Céphise.	*Liriane.*
Alphimédon.	*Phélinix.*
Clidamis.	*Albérite.*
Philionte.	*Timaïde.*
Crète.	*Sidon.*

Mais à peine Zénocrate eut-il achevé de lire, que
tout le monde s'empressa à dire à Amilcar, qu'on
avait bien connu qu'il était Artaxandre[1]. « Eh
bien, dit alors Amilcar, je serai Artaxandre si vous

voulez, car je suis le plus complaisant de tous les hommes ; mais je voudrais bien savoir par quel enchantement Plotine, qui ne trouvait pas il n'y a qu'un moment que je lui ressemblasse tout à fait, a pu deviner ce qu'elle vient de dire. » Après cela Amilcar rêva quelque temps ; puis regardant Célère qui ne put s'empêcher de sourire, « Ha ! Célère, lui dit-il, vous avez trahi mon secret, car je viens de me souvenir que je vous ai autrefois raconté toutes les folies que je viens de dire.

— Mais encore voudrais-je bien savoir, dit alors Clélie, pourquoi vous vous êtes donné la peine de changer tous les véritables noms de toutes ces personnes, et de changer le vôtre ; car nous ne connaissons non plus Bélise que Pasithée.

— Il est vrai, répliqua-t-il, mais vous connaissiez mieux Amilcar, que vous ne connaissiez Artaxandre ; et c'est pour l'amour de lui seulement que j'avais déguisé les autres. Mais ce qu'il y a de rare, est que dans la précipitation où j'ai fait ce changement, j'ai fait une chose où tout le monde n'a pas pris garde, qui est assez plaisante ; car j'ai donné un nom grec à un Africain.

— Pour moi, dit Sextus, je ne vois pas trop bien, non plus que le reste de la compagnie, par quelle raison vous ne nous avez pas donné la joie de savoir que vous aviez intérêt à tout ce que vous nous racontiez.

— Je vous ai déjà dit Seigneur, répliqua-t-il, avant que de vous raconter ces deux bizarres commencements d'amour, que je n'aimais pas à être moi-même mon historien ; et je vous dis encore, que je ne le serai jamais, et que ceux mêmes qui veulent faire des livres de la nature de ceux d'un illustre aveugle dont la Grèce adore les ouvrages, doivent presque toujours introduire quelques personnes qui racontent les aventures des autres[1]. Car lorsque l'on en use ainsi, on loue ou blâme tous ceux dont on parle selon qu'ils le méritent. L'on peint même les personnes qu'on introduit dans un récit ; on raisonne sur les choses ; on mêle ses sentiments aux leurs ; et on leur fait exactement dire et penser tout ce qu'elles ont dit et pensé. Mais quand on dit soi-même son histoire, tout ce qu'on dit à son avantage est suspect à ceux qui l'écoutent ; et il est si difficile, si c'est une femme qui fasse une narration, de lui faire dire de bonne grâce "J'ai donné de l'amour", et si c'est un homme de lui faire raconter à propos qu'il a été aimé, ou qu'il est brave, qu'il est mille et mille fois plus raisonnable que ce soit une tierce personne qui raconte que de raconter soi-même[2].

— Ce que vous dites est assurément fort raisonnablement dit, répliqua Aronce ; mais je crois pourtant que s'il se trouvait des gens qui voulussent faire des livres de la nature que vous l'entendez, il y en aurait d'autres qui trouveraient étrange que ces tierces personnes sussent tant de particularités de choses où elles n'ont pas le principal intérêt.

— Je suis persuadé de ce que vous dites, reprit Amilcar ; mais ce serait pourtant un scrupule mal fondé ; car outre qu'on sait quelquefois mieux les aventures des autres que les siennes, parce qu'on les peut savoir de la bouche de toutes les personnes intéressées, il est encore vrai qu'il faut que ceux qui lisent entrent dans les sentiments de celui qui a fait l'ouvrage, et qu'ils lui sachent gré de ce qu'il n'en use ainsi que pour leur donner plus de plaisir[3] qu'ils n'en auraient, si la chose était autrement[3]. Il y a pourtant certaines observations judicieuses à faire, que ceux qui auraient quelque adresse feraient infailliblement ; c'est pourquoi je ne les dis pas ; mais après tout, quand il faudrait avoir quelque indulgence pour cela, j'aimerais beaucoup mieux l'avoir que d'entendre une femme raconter les conquêtes que sa beauté a faites, ou que d'ouïr un homme qui raconte la grandeur de ses exploits. Ce n'est pas que quand on se trouve forcé de le faire, il ne s'en faille tirer comme on peut, et qu'il ne fût même bon qu'un homme qui écrirait des aventures de la nature que je l'entends, en fît réciter quelqu'une aux personnes intéressées, pour faire voir qu'il aurait assez d'art pour le faire bien ; mais il n'en faudrait pas abuser. Et pour mettre en pratique ce que je dis pour les autres, je me promets à moi-même, de ne raconter jamais rien qui me soit arrivé, si ce n'est à une seule personne à la fois, et de le faire le moins qu'il me sera possible.

— Je suis tout à fait aise de la résolution que vous prenez, dit alors Plotine en riant, car comme il y a apparence que nous aurons quelque aventure ensemble, je serai en sûreté, et je ne craindrai pas que vous racontiez ce qui se passera entre nous, si ce n'est sous des noms supposés qui me mettront à couvert de toute dangereuse explication.

— En vérité, dit Césonie, je ne pense pas que vous fussiez bien aise qu'on racontât votre aventure de cette sorte ; et je suis même persuadée que si cela était, vous vous empresseriez adroitement à en donner la clef, comme vous avez donné celle de l'histoire d'Artaxandre.

— Pour moi, dit une de ces dames mélancoliques qui supportaient leur captivité avec tant de chagrin, je ne comprends pas trop bien l'excessive curiosité que j'ai remarquée que toute la compagnie a eue de savoir les véritables noms des personnes qu'Amilcar a introduites dans son récit ; car cela ne changeant rien ni à l'aventure ni aux sentiments, que vous importe que ceux entre qui ces choses qui vous plaisent se passent, soient Grecs ou Africains ? et pourquoi se tourmenter tant pour savoir ce qui ne peut donner un divertissement effectif ? Pour moi, ajouta-t-elle, quand Amilcar eût dit en commençant son récit "Je m'en vais vous raconter une aventure que j'ai inventée", je l'aurais écoutée aussi paisiblement, et avec autant de plaisir, que j'en ai eu. J'en aurais même eu davantage, poursuivit-elle, car j'aurais eu celui d'admirer l'art de celui qui aurait si heureusement inventé des aventures si ingénieusement conduites[1].

— Quoi que vous en veuilliez dire, reprit Plotine, il y a assurément plus de plaisir à écouter une chose que l'on sait qui est vraie, qu'une que l'on sait qui n'a jamais été.

— Il y a des choses véritables, répondit Clélie, qui sont si peu agréables, et si éloignées de toute vraisemblance, et il y en a d'inventées qui sont si divertissantes, et si vraisemblables, qu'on peut dire que quelquefois le mensonge est plus agréable que la vérité, et qu'il ressemble mieux à la vérité que la vérité même.

— Comme chacun a sa fantaisie, dit Plotine, je n'entreprends point de disputer jamais rien par raison, parce que je suis persuadée que chacun a la sienne pour soutenir ce qui touche son inclination.

— Ce que vous dites est tout à fait bien dit, reprit Sextus ; c'est pourquoi il ne faut jamais condamner les plaisirs de qui que ce soit ; et de l'humeur dont je suis, je ne condamne jamais rien en autrui ; mais aussi ne puis-je souffrir que les autres trouvent à redire à ce que je fais.

— Pour moi, dit Zénocrate, j'avoue que je vois quelquefois diverses choses qui ne me plaisent pas ; mais la paresse naturelle que j'ai pour toutes les choses qui ne me donnent pas un fort grand plaisir, fait que je ne les condamne pas, et que je n'en dis rien.

— Et en mon particulier, dit Amilcar, je condamne toujours ceux qui condamnent les autres.

— Il faut sans doute être fort réservé à dire son sentiment des plaisirs d'autrui, ajouta Aronce.

— C'est pourtant une chose que peu de personnes font, reprit Célère, car il n'y a rien qui soit plus sujet à la censure que les plaisirs.

— Ce que vous dites est vrai, répliqua Artémidore ; mais aussi faut-il avouer qu'il n'y a rien qui fasse mieux connaître les gens jusques au fond du cœur, et qu'ainsi ce n'est pas sans sujet si on s'est accoutumé à les observer ; car enfin dans les affaires solides et sérieuses, on a l'esprit concerté, et on ne connaît point ceux qui les font. Mais dans les plaisirs, on abandonne son cœur et son esprit ; on se découvre tout entier ; et c'est véritablement par là qu'on connaît les mœurs, et les inclinations des gens.

— C'est sans doute ordinairement par les petites choses, reprit Clélie, que l'on vient à connaître les grandes.

— Pour moi, dit Amilcar, on se trouverait bien attrapé à juger de moi par mes plaisirs ; car je m'en fais de tant de manières différentes, que quand la Fortune me met en lieu où je n'en puis apparemment avoir, je m'en fais des affaires qu'elle me donne, plutôt que de n'en avoir pas. Car enfin on ne peut vivre sans plaisir ; et ceux qui pensent n'en point avoir, et qui sont naturellement sombres et chagrins, en trouvent assurément dans leur propre mélancolie[1]. »

Après cela Sextus voyant par le silence de Clélie, et des autres dames, qu'elles trouvaient qu'il était assez tard pour finir la conversation, il se leva, et s'en alla, suivi d'Aronce, d'Artémidore, d'Amilcar, de Zénocrate, et de Célère, qui après avoir accompagné ce prince chez lui, s'en allèrent chez eux. Mais ce qu'Aronce eut de plus doux ce soir-là, fut que lorsque Sextus se leva, Amilcar l'ayant adroitement engagé à parler à Plotine, il trouva moyen d'entretenir un moment Clélie, sans être entendu que d'elle ; de sorte que ce précieux moment qu'il avait eu, lui fit passer toute la nuit avec beaucoup de plaisir. Cependant comme le siège d'Ardée pressait, et que la présence de Tarquin y était nécessaire, il fallut qu'il se disposât à partir. Il avait pourtant trouvé Clélie si belle qu'il eût volontiers différé son départ de quelques jours, si l'ambition n'eût pas toujours été la plus forte dans son cœur ; car encore que Tarquin n'eût jamais eu l'inclination fort amoureuse, il sentait pourtant quelque chose d'extraordinaire pour cette belle captive, qu'il fut voir le lendemain, donnant ordre qu'on la servît avec soin, et accordant même beaucoup de grâces aux autres à sa considération. Cependant comme la fière et cruelle Tullie le sut, elle fit encore instance, sur le prétexte des Vestales, pour obliger Tarquin à délivrer ces captives. Elle fit même que Vérénie[2] vint une seconde fois trouver ce prince ; mais il s'emporta plus encore contre elle à cette seconde visite qu'à la première ; car il lui dit que pour la récompenser dignement des soins qu'elle prenait de faire un soulèvement à Rome, il allait envoyer chercher son frère en quelque lieu de la terre qu'il fût, pour l'exterminer avec toute sa famille. Après quoi se disposant à partir, il partit effectivement le lendemain, suivi du prince Sextus, du prince de Pométie, du prince Titus, de Collatin, des jeunes fils de Brutus, qui faisaient leur première campagne, de deux autres jeunes gens de qualité de la maison des Aquiliens, de tous les braves de Rome, d'Aronce, d'Artémidore, d'Amilcar, de Zénocrate, de Célère, et de beaucoup d'autres. Ce départ fut même si précipité, que Sextus ne put revoir les captives ; mais comme Célère passait pour être frère de Clélie, il y fut pour y mener Aronce, qui eut la consolation de lui pouvoir dire adieu.

Il est vrai que cet adieu fut si triste, qu'on peut dire qu'ils ne firent que se communiquer leur douleur, et que faire un échange de leurs déplaisirs. Car quand Clélie pensait qu'elle était sous la puissance de Tarquin, qui haïssait si horriblement son père, qu'elle songeait que ce fier tyran la regardait trop favorablement, que le prince Sextus faisait la même chose, que la cruelle Tullie ne lui avait fait nulle civilité, qu'Aronce s'en allait à la guerre où il pouvait mourir, que Célère, qui disait être son frère, y pouvait périr aussi bien qu'Amilcar, et qu'ainsi elle était exposée à demeurer sans aucun secours entre les mains des plus méchantes gens du monde, il n'était pas possible qu'elle n'eût une douleur très violente. D'autre part Aronce qui sentait beaucoup plus les malheurs de la personne qu'il aimait, que les siens propres, sans songer à ce qu'on pouvait dire de lui à la cour du roi son père, et sans penser à ce que ce prince en disait lui-même, ne songeait qu'au pitoyable état où il voyait Clélie. Néanmoins, comme Tarquin avait promis de la délivrer à la fin du siège d'Ardée, cette espérance modérait une partie de son chagrin. Il est vrai que la crainte qu'il avait qu'elle ne fût reconnue pour être fille de Clélius, lui ôtait la plus sensible douceur de cette espérance ; joint que le seul déplaisir de s'éloigner d'elle, et de la laisser sous le pouvoir de la fière Tullie, était si grand, qu'on pouvait dire qu'il suffisait seul à le rendre digne de compassion ; aussi se dirent-ils en cette rencontre les plus douloureuses choses du monde, pendant que Célère et Amilcar, qui avaient été de cette visite, faisaient leurs adieux aux autres captives. Il est vrai que l'adieu de Plotine et d'Amilcar, fut aussi enjoué que l'autre fut mélancolique, puisqu'ils se dirent cent agréables folies en se séparant.

Tarquin et sa suite partent pour le camp d'Ardée, où Aronce se signale à l'attention du roi par sa vaillance. La vie au camp se déroule assez librement autour du prince Sextus. On y exalte la beauté et la vertu de Lucrèce, épouse de Collatin, neveu de Tarquin. Sextus qui lui a rendu visite est tombé amoureux d'elle, oubliant les charmes de Clélie. Tel n'est pas le cas de Tarquin, de plus en plus épris de sa captive. Très vite cependant l'identité d'Aronce est découverte : celui-ci doit donc s'éloigner, mais Sextus lui promet de veiller sur Clélie.

DEUXIÈME PARTIE

LIVRE PREMIER

Aronce, conseillé par Amilcar, se réfugie chez Sivélia, mère d'Herminius. Cependant les soupçons se portent sur Clélie, que Tarquin contraint d'avouer sa véritable identité. La violence de son amour, en dépit de l'obstination courageuse de la jeune fille, insensible à ses avances, exaspère la fureur du tyran et la jalousie de sa femme Tullie. Tarquin, que Clélie a définitivement conquis, cherche maintenant à la soustraire à la vengeance prévisible de la reine : pour rester auprès de la jeune fille, il conclut même une trêve avec les assiégés d'Ardée. Aronce de son côté a dû changer de cachette : il loge chez Racilia, tante de Brutus (lui-même neveu de Tarquin), où Amilcar le rejoint. C'est dans cette demeure que la résistance peu à peu s'organise : les citoyens romains décidés à chasser le tyran s'y retrouvent clandestinement ; dans leurs rangs on compte désormais Herminius, rentré secrètement à Rome, ainsi que Publius Valérius (père de Valérie, la compagne de captivité de Clélie) et Brutus, qui ne simule plus la stupidité sous le masque de laquelle il avait jusque-là abrité ses desseins patriotiques. Cette révélation suscite la curiosité des conspirateurs : pour la satisfaire, Herminius leur raconte alors la longue « Histoire de Lucius Junius Brutus ». Celui-ci a dû feindre une semi-folie pour éviter le sort de sa famille massacrée par son oncle, le terrible Tarquin. Marié puis veuf avec deux fils, il s'est épris de la jeune Lucrèce, aimée de Collatin, et lui a révélé la vérité. Quelques proches partagent également le secret de Brutus : Herminius, amant de la belle Valérie, le père de celle-ci, Publius Valérius, Collatine enfin, sœur de Collatin. Lucrèce et Brutus se sont finalement avoué un amour partagé. Ils vivent heureux, mais vertueusement, protégés par leurs amis fidèles : échanges de vers, correspondance amoureuse, entretiens fréquents rythment cette existence paisible, que n'a pas encore assombrie la perspective d'un mariage de Lucrèce.

Un jour de cérémonie en particulier, où l'on célèbre conjointement les divinités des eaux et la beauté féminine, réunit chez Racilia un grand nombre de participants : Brutus, le prince de Pométie, Titus, Collatin, Mutius et Herminius s'y retrouvent notamment, autour de Lucrèce, Valérie, Collatine et Hermilie, la demi-sœur de Brutus. Lucrèce est l'héroïne de la fête : les hommages masculins lui ont valu l'offrande de nombreuses guirlandes, ces festons dont l'on ornera ensuite puits et fontaines. Une superstition populaire attachée à cette coutume veut que la reine de la journée soit prédestinée, pour l'année en cours, au plus grand bonheur ou à la pire des infortunes. La conversation s'engage pour en interpréter le sens ; Brutus éprouve une joie secrète, quoique mêlée de crainte jalouse, de se savoir aimé de Lucrèce quand tous les autres le méprisent, ignorant qui il est en réalité.

Le hasard fit encore que la conversation de ce jour-là fut tout à fait dans ses sentiments : car comme tout ce qu'il y avait de jeunes personnes en cette compagnie furent assises à un bout de ce grand berceau de jasmin dont je vous ai parlé[1], un jeune Aquilien[2] vint à parler de la gloire que Lucrèce avait eue, d'avoir eu plus de festons de fleurs que toutes les autres, qui étaient toutes propres à mériter le premier rang en tous lieux. « En vérité, lui dit Lucrèce, ceux qui me les ont donnés méritent plus d'en être loués que moi, si ce n'est qu'on leur peut reprocher de n'avoir pas su bien choisir. Mais on s'est tellement accoutumé, ajouta-t-elle, à se servir de la gloire à tout, qu'on ne saurait presque plus parler sans gloire : cependant ce mot-là ne devrait être employé, ce me semble, que pour ceux qui auraient fait quelque chose de grand à la guerre, ou pour ceux qui excellent en quelque vertu ou en quelque art[1]. Mais pensez-vous, lui dis-je[2], qu'on ne puisse pas dire à une belle personne qu'il lui est fort glorieux d'assujettir tous les cœurs, et de s'établir un empire sans armes, sans injustice, et sans violence ?

— Cet empire est bien souvent si mal affermi, reprit Valérie, que ce serait donner un fragile fondement à la gloire, que de la fonder sur l'inconstance de la plupart de ceux qui se mêlent d'aimer : mais après tout, je m'imagine que la véritable gloire consiste à mériter l'estime des honnêtes gens, et non pas leur amour : car cette passion naît quelquefois si bizarrement dans le cœur de certaines personnes, qu'il y aurait de l'injustice à attribuer beaucoup de gloire à celles qui se font aimer, quoiqu'il y eût peut-être encore plus d'injustice, à blâmer beaucoup ceux qui les aiment.

— Pour la gloire, dit alors Mutius, je suis persuadé qu'elle appartient principalement aux actions militaires ; et que les braves y ont plus de part que les autres[3].

— Je tombe d'accord, repris-je, que les braves la méritent ; mais les vertueux y ont autant de part que les autres.

— Pour moi je suis de l'avis d'Herminius, dit le prince de Pométie.

— J'en suis aussi, ajouta Titus, mais il faut pourtant avouer que ceux qui gagnent une bataille, méritent une gloire plus éclatante, que ne font ceux qui surmontent seulement leurs passions.

— À suivre l'usage, repris-je, on fait bien plus de bruit d'une victoire de cette nature, que de celle dont vous venez de parler : mais je ne sais si on en mérite autant ; et s'il n'est point plus glorieux de se vaincre soi-même, que de vaincre les autres.

— Mais à ce que je vois, dit alors Hermilie, nous n'aurons pas grande part à la gloire selon l'opinion de Mutius, car les femmes ne vont point à la guerre[1].

— Ah, Hermilie, m'écriai-je, les dames ont leurs victoires et leurs triomphes ; et elles savent si bien faire la guerre durant la paix, que quoi qu'en veuille dire la belle Lucrèce, elles méritent beaucoup de gloire : mais à parler pourtant sincèrement, les hommes en ont plus que les femmes en certaines occasions, et je suis persuadé qu'il est plus glorieux d'être aimé d'une honnête personne, qu'il ne lui est glorieux d'être aimée d'un fort honnête homme. Car selon moi, la grande beauté affaiblit l'honneur d'une conquête ; et une très belle femme qui assujettit un cœur, ne mérite guère plus de gloire, qu'en mériterait un conquérant qui aurait une armée de cent mille hommes, et une intelligence dans une petite ville qu'il prendrait sans résistance. Ainsi je fais principalement consister la gloire des femmes, lorsque leur esprit surpasse leur beauté, et qu'elles ont en un mot, tant de mérite, qu'on peut encore avoir de l'amour pour elles quand elles perdent tout ce qui les fait belles[2].

— Pour moi, dit Mutius, je suis adorateur des dames ; mais après tout je tiens pour certain qu'en cas d'amour, la gloire n'y a pas grande part.

— Quoi, reprit le prince de Pométie, vous ne trouveriez donc point de gloire à être aimé ?

— J'y trouverais le plus grand plaisir du monde, répliqua-t-il, mais il me semble que je n'y trouverais pas ce qu'on doit véritablement appeler gloire. Car enfin si on est aimé d'une personne sans vertu, il n'y a pas de quoi se vanter ; et si on est aimé d'une personne vertueuse, elle en fait tant de scrupule, qu'il faut se déguiser éternellement ; il faut ne la regarder presque pas ; il faut se cacher avec un soin étrange ; il faut se plaindre de son indifférence, quand même elle n'en aura pas : il ne faut pas même dire qu'on en est amoureux ; et il faut faire tant de façons, et tant de mystères, que la gloire n'a garde de s'y trouver.

— Pour la vanité, repris-je, j'en tombe d'accord ; mais pour la gloire je ne suis pas de votre avis. Car premièrement je pense qu'elle appartient à l'amour, aussi bien qu'à la guerre : et qu'elle lui appartient même par quelque conformité de combats, de victoire, et de triomphes[1]. Mais je tiens outre cela que plus une amour est secrète, plus elle est glorieuse à l'amant aimé : et si vous voulez que toute la compagnie nous juge, ajoutai-je, j'entreprends de soutenir qu'il n'y a rien de si doux, ni de si glorieux, que d'être aimé d'une personne de grand mérite, et de grande vertu, quoique le monde ne le sache pas, et ne le puisse jamais savoir. »

Comme je disais cela, je vis que je faisais un fort grand plaisir à Brutus, et que je ne fâchais pas Lucrèce en défendant une cause où ils avaient tant d'intérêt. Joint que je n'étais pas marri d'obliger mon rival à soutenir un mauvais parti, et une opinion qui lui pouvait nuire dans l'esprit de Valérie, et je le pressai de telle sorte, que croyant qu'il y allait de la réputation de son esprit, de soutenir opiniâtrement ce qu'il avait avancé, il entreprit de le faire. Il parla même le premier, lui semblant qu'il avait plus d'avantage de dire ses raisons devant que j'eusse dit les miennes : si bien que tout le monde nous prêtant une paisible audience, Mutius commença d'établir son opinion par une définition de l'amour qu'il fit à sa mode. « Pour tomber d'accord de ce que je soutiens (dit-il en m'adressant la parole) il n'y a qu'à considérer que le plaisir est l'âme de l'amour, s'il faut ainsi dire, et que si l'amour n'avait rien d'agréable on ne serait point amoureux. En effet on ne parle en amour que de plaisirs, l'espérance toute seule en donne de très sensibles ; on en trouve même dans ses propres chagrins ; et la douleur et la joie sont assurément les deux choses qu'on trouve en amour, sans y trouver la gloire : car on n'oserait se vanter de la moindre grâce sans être déshonoré ; et un amant qui publie les faveurs de sa maîtresse, se fait cent fois plus de tort en les publiant, qu'elle ne s'en fait en le favorisant. Et puis, à parler sincèrement, quelle gloire mérite un homme qui préfère son plaisir à tout ; qui ne cherche que ce qui le peut rendre heureux ; qui ne songe toute sa vie qu'à fuir tout ce qui peut faire obstacle à sa joie : et qui ne pense qu'à essayer de n'avoir rien à faire que d'être éternellement attaché auprès d'une personne dont il est aimé ? Je sais bien sans doute qu'il n'y a rien de si doux, ni de si charmant ; mais je sais bien aussi que chaque chose ayant quelque avantage qui lui est particulier, le plaisir est particulièrement attaché à l'amour, comme la gloire à la valeur. Mais quand il serait vrai, ajouta-t-il, qu'il y aurait une espèce de gloire qui se pourrait trouver en amour, il ne faudrait pas que ce fût une amour cachée, car selon moi il ne peut y avoir de gloire secrète : et à parler de la gloire de la manière que je la conçois, c'est proprement pour elle que la Renommée est établie. Si elle ne s'étend, et ne se répand partout, elle s'affaiblit, et

n'est presque rien : et les actions éclatantes sont
les seules qui lui appartiennent. En amour, tout
au contraire, et particulièrement en une de ces
amours secrètes, l'éclat et le bruit sont les choses
que l'on fuit le plus. On cache les lettres qu'on reçoit et celles qu'on écrit ; les assignations sont
presque toujours en des lieux solitaires ; ceux qui
aiment se parlent autant qu'ils peuvent à demi
bas ; ils se cachent à eux-mêmes une partie de
leurs sentiments, et si ce n'était l'envie et la médisance, la Renommée ne serait jamais guère em-
ployée à publier des victoires amoureuses. Ainsi
je pense pouvoir dire que quand l'amour pourrait
être une manière de gloire, il faudrait que ce fût
une amour publique comme le fut celle d'un de
nos rois, qui ayant pris une esclave en faisant la
guerre, en devint si amoureux, qu'il fit qu'un fils
de cette personne se vit après en état d'être son
successeur[1]. Mais de penser qu'une amour que
personne ne sait, puisse être glorieuse, c'est ce que
je ne croirai jamais, et ce que vous aurez bien de
la peine à soutenir.

— Je ne sais, lui dis-je, si je trouv[er]ai beaucoup
de difficulté à me défendre ; mais je sais bien que
je ne crois pas être vaincu. Cependant pour vous
répondre avec ordre, je vous dirai que comme
vous avez entrepris de définir l'amour, en disant
que le plaisir en est l'âme, il faut que je vous fasse
connaître la gloire : car de la sorte dont vous en
parlez, il semble que vous ne la connaissiez pas
bien, et que vous ayez pris la vanité pour elle. Il
est certain, poursuivis-je, que ces deux choses
ont quelque ressemblance l'une avec l'autre,
quoiqu'elles soient effectivement très différentes.
Car la vanité n'est qu'une apparence trompeuse,
qui ne subsiste que par autrui ; et qui ne se sert

presque jamais de la vertu : mais la véritable
gloire est quelque chose de si pur, de si grand, et
de si noble, qu'elle ne tient rien de cette vanité que
vous prenez sans doute pour elle. La gloire est une
chose qui sort aussi nécessairement d'une action
de vertu, que la lumière sort du soleil qui la produit : et elle en sort même d'une manière aussi in-
dépendante de toute cause étrangère : car comme
une action vertueuse ne laisse pas d'être telle,
quoiqu'elle soit faite sans témoins, il s'ensuit de
nécessité que la gloire qui naît avec elle, s'il faut
ainsi dire, la suit infailliblement, quoique cette
action ne soit pas publiée. Ainsi il ne laisse pas d'y
avoir de la gloire à bien faire quoiqu'on ne le sache
pas : et après tout on doit être son spectateur à
soi-même ; et quand on serait assuré de n'obtenir
jamais d'autre approbation que la sienne propre,
il faudrait agir comme si on devait obtenir celle
de toute la terre ; et il faudrait même trouver de la
gloire en sa propre estime. En effet il faut assurément songer plus à s'estimer, qu'à se faire estimer
par autrui, et à mériter la gloire qu'à la publier.
Car à mon avis si quelque chose peut affaiblir la
gloire d'une bonne action, c'est le soin de faire
qu'elle soit sue. Ce n'est pas qu'il ne soit assez naturel de désirer d'être loué ; mais on peut pourtant
dire que ce désir est une marque de faiblesse,
puisqu'il est certain que cette violente envie qui
est dans le cœur de beaucoup de personnes, vient
de ce qu'elles veulent avoir plusieurs témoignages de leur propre vertu, et que ne se fiant pas à
leur jugement, elles veulent que celui des autres
confirme le leur. Mais après tout, quiconque
cherche avec empressement le bruit qui suit ordinairement les belles actions, diminue l'honneur
qu'il en doit attendre. Il est donc, ce me semble,

assez aisé de conclure, que si on détruit sa gloire
en la publiant, elle peut subsister sans être publiée : et qu'ainsi quand une grande action serait
secrète, elle ne laisserait pas de donner de la gloire,
parce que c'est proprement à la chose qui la fait
naître qu'elle est attachée ; et non pas au caprice
de la Fortune, qui fait louer ou blâmer qui bon lui
semble, tantôt avec justice, et tantôt injustement[1].
Mais après avoir, si je ne me trompe, assez bien
fait voir que la gloire dépend plus de la vertu, que
de la Renommée, il faut encore montrer qu'elle
n'est pas seulement attachée au char de la victoire,
et aux triomphes des victorieux. Certes l'empire
de la gloire s'étend à tout ; car il y a de la gloire à
être savant, il y en a à être généreux, équitable, et
bon ; il y en a à posséder toutes les vertus en général, et chaque vertu en particulier : il y en a à
tous les arts libéraux ; il y en a même à savoir bien
tous les arts mécaniques[2], quand on est de condition à les savoir : il y en a encore aux simples dons
de la nature ; et les dieux ont effectivement voulu
qu'elle fût la compagne inséparable de tout ce
qu'il y a de beau et de bon dans le monde. Il y a
enfin quelque espèce de gloire à savoir bien ces
jeux que les hommes ont inventés ou pour montrer leur adresse, ou pour éprouver leur bonheur.
De sorte que ce serait une assez étrange chose, si
la gloire qui se trouve à tout, ne se rencontrait
point en l'amour, particulièrement puisqu'elle a
tant de lieu en l'amitié : car personne ne doute
qu'il n'y ait de la gloire à savoir aimer constamment ses amis, et à avoir assez de mérite pour en
acquérir d'illustres. Mais pour ne parler que de
l'amour, puisque c'est le fondement de la dispute,
par la même raison que vous dites que la gloire appartient plus à la guerre qu'aux vertus pacifiques,

je soutiens qu'elle doit plus appartenir à l'amour, qu'à toute autre chose ; puisqu'il est certain qu'il y a un rapport merveilleux entre l'amour, et la guerre. En amour, comme je l'ai déjà dit en passant, on parle de combats, de victoires, de conquêtes, de chaînes, de fers, de couronnes, d'esclaves, de captifs, de prisons, de prisonniers, de défaites, et de triomphes : et il est si nécessaire pour parler galamment d'amour, d'employer tous les termes de la guerre, qu'on ne s'en saurait passer, puisqu'il y a en l'une, comme en l'autre, des intelligences secrètes, des surprises et des tromperies.

— Mais quand on vous accordera, répliqua Mutius, que l'amour en général est capable de donner de la gloire, on ne vous avouera pas que cela se doive entendre de cette amour secrète dont j'entends parler.

— Je vous ai déjà dit, repris-je, que plus une amour est secrète, plus il y a de plaisir, et de véritable gloire, car y a-t-il rien de si doux, ni de si glorieux (ajoutai-je en regardant Brutus, sans qu'on y prît garde) que d'être aimé de la personne du monde qu'on estime le plus, et de recevoir pour preuve de son propre mérite, l'affection d'une femme qu'on estime, qu'on admire, et de qui on croit l'approbation plus glorieuse que celle de tout le reste de la terre ? Imaginez-vous, dis-je, quelle gloire il y a lorsqu'on se voit secrètement heureux au milieu d'une grande compagnie auprès de sa maîtresse, et qu'on la voit maltraiter quelque rival, qui ne vous connaît pas pour être le sien, et qui ne sait pas que vous régnez dans le cœur qu'il entreprend de conquérir. Pensez-vous, Mutius, qu'il soit possible de jouir de cette sorte de plaisir, sans sentir ce que la gloire a de plus pur, de plus doux, et de plus délicat ? Non certes, et quand on se voit préféré aux plus honnêtes gens du monde, par une personne qu'on préfère à toute la terre, on sent assurément tout ce que la gloire peut donner de satisfaction. Y a-t-il rien de si glorieux, que de se pouvoir dire à soi-même, sans que ses rivaux en sachent rien, quoiqu'on soit en leur présence : cette admirable personne qui méprise tous ceux qui l'approchent m'a donné son cœur qui n'avait jamais été assujetti, je fais toute sa félicité, comme elle fait toute la mienne : j'engage même une partie de sa raison à se soumettre à la passion qu'elle a dans l'âme : elle fait pour moi tout ce que la vertu lui peut permettre de faire : je triomphe enfin du cœur d'une personne que j'estime, et que j'aime plus que moi-même : et j'en triomphe secrètement, pendant que mes rivaux soupirent inutilement auprès d'elle. Je vous le dis Mutius, je me tiendrais plus glorieux de ce triomphe secret, que si je triomphais publiquement après quelque conquête d'autre nature. Je m'assure même que cette espèce de gloire secrète élève le cœur, jusques à donner un noble orgueil, qui fait qu'on méprise ceux qu'on sait qui ne peuvent jamais jouir du même bonheur qu'on possède : et il faut assurément que vous ne l'ayez jamais eu, et que vous ne l'ayez pas même imaginé, puisque vous ne comprenez point que la gloire se trouve à cette amour secrète, d'une manière si délicate, qu'elle surpasse tout ce que la vanité la plus éclatante peut faire goûter de plus doux, à ceux qui en ont le cœur le plus touché. En effet, ces gens qui ont autant de vanité que d'amour, et qui n'aiment qu'afin qu'on puisse dire qu'ils sont aimés, ne jouissent jamais d'une véritable gloire, ni même d'une gloire tranquille, car comme l'indiscrétion est fort décriée par le monde, les plus indiscrets ne veulent pas qu'on les croie tels qu'ils sont. Ainsi il faut qu'ils aient mille et mille petits soins ridicules, pour faire savoir ce qu'ils font semblant de ne vouloir pas qu'on sache. Il faut qu'ils affectent d'être tantôt empressés, tantôt chagrins, et tantôt enjoués, afin qu'on leur demande ce qu'ils ont dans l'âme, et que par des réponses ambiguës, ils donnent lieu de s'imaginer ce qu'ils veulent qu'on croie. Il faut qu'ils laissent tomber des lettres, afin qu'on les voie, quoiqu'ils fassent semblant d'en être bien fâchés, il faut qu'ils fassent de fausses confidences pour pouvoir publier leurs prétendues faveurs, et il faut même qu'ils aient quelquefois la douleur de voir qu'on ne croit pas ce qu'ils racontent. Du moins sais-je bien que je suis toujours tout disposé à douter de tout ce que me disent ces gens à bonne fortune, qui publient qu'il n'est point de conquête difficile pour eux, et qui se vantent de cent aventures, qui selon toutes les apparences ne leur sont jamais arrivées : car quiconque sait aimer, sait se taire ; et le secret est une si douce chose en amour, que sans lui toutes les faveurs qu'on peut recevoir ne sont presque ni douces ni glorieuses. En vérité, vous l'avez tantôt fort agréablement dit, sans la Médisance, et sans l'Envie, la Renommée ne saurait pas trop ce qui se passe dans l'empire de l'Amour. Vous y pouviez pourtant encore joindre l'imprudence et la vanité, car enfin on ne peut ordinairement savoir ce qui se passe entre deux personnes qui s'aiment, si ce n'est par la vanité de l'amant, ou par l'imprudence de la maîtresse. Mais pour quelque raison que ce puisse être, elle ne doit pas donner grande gloire : car si l'amant est un indiscret, il est indigne des faveurs qu'il a reçues, et n'en peut tirer de véritable gloire : si sa maîtresse manque de conduite,

sa conquête peut être agréable, mais elle n'est pas
fort glorieuse : et si l'Envie et la Médisance ap-
prennent à la Renommée ce qui se passe entre
deux personnes qui s'aiment, ce n'est jamais à
leur avantage[1]. Je sais bien qu'il y a des amours
innocentes, qui sont découvertes par un pur effet
de malheur : mais quand même cela arrive ainsi,
je crois qu'un homme d'honneur doit être affligé
de ce qu'on publie sa conquête, et qu'il ne s'en
trouve pas plus glorieux que lorsqu'elle n'était
sue de personne. Car enfin ce n'est point la Renommée qui fait la véritable gloire, elle ne fait
simplement que la publier, et la gloire sans accla-
mations, ne laisse pas de subsister d'elle-même,
et de pouvoir rendre un honnête homme heureux. La Renommée et l'Amour n'ont jamais eu
nulle amitié ensemble : Mars a sans doute besoin
d'elle en diverses occasions, mais pour l'Amour,
le dieu du silence doit être seul de ses amis : car
pour la Renommée elle est assurément ennemie
des amants, et des amours ; et la véritable gloire
de deux personnes qui s'aiment consiste à être
eux-mêmes les uniques témoins de leur tendresse,
et de leur vertu , et à s'estimer si parfaitement que
leur seule approbation suffise à les rendre heureux. C'est même principalement le secret qui fait
la gloire d'un amant ; et je tiens que quand on est
assez adroit, et assez heureux pour cacher aux
yeux de tout le monde une affection de cette nature, on sent en soi-même un secret plaisir qui ne
vient que de la gloire qui se trouve à aimer sans
qu'on le sache, ce qu'on croit digne de l'adoration
de toute la terre, et que de celle qu'il y a d'être
aimé de la seule personne qu'on peut aimer. Que
si vous dites que le plaisir est l'âme de l'amour, je
l'avoue ; mais avouez aussi qu'à parler raisonna-

blement, la gloire est ce qu'il y a de plus délicat dans les plaisirs de cette passion ; car enfin toutes ces choses qu'on appelle des faveurs, doivent être en amour ce que sont les enseignes à la guerre, on les veut avoir sans doute, et on les veut avoir principalement parce que ce sont des marques de victoire que la gloire suit inséparablement : quelque douces qu'elles soient en elles-mêmes, on les désirerait avec moins d'ardeur si la gloire ne les suivait pas : mais après tout on ne les demande que pour les cacher, et non pas pour les publier. Cependant quand un amant peut obliger une personne de grande vertu, et de grand esprit, à faire pour lui de ces petites choses qui sont sans raison, dès qu'on est sans amour, quoiqu'elles ne soient pas criminelles, il trouve tant de gloire à triompher de cette sorte, qu'on peut dire que comme il n'y a point d'amour sans plaisir, il n'y a point de véritable plaisir en amour, où la gloire ne se mêle. Changez donc de sentiments, et repentez-vous d'avoir voulu ôter à la plus noble de toutes les passions, la seule chose qui la distingue d'avec une espèce d'amour dont les tigres mêmes sont capables : mais qui est bien différente de celle dont j'entends parler. »

Pendant que je parlais ainsi, Brutus qui se faisait l'application de tout ce que je disais, en avait une joie incroyable, car si jamais amant caché a su goûter toute la douceur de cette gloire secrète dont je défendais le parti, ç'a été Brutus sans doute, puisque dans le même temps que je parlais de cette sorte, il était auprès de son rival, sans qu'il[1] le soupçonnât de pouvoir jamais avoir de l'amour, bien loin de le soupçonner d'être aimé de la personne qu'il aimait. Mais si je lui donnai quelque plaisir en exagérant les sentiments

que je savais bien qu'il avait, je donnai quelque
inquiétude à Lucrèce, parce qu'il lui fut impossible de s'empêcher de rougir. Cette rougeur ne fut
pourtant point expliquée comme elle pouvait
l'être, quoique Collatin s'en aperçût : car à dire la
vérité il n'était pas possible de s'imaginer qu'il y
eût une affection liée entre ces deux personnes.
Mais enfin, pour en revenir à la question dont il
s'agissait, toute la compagnie condamna Mutius,
qui se repentit sans doute d'avoir soutenu ce
parti-là.

Mais le père de Lucrèce, qui la suspecte à tort d'une
liaison secrète avec un conspirateur, la marie contre son
gré à Collatin. Dès lors celle-ci renonce vertueusement à
revoir Brutus, et se retire à Collatie, sur les terres de son
époux non loin de Rome, en proie à une infinie mélancolie. Un dernier entretien, arraché par surprise à Lucrèce,
scelle les adieux des amants. Le récit d'Herminius achevé,
Aronce compare son infortune à celle de Brutus.

LIVRE DEUXIÈME

Célère, Zénocrate et Artémidore arrivent à leur tour dis-
crètement à Rome. Une tentative d'enlèvement de Clélie,
fomentée par le prince de Numidie, échoue grâce à Amilcar, Aronce et leurs amis. Mais la jeune fille reste captive
du roi, qui refuse de délivrer ses prisonnières comme on le
lui réclame à Ardée : la tension monte à Rome contre Tarquin, laissant espérer le succès du complot tyrannicide.
En attendant cette opportunité, Aronce et ses amis
entendent chez Racilia, en compagnie d'Hermilie et de
Valérie, Zénocrate raconter l'« Histoire d'Artémidore » : le
jeune homme, frère de la princesse des Léontins — alliée
d'Aronce — aime Clidamire alors que son frère aîné est
opposé à cette relation. Artémidore doit s'exiler à Messène, où il s'enrôle dans les armées du prince d'Héraclée.

Il tombe entre les mains du prince d'Agrigente avec lequel la cité est en guerre. C'est alors qu'il a la douleur d'apprendre que Clidamire s'est mariée au frère d'une dame dont il a fait la connaissance à la cour d'Agrigente, Bérélise. De dépit, il noue avec cette dernière une nouvelle intrigue amoureuse. Mais Clidamire, devenue veuve, entend reconquérir son ancien amant, qui veut rester fidèle à Bérélise. Contraint à l'exil après un duel, Artémidore a quitté Agrigente d'où Clidamire, à son tour en proie à la jalousie, s'emploie à lui interdire tout espoir de retour, aussi bien qu'à Léonte sa patrie.

LIVRE TROISIÈME

Tandis que Brutus et ses alliés préparent la révolte contre Tarquin, et œuvrent à la libération de Clélie, Aronce et Herminius doivent prudemment s'éloigner de Rome. Ils trouvent asile dans une maison que Valérius possède aux environs de la Ville.

Dans le palais de Tarquin, Clélie a bon espoir d'être rapidement délivrée. Pour tromper l'attente, Plotine raconte la curieuse « Histoire de Césonie », l'une de leurs compagnes de captivité, qui a été aimée successivement de Turnus et de Persandre.

Les conjurés conduits par Brutus arrivent trop tard au lieu même du crime de Sextus, qui a réussi à s'introduire dans le domaine de Lucrèce.

Mais à peine eurent-ils marché une demi-heure, que Collatin vit paraître un des esclaves de sa femme qui venait vers eux, et qui venait avec une précipitation extrême, faisant aisément connaître qu'il y avait quelque chose de fort pressé qui l'obligeait de marcher avec tant de diligence. De sorte que Collatin s'avançant, « D'où vient, lui dit-il, que tu vas si vite ? Est-ce Lucrèce qui t'envoie vers moi pour quelque affaire pressée ?

— Oui Seigneur, répliqua cet esclave, et j'ai ordre de vous dire de sa part, et à Spurius Lucrétius[1] aussi, qu'il importe extrêmement qu'elle vous voie tous deux le plus promptement qu'il vous sera possible. Elle vous mande même que si vous pouvez mener quelques-uns de vos amis particuliers avec vous, elle en sera fort aise.

— Mais ne sais-tu point, reprit Collatin, ce qui a obligé Lucrèce à t'envoyer ?

— Non Seigneur, reprit-il, et je n'ai ordre de vous dire que ce que je vous dis. »

Après cela Lucrétius et Collatin ne pouvant imaginer ce qui obligeait Lucrèce à les vouloir voir, commencèrent de marcher plus vite sans rien dire à Brutus ; qui ayant encore plus de curiosité qu'eux, les suivit sans qu'ils l'en empêchassent : car outre qu'il n'était jamais suspect à personne, il était encore vrai qu'autant que sa stupidité le lui avait permis, il avait apporté soin à n'être pas haï de Collatin, dans l'espérance que cela lui produirait du moins quelque jour le plaisir de voir Lucrèce. Ils marchèrent donc tous trois avec plus de diligence qu'ils n'avaient fait, et ils marchèrent même sans se rien dire, cherchant chacun à deviner quelle pouvait être la cause de ce message. Mais pour Brutus, il avait encore l'esprit plus occupé que les deux autres ; car venant à penser qu'il allait voir sa chère Lucrèce, qu'il n'avait point vue depuis qu'il avait eu avec elle la plus tendre et la plus touchante conversation qui fut jamais, il en avait un saisissement de cœur qui avait quelque chose de doux, quoiqu'il se mît une agitation étrange dans son esprit. Mais enfin ils arrivèrent à Collatie […]. Cependant dès qu'ils furent descendus de cheval, ils voulurent entrer dans la maison : et à peine furent-ils sur le haut d'un perron qu'on trouvait après avoir traversé la cour, qu'ils virent paraître la belle et vertueuse Lucrèce à l'autre côté d'un grand vestibule qui était au bas de l'escalier : mais ils la virent négligée, pâle, et mélancolique : et ils virent dans ses regards de la douleur, de la colère, et de la confusion. Il est vrai qu'elle rougit étrangement lorsque venant à lever les yeux pour commencer de parler, elle rencontra ceux de Brutus. Cette vue la troubla si fort qu'elle se recula d'un pas, détourna la tête, et ne put achever ce qu'elle avait voulu dire. Mais à la fin après avoir levé les yeux au ciel elle se tourna vers son père et vers son mari : qui voyant l'agitation de l'esprit de sa femme, lui demanda avec empressement ce qu'elle avait. « Ah Collatin (lui dit-elle en levant une seconde fois les yeux au ciel, comme pour lui demander protection) ! si le malheur qui m'est arrivé se pouvait dire, il ne serait pas aussi grand qu'il est : mais tout ce que la modestie peut souffrir que je vous en die, c'est que l'infâme Sextus est venu dans ma chambre, qu'il est le plus criminel, et le plus insolent de tous les hommes, et que je suis la plus malheureuse personne de mon sexe, quoique je sois la plus innocente. Après cela (poursuivit-elle les larmes aux yeux) ne m'en demandez pas davantage ; mais promettez-moi généreusement que vous me vengerez ; que vous exterminerez toute la famille des Tarquins ; que vous mourrez plutôt que de leur laisser la vie, et qu'enfin personne ne pourra jamais à l'avenir apprendre l'outrage que j'ai reçu, sans en apprendre la vengeance. »

En achevant ces paroles, Lucrèce sans en avoir sans doute le dessein, rencontra encore une fois les yeux de Brutus ; il est vrai qu'elle détourna aussitôt les siens : mais ce ne fut pourtant qu'après qu'il y eut vu des mouvements qui semblaient lui demander en particulier qu'il la vengeât de Sextus. Alors son mari s'avançant vers elle, se mit à la consoler, et à lui promettre de la venger, pendant qu'une fidèle esclave de cette belle affligée, racontait en deux mots à Lucrétius le crime de Sextus, et cette terrible aventure que toute la terre a sue ; après quoi Lucrétius, aussi bien que Collatin et Valérius, promirent à Lucrèce de la venger hautement. Pour Brutus, il ne le lui promit que par ses regards, et par certaines actions menaçantes qu'il ne put s'empêcher de faire : car quand il eût voulu parler, il ne lui eût pas été possible dans ce premier instant ; tant la douleur, la rage, la colère, l'amour, et la jalousie agitaient son esprit. Mais après que ces quatre Romains eurent promis à Lucrèce de la venger, Valérius qui l'aimait chèrement pour sa vertu, et qui l'aimait encore comme une ancienne amie de son illustre fille, lui dit qu'il ne fallait pas qu'elle s'affligeât tant, et qu'il fallait qu'elle vécût pour jouir du plaisir de se voir vengée. « Ah non, non, Valérius, répliqua cette généreuse personne, il ne sera jamais dit que Lucrèce ait appris aux Romains par son exemple, qu'une femme peut vivre sans gloire. »

À ces mots, la vertueuse Lucrèce paraissant plus belle, et plus résolue qu'auparavant, tira un poignard qu'elle avait caché, et haussant le bras, et la main, en levant les yeux au ciel, comme pour s'offrir en sacrifice aux dieux qu'elle invoquait, elle se l'enfonça dans le sein, et tomba la gorge toute couverte de sang aux pieds du malheureux Brutus, qui eut le funeste avantage d'avoir le dernier de ses regards, et d'entendre son dernier soupir[1].

Le suicide de Lucrèce déclenche la révolte : conduit par Brutus, le peuple chasse le tyran ; les troupes de Tarquin se rallient à Brutus. Celui-ci offre la paix à Ardée et, nommé consul, instaure la république à Rome. Aronce, qui s'est attaqué au palais royal dans l'espoir de délivrer les captives, apprend la fuite de Tullie qui a emmené les prisonnières avec elle. Tandis qu'Aronce se lance à leur poursuite, Horace parvient à rattraper Clélie qu'il reconduit à Rome avec Plotine. Mais Aronce et ses alliés tombent aux mains de la troupe de Tarquin : seul Amilcar réussit à prendre la fuite. Le roi conduit Aronce à Tarquinies, près de Cérès : il compte négocier avec son allié Porsenna, roi de Clusium.

TROISIÈME PARTIE

LIVRE PREMIER

En route vers Rome, Clélie a la surprise de rencontrer son père ainsi que Césonie, échappée des mains de Tullie, qui retrouve par la même occasion son époux Persandre, fidèle ami d'Horace. Tous reçoivent bon accueil à Rome. Herminius conduit Clélie et Césonie chez sa mère Sivélia. Brutus cependant doit annoncer à la jeune fille le malheureux sort d'Aronce, que confirment Artémidore, Amilcar, Zénocrate et Célère qui ont pu s'enfuir.

Brutus suscite l'élection d'un second consul : c'est Collatin qui est choisi. Artémidore et Zénocrate, de leur côté, partent à Clusium pour tenter de convaincre la princesse des Léontins d'empêcher Porsenna de prêter main-forte à Tarquin.

Chez Sivélia, Clélie, Plotine et Césonie voient fréquemment Hermilie, Collatine, et surtout Valérie qui se lie d'étroite amitié avec Clélie. Son comportement très distant envers son amant Herminius étonne la jeune fille. Pour satisfaire sa curiosité, Amilcar raconte l'« Histoire d'Herminius et de Valérie » : le mariage entre les deux amants est impossible pour des raisons politiques ; Herminius a même dû s'exiler, mais il laisse auprès de la jeune fille ses deux rivaux, Spurius et Mutius. On fait à tort courir le bruit que Clélie a remplacé, à Ardée, Valérie dans le cœur d'Herminius. De dépit, la jeune fille décide d'échapper aux assiduités de Mutius en favorisant Émile, un ami d'Herminius : le projet de mariage est agréé par Valérius. Après maintes péripéties, Herminius revient à

Rome le jour même où les noces de Valérie et d'Émile devaient être célébrées : les amants réconciliés devront cependant différer leur mariage.

Pendant ce temps, on apprend par diverses lettres d'Aronce que Tarquin prépare activement son retour à Rome. Célère décide de rejoindre son ami à Tarquinies. Quant à Clélie, elle a enfin retrouvé sa mère Sulpicie. Collatin, suspecté de sympathies monarchiques, a dû démissionner du consulat : le sage Valérius lui succède auprès de Brutus. Mais à Rome, les partisans de Tarquin n'ont pas perdu espoir ; des cabales se sont formées. Deux messagers de Tarquin envoyés auprès des consuls nouent secrètement intelligence avec les partisans du tyran, et apportent dans la même intention aux fils de Brutus, Titus et Tibère, des nouvelles de leurs maîtresses prisonnières de Tarquin.

LIVRE DEUXIÈME

Pour sauver ces dernières, Titus et Tibère s'allient aux conspirateurs qui veulent abattre la république, ignorant qu'ils projettent également la mort de leur propre père. Le complot est déjoué, les conjurés arrêtés sur ordre de Valérius. Brutus décide d'un châtiment exemplaire pour les coupables : il obtient du Sénat la mort de tous les conspirateurs, ses fils compris. Tarquin déclare alors la guerre à Rome, et cherche à obtenir d'Aronce le soutien du roi Porsenna.

À Rome cependant, Horace et le prince de Numidie pressent Clélie de leurs instances amoureuses. Mais Adherbal apprend une terrible nouvelle : il n'est pas, comme il le croyait jusque-là, le fils du roi de Numidie, mais un enfant substitué à la mort de l'héritier légitime. Ses parents ne sont autres que Clélius et Sulpicie, qui l'avaient cru noyé en mer : Clélie est donc sa propre sœur... S'il lui faut douloureusement renoncer à l'amour de celle-ci, Adherbal y gagne pour son bonheur une nouvelle identité sous le nom d'Octave, une patrie, une famille retrouvée, et l'amitié de Brutus et d'Herminius.

Les travaux de défense s'organisent à Rome, tandis que des transfuges de Tarquin informent ses ennemis de la capture de Célère, désormais aux mains du tyran. Arrivent un ami d'Amilcar du temps de Syracuse, le galant Thémiste, son compagnon Méléagène et quelques autres de leur suite. L'étranger devient très vite le centre d'intérêt des conversations qui se tiennent autour de Clélie, et l'objet de toutes les curiosités.

[...] Amilcar était persécuté et par ses amis, et par ses amies de vouloir leur faire savoir les aventures de Thémiste. « Pour moi (lui disait Plotine, un jour qu'il n'y avait que Valérie, Thémiste, Méléagène, Herminius et lui avec elle) si vous ne faites en sorte que je sache ce qui nous a amené à Rome un si aimable étranger, vous ne saurez jamais précisément comment vous êtes avec moi.

— Eh ! de grâce, dit alors Amilcar à Thémiste, veuillez contenter la curiosité de la belle Plotine, et ne m'exposez pas à ne savoir de ma vie ce qu'il m'importe tant de savoir.

— Si l'aimable Plotine pouvait deviner une partie de mes malheurs, elle n'en demanderait pas le récit, répliqua Thémiste, car étant aussi gaie qu'elle est, mes chagrins ne la divertiraient pas.

— La mélancolie d'autrui, reprit-elle en souriant, touche bien souvent si peu ceux qui la savent, que vous ne devez pas trop craindre de m'affliger.

— Ce n'est pas assez Madame, reprit Thémiste, que de ne vous affliger point, il faut encore vous divertir : et je ne pense pas que le récit de ma vie soit propre à le faire.

— Ha ! Thémiste, s'écria-t-elle, je vois bien que vous n'avez jamais eu le plaisir de faire votre volonté, puisque vous ne comprenez pas que j'aurai beaucoup de satisfaction à savoir une chose que j'ai une extrême envie d'apprendre.

— Il est vrai qu'il est doux de faire ce que l'on veut, répliqua Thémiste, mais je voudrais pour votre satisfaction que vous vous contentassiez de savoir quelle est la cour de Syracuse, et que vous voulussiez seulement obliger Amilcar, Méléagène, et moi, à vous la dépeindre, sans m'engager à vous dire ma vie. Ce n'est pas, ajouta-t-il, que ce soit aujourd'hui un secret en Sicile, mais c'est que je ne puis obtenir de moi, de vous faire ce récit[1].

— Pourvu que vous y consentiez, répliqua Méléagène, la belle Plotine pourra être satisfaite aisément ; car vous savez que je sais votre vie comme vous-même.

— Puisque cela est ainsi, dit Valérie à Thémiste, il me semble que vous ne devez pas refuser à Amilcar une chose qui lui peut faire savoir ce qu'il y a de plus important pour lui dans le cœur de Plotine, principalement, ajouta Herminius, puisque vos aventures ne sont plus secrètes au lieu où il vous importerait plus qu'ici qu'elles le fussent.

— Du moins, reprit Thémiste, si je dois consentir à ce que Plotine et Valérie désirent de moi, je demanderai pour grâce que vous enduriez qu'Amilcar vous dépeigne les personnes principales de notre cour ; et particulièrement les dames[2] ; car comme il ne sait pas de qui je suis amoureux, parce que l'on me croyait insensible quand il était à Syracuse, j'aurai un plaisir extrême de lui entendre faire le portrait de la personne qui a assujetti mon cœur, et à vous prouver par là que je ne suis pas préoccupé par ma passion ; n'étant pas possible qu'il ne la dépeigne point, et qu'il ne la loue pas autant qu'elle mérite d'être louée.

— Si vous aimez une femme, reprit Amilcar, et que vous aimiez sans espérance, d'être jamais ni regardé, ni souffert, vous aimez assurément l'admirable Amalthée[1] ; qui est la plus charmante, la plus aimable, la plus vertueuse, et la plus accomplie femme de toute la Sicile ; car je n'ose dire de toute la terre devant les deux personnes qui m'écoutent [...].

— Pour Amalthée, reprit Thémiste, il faudrait avoir envie de mourir désespéré, pour songer à l'aimer, car bien qu'elle ait tout ce qui peut rendre une femme admirable, elle n'a rien qui puisse donner l'audace de l'oser aimer, et l'admiration, le respect, et l'amitié, sont les effets infaillibles et ordinaires de son rare mérite. Mais enfin sans m'expliquer, et sans dire qui j'aime, dites seulement comment sont faites les dames de la première qualité de Syracuse, pour voir si celles qui sont ici devineront de laquelle je suis amoureux, et pour me donner la joie d'ouïr les louanges de la personne que j'adore, sans aucun soupçon de préoccupation.

— Je consens volontiers à ce que vous désirez de moi, répliqua Amilcar, pourvu que vous promettiez de consentir que Méléagène aussi nous apprenne votre histoire.

— Il faut bien qu'il y consente, répliqua Plotine, mais après tout il faut s'il vous plaît que je sache comment est faite cette Amalthée, qu'il dit qui est si aimable, et qu'on n'oserait pourtant aimer. Car pour moi je ne comprends point qu'une femme puisse avoir tous les charmes que vous attribuez à celle-là, et qu'il soit impossible d'avoir la hardiesse de l'adorer. Si elle est chagrine, sévère, et mélancolique, il ne la faut point tant louer ; et si sa vertu n'est point sauvage, et qu'elle ait tout ce que vous dites qu'elle a, on la peut aimer malgré

qu'on en ait, car on ne peut pas empêcher les
sentiments du cœur.

— Si vous voulez que je vous fasse son portrait,
dit Amilcar, il faut que vous me disiez si vous désirez que ce soit en petit, ou en grand. Si c'est en
petit j'aurai bientôt fait, mais aussi ne la connaî-
trez-vous pas parfaitement : mais si c'est en grand
vous la connaîtrez comme si vous l'aviez vue. Car
encore que je n'aie pas été plus de quatre mois à
Syracuse, je connais toute cette cour-là comme si
j'y avais passé toute ma vie.

— Ah ! pour moi, dit Valérie, je n'aime point
les petits portraits.

— Ni moi non plus, dit Plotine, et je voudrais si
quelqu'un faisait le mien, qu'il fût si exact, qu'il
n'oubliât pas même une certaine petite marque
que vous voyez que j'ai sur la joue, et que je ne
trouve pas qui me soit désavantageuse[1].

— Parlez donc, dit Herminius à Amilcar, car à
mon avis si vous devez dépeindre quelle est la
cour de Syracuse, nous ne saurons d'aujourd'hui
la vie de Thémiste.

— Comme je ne veux pas écouter moi-même
mon histoire, reprit-il, ce ne sera sans doute que
demain que Méléagène se donnera la peine de la
dire.

— Puisque cela est ainsi, dit Plotine, il faut donc
qu'Amilcar se prépare à nous faire autant de portraits qu'il en faut pour orner une galerie. Je prétends même, ajouta-t-elle, qu'il les mêlera, et qu'il
peindra des hommes aussi bien que des dames,
car en vérité je suis persuadée que comme la
conversation est beaucoup plus agréable quand
elle est mêlée, les portraits quand il y en a beaucoup, font un objet plus aimable quand ils sont

d'hommes, et de dames, que si on ne voyait que des portraits de femmes sans aucun homme[1].

— Vous avez raison, belle Plotine, reprit Amilcar ; mais j'ai à vous avertir que de l'humeur dont je suis, je m'égare en peinture comme en amour, et que vous ne devez pas vous étonner si en faisant le portrait d'une dame, je vous fais aussi, si la fantaisie m'en prend, le plan de sa maison, et la description de son jardin[2].

— Ah ! pour cela, dit Plotine, je vous le permets sans peine, car ces sortes de descriptions ne font que remplir l'imagination de choses agréables, qui plaisent, et qui divertissent : mais ce que je ne vous pardonnerais point, serait si vous nous alliez dire trop exactement qui étaient les prédécesseurs de ceux dont vous nous ferez la peinture ; car il n'y a pas grand divertissement à vouloir ouvrir tous ces vieux tombeaux, pour en faire sortir des gens dont on n'a que faire, et qui ne sont bons à rien[3].

— Ne craignez pas, aimable Plotine, répliqua Amilcar, que je m'arrête trop à vous faire des généalogies inutiles. Mais encore faut-il savoir la condition de ceux dont on parle.

— Vous avez raison, répliqua-t elle, mais il ne faut pas faire comme ces gens qui pour vous raconter les amours de quelque belle fille, vous tiennent une heure à vous particulariser les faits héroïques de ses prédécesseurs.

— Je vous ai déjà dit que vous n'avez pas à craindre cette importunité, répondit Amilcar, c'est pourquoi je n'irai pas même déterrer tous ces prodigieux géants qui ont été les premiers habitants de la Sicile. Ce n'est pas, à vous parler sincèrement, qu'un homme qui fait un récit ne soit quelquefois bien aise de faire voir qu'il sait l'his-

toire, et la géographie[1] ; mais après tout vous
méritez bien qu'on se contraigne. Ainsi je vous
dirai en deux mots, que la cour de Syracuse est
une des plus belles du monde, parce qu'elle est
la plus mêlée de diverses nations, et qu'elle est la
plus galante. Mais comme Amalthée n'est pas au
nombre des dames, entre lesquelles Thémiste veut
que nous cherchions sa maîtresse, je pense qu'il
faut vous la dépeindre la première, comme une
personne avec qui effectivement mille autres ne
[peuvent] faire rang. Amalthée est donc une personne d'un mérite tout à fait extraordinaire, et
d'une vertu si éclatante, qu'on ne lui peut raisonnablement rien comparer. Sa naissance est sans
doute fort illustre ; mais elle est si digne d'être
louée par elle-même, qu'il n'est nullement nécessaire de parler des princes dont elle est descen-
due, pour trouver de quoi parler à son avantage.
De sorte qu'à son égard, il m'est fort aisé de suivre
les conseils de l'aimable Plotine. Mais comme je
prends un fort grand plaisir à me souvenir d'elle, il
faut que je la loue même des choses dont elle ne
se soucie pas d'être louée, quoiqu'elle mérite de
l'être. En effet, comme ses sentiments sont beaucoup au-dessus des sentiments ordinaires des
personnes de son sexe, elle connaît bien que l'esprit raisonnable est préférable à la beauté ; mais
elle connaît mieux encore que le cœur est au-
dessus de l'esprit. Et si elle devait m'entendre
parler, je n'oserais vous dire qu'elle est très bien
faite, et très aimable, et je la respecte si fort, que
je n'oserais presque vous assurer qu'elle est belle,
et de bonne mine. C'est pourquoi jugez-en vous-
même quand je vous l'aurai dépeinte en peu de paroles. Amalthée est grande, et de bonne grâce ; dès
son premier abord elle a l'air grand, noble, civil, et

un peu sérieux quand elle reçoit des gens qui lui
sont indifférents. Mais quand elle le veut elle a de
l'enjouement, de la flatterie, de la douceur, de la
tendresse ; et même de la galanterie, dans la manière dont elle reçoit les personnes qui lui plaisent. Ce n'est pas qu'elle leur die[1] une si grande
multitude de choses flatteuses, mais c'est qu'elle
a certaines façons qui charment, et qui expriment
si bien ce qu'elle veut qu'on pense, que vous êtes
quelquefois tout à fait content d'elle, sans qu'elle
se soit donné la peine de vous bien faire entendre
ce qu'elle veut que vous entendiez.

Mais pour en revenir à sa personne, Amalthée
a les cheveux d'un châtain cendré le plus beau du
monde ; elle a les yeux bleus, grands, pleins d'esprit, et d'un esprit où il y a de la délicatesse. On
voit même en certaines occasions, que si la haute
vertu dont elle fait profession n'avait accoutumé
ses yeux à ne découvrir pas toutes les agréables
choses qu'elle pense sur tout ce qu'ils voient de
plaisant dans le monde, elle y aurait si elle voulait,
la plus douce, et la plus ingénieuse malice qu'on
saurait voir. Pour le tour du visage, elle l'a presque en ovale, elle a le teint uni, le sourire infiniment charmant, et comme je l'ai déjà dit, elle a la
meilleure mine du monde, et la meilleure grâce
qu'il est possible. Il est vrai que je parle impropre-
ment quand je parle ainsi, car quiconque a bonne
mine, a infailliblement bonne grâce, n'étant pas
possible de l'avoir sans cela. Cependant ce n'est pas
par le seul agrément de sa personne que je prétends louer Amalthée, car son grand esprit, son
grand cœur, et sa grande vertu la distinguent bien
mieux de tout le reste des femmes. Pour le premier elle a une chose qui est une marque indu-
bitable de sa grandeur, car elle a une curiosité

universelle pour tout ce qu'elle croit être bon ou beau, depuis les plus petites choses jusques aux plus grandes, soit pour les choses que la bienséance permet aux dames de savoir, soit pour les beaux-arts, pour les ouvrages, pour les bâtiments, pour la peinture, pour les jardins, pour les secrets particuliers, et pour mille autres agréables curiosités qui seraient trop longues à vous dire. Mais ce qu'il y a de meilleur, c'est qu'elle ne veut rien savoir qu'elle ne soit capable d'entendre. Au reste, elle ne fait ni la savante, ni le bel esprit, elle fait même un secret de sa curiosité, et l'on ne voit dans sa chambre que les ouvrages qui sont ordinaires aux personnes de son sexe[1]. Mais ce qu'elle a principalement voulu savoir, a été tout ce qui la pouvait rendre plus vertueuse. Elle est sans doute née avec de la gaieté, quoiqu'il y ait pourtant un peu de mélancolie mêlée à son tempérament : mais c'est une mélancolie douce, qui ne trouble point la tranquillité de son humeur, et qui ne l'empêche pas de prendre plaisir à toutes les agréables choses qu'elle entend dire à ses amis, et d'en dire elle-même de fort ingénieuses quand elle veut s'en donner la peine, et qu'elle est avec un petit nombre de personnes qui lui plaisent plus que les autres.

Au reste, Amalthée a l'avantage d'avoir connu de si bonne heure, que la plupart des plaisirs des jeunes personnes, sont des bagatelles inutiles, qu'on ne l'en peut assez louer ; car sans être ni sauvage, ni sévère pour autrui, elle a renoncé à la magnificence des habillements, en un temps où cette passion a accoutumé d'être la plus forte dans l'esprit des femmes. Elle a quitté le bal, elle s'est défaite des visites inutiles, et dangereuses, quelque agréables qu'elles paraissent à celles qui n'ont pas l'esprit aussi droit qu'elle : et elle fait profession d'une vertu si pure, et d'une générosité si héroïque, qu'elle fait ses plus grands plaisirs de chercher à secourir les malheureux. En effet je connais une fille à Syracuse, qui à peine était connue de cette admirable femme, pour qui elle a fait des choses infiniment obligeantes, sans autre raison sinon qu'elle était malheureuse, et qu'elle avait peut-être assez de bonté pour mériter d'être un peu moins infortunée[1]. Amalthée fait donc ses plus grands plaisirs de régler ses passions ; de donner bon exemple à tous ceux qui la voient, de faire tout le bien qu'elle peut, de vivre avec Anaxandre, comme la plus honnête femme du monde doit vivre avec un mari, dont le rang est très illustre ; qui a mille bonnes qualités, et entre les autres de la générosité, de la bonté, de la magnificence, de l'équité, et une grande affection pour elle.

Mais pour achever de dire quels sont les plaisirs d'Amalthée, elle conduit sa maison avec beaucoup d'ordre, elle songe elle-même à l'éducation de ses enfants, et elle sert les dieux avec une exactitude admirable. En effet je ne pense pas que les premières Vestales qui furent établies à Rome, fussent plus soigneuses de garder le feu sacré, qu'Amalthée l'est d'observer toutes les choses que sa religion demande d'elle. Si vous voulez savoir après cela quels sont ses amusements, elle aime à lire, elle a les mains adroites à toutes sortes d'ouvrages, elle dessine, elle peint des vases pour orner son cabinet, elle fait des mélanges de fleurs pour en composer des parfums, et elle se divertit même à faire d'innocentes [tromperies] à ses amies, pour les surprendre agréablement, et pour les obliger[2]. Cependant quoique cette personne aime souvent mieux la solitude que la compagnie, elle n'a point d'austérité pour ses amies. Sa conversation est infiniment agréable, et la libéralité qu'elle fait à tant de malheureux, ne l'empêche pas de donner à la bienséance de sa condition, ce que l'usage a établi. Ainsi on voit dans sa maison, tout ce que la magnificence conduite par la vertu, peut faire voir de plus superbe ; et le palais d'Anaxandre qui est sur le port de Syracuse, est une des plus magnifiques choses du monde[1]. Amalthée y a un appartement si agréable, que rien ne le peut être davantage ; car outre qu'il y a diverses pièces de plain-pied, et qu'il y a des cabinets solitaires, aussi bien que des cabinets magnifiques, il y a un balcon d'où l'on voit le port, tous les vaisseaux qui y sont, et la plus belle partie de la ville.

Mais après tout Anaxandre, et Amalthée ont une maison à vingt milles de Syracuse, qui efface, pour ainsi dire, la beauté de celle-là, et qui est la chose la plus charmante et la plus singulière[2]. À parler raisonnablement, on ne peut presque dire si cette maison est dans une vallée, dans une plaine, ou sur une colline ; car elle a des rivières, de grands et magnifiques fossés pleins d'eau vive, des canaux, des prairies, des bois, et une grande étendue de vue. Ainsi d'un côté elle paraît être dans une plaine, de l'autre elle semble être sur une montagne ; et cependant dans la vérité elle est presque au milieu d'une belle et agréable vallée, arrosée par une grande et une petite rivière, qui font le plus bel effet du monde. Je ne veux pourtant pas vous faire une ample description de cette maison, car je n'aurais jamais fait[3] si je voulais vous parler des dehors de ce palais enchanté ; si je voulais, dis-je, vous représenter les grandes allées qui conduisent jusques à la grande rivière, si je voulais vous dire exactement la longueur et la largeur des avenues ; la grandeur et la beauté des vergers ; la fraîcheur et l'ombrage du bois qui est dans l'enceinte des murailles, la magnificence de l'avant-cour qui a huit angles égaux, et deux magnifiques portes : et la beauté des trois superbes faces du bâtiment que l'on voit en entrant dans la seconde cour. Je ne m'arrêterai pas non plus à vous dépeindre le vestibule, ni l'escalier, ni même à vous particulariser le grand nombre de beaux et grands appartements qu'on y voit, et qui sont si bien entendus, et si ingénieusement dégagés, qu'ils sont aussi commodes que beaux. Je ne vous parlerai pas non plus de la grandeur des salles en particulier, de la magnificence de la galerie, de la beauté des balcons, et de mille autres choses dignes d'être remarquées, et qui font voir la politesse, la magnificence, et l'esprit de ceux qui en sont les maîtres. Mais je vous dirai seulement, que cette maison qui comme je l'ai déjà dit est dans une vallée, est pourtant une petite éminence, à l'égard de tout ce qui lui est en aspect du côté du jardin, où l'on va par un pont qui traverse ses grands et magnifiques fossés dont je vous ai déjà parlé. De sorte que quand on est au balcon du milieu de ce superbe bâtiment, on voit au-dessous de soi ces larges fossés dont l'eau est admirable, une terrasse gazonnée au-delà, d'où l'on descend dans un parterre d'une grandeur incroyable, qui est bordé de deux grands canaux en équerre et en terrasse : au-delà desquels aussi bien qu'au-delà du parterre, passe une petite rivière, qui après avoir serpenté dans des prairies bordées de saules, semble devenir un autre canal pour passer devant ce parterre, et devant ces canaux, car elle est toute droite en ce lieu-là. Et ce qu'il y a de rare, c'est qu'aussitôt qu'elle a passé cet endroit, elle redevient rivière, s'il faut ainsi parler, c'est-à-dire inégale en son cours, jusques à ce qu'elle se jette dans le grand fleuve qui passe à la gauche, et qui fait presque une île de cette vallée. Si bien que comme il n'y a point de muraille qui ferme le parterre de ce côté-là, et que la rivière en fait toute la clôture, on voit tout d'une vue, les fossés, les terrasses, les canaux, des cascades au-delà du parterre, qui se précipitent sur du gazon ; et par-dessus tout cela, la petite rivière, des prairies à perte de vue, des tertres, des cabanes, des hameaux, des villages, et des montagnes en éloignement qui s'élevant imperceptiblement les unes sur les autres, semblent être confondues avec le ciel, tant les objets sont peu distincts, à cause qu'ils sont éloignés. Mais comme la piété d'Amalthée, et de son illustre mari, paraît en toutes les choses qu'ils font, ils ont voulu avoir un petit temple dans leur maison, qui en est la plus belle et la plus admirable partie. En effet, c'est un chef-d'œuvre d'architecture, la dépense en a sans doute été grande, mais l'ouvrage en est si merveilleux, qu'on ne saurait dire qu'elle ait été excessive. Il est vrai qu'un intérêt d'honneur a en partie rendu ce petit temple aussi parfait qu'il est, car l'excellent architecte qui l'a fait, en avait fait le modèle sur celui d'Éphèse, avec intention d'être employé à rebâtir ce magnifique temple de Vénus qui est à Érice. Mais le feu prince d'Érice, lui ayant préféré un autre architecte, et Anaxandre l'ayant employé, il mit son honneur à faire en petit, ce qu'il avait eu dessein de faire en grand[1]. De sorte que ce petit temple est la plus merveilleuse chose que j'aie vue durant mes voyages. Car tout petit qu'il est, tous les ornements de la belle architecture y sont, et ils y sont sans confusion, et avec ordre. Mais pour en revenir à Amalthée, j'ai encore à vous dire qu'elle donne chez elle à ses amies la plus douce liberté du monde, car il ne s'en faut guère qu'on ne croie être chez soi, tant on s'y trouve libre. Il est vrai que les personnes à qui elle accorde cette liberté, sont personnes choisies, qui ont toutes de l'esprit, et de la vertu, et qui ne sont pas d'un mérite ordinaire. Amalthée a même une nièce auprès d'elle, qui toute jeune qu'elle est, sert à rendre ce beau désert plus charmant, car elle a la fraîcheur de l'aurore sur le teint, l'innocence des grâces dans la physionomie, et je ne sais quoi de Diane dans les yeux ; et ce qui sied tout à fait bien avec de la jeunesse, et de la beauté, elle a de l'esprit, de la discrétion, et de la bonté[1]. Amalthée a aussi souvent chez elle des amis qui sont très dignes de cette glorieuse qualité, et dont je vous parlerai peut-être quelque jour : mais comme ce n'est pas parmi eux que nous devons chercher la maîtresse de Thémiste, je ne m'y arrêterai pas présentement, et je vous demanderai seulement en passant, ce qu'il vous semble d'Amalthée.

— Elle me paraît si aimable, reprit Plotine, que j'irais volontiers à Syracuse exprès pour la voir.

— En mon particulier, dit Valérie, je ne puis m'empêcher de porter envie à celles qui ont le bonheur d'être de ses amies.

— Et pour moi, ajouta Herminius, je trouve qu'il n'y a point de prince au monde qui ne dût envier le bonheur d'Anaxandre, si ce n'était qu'il en est très digne ; car il n'y a assurément rien de si doux que d'avoir une femme comme celle-là[2]. »

Méléagène raconte ensuite l'« Histoire de Thémiste et de la princesse Lindamire » : aimé de l'ambitieuse Démarate, qui a épousé par calcul Périanthe, prince de Syracuse, Thémiste est partagé entre son amour pour la princesse d'Himère, Lindamire, sœur de Périanthe, et le souci de sa propre ambition. Il est victime des manœuvres vindicatives de Démarate, jalouse, qui a convaincu Périanthe de le condamner à l'exil. Après plusieurs péripéties, Thémiste est parvenu à vaincre son rival auprès de Lindamire, le prince de Messène à qui Périanthe avait confié les armées de Syracuse. S'étant emparé du pouvoir, il a confondu Démarate et fait valoir son bon droit. À la demande de Lindamire, Thémiste a ensuite renoncé à la rébellion et obtenu de Périanthe la promesse d'être uni à la princesse d'Himère au terme d'une année d'exil : c'est ce qui l'a conduit à Rome.

LIVRE TROISIÈME

Tandis que les troupes de Tarquin marchent vers Rome, Brutus, Valérius et Herminius passent en revue l'armée républicaine, dans une éclatante cérémonie où l'on distingue Persandre, Méléagène, Thémiste, Amilcar parmi de nombreux autres héros. Quatre cavaliers demandent à être enrôlés en vue de la bataille imminente : le Romain Émile, soupirant éconduit de Valérie, ainsi que trois étrangers venus de Grèce, eux aussi cherchant par une mort glorieuse au champ d'honneur la fin de leurs malheurs amoureux. Émile raconte les aventures de ces derniers dans l'« Histoire d'Artélise, de Mélicrate, de Lysidas, de Caliante et d'Alcimède » : ces quatre amants d'Artélise, à Érice, ont chacun donné des preuves extraordinaires de leur amour, en fonction de leur caractère propre. Sommée de choisir, Artélise a distingué Mélicrate, obéissant à son inclination personnelle. Les amants éconduits ont gagné Rome avec Émile, témoin de leur désespoir.

Le combat s'engage, périlleux et héroïque. Affrontements, escarmouches, embuscades se succèdent. À la tête des troupes romaines, Brutus blesse grièvement Sextus, avant de perdre la vie dans un duel contre le prince de Pométie, où ce dernier trouve également la mort. La victoire provisoire du parti républicain est de nouveau compromise, jusqu'à l'intervention inattendue d'Aronce qui renverse l'avantage au profit des ennemis de Tarquin, et force ce dernier à battre en retraite. Mais dans la confusion qui suit l'assaut, l'amant de Clélie ainsi qu'Horace ont disparu, laissant Octave blessé d'une épée que l'on croit celle d'Aronce. Une voix mystérieuse proclame dans la nuit la victoire des républicains. La liesse générale est cependant obscurcie par les nombreuses pertes à déplorer. Quelques jours plus tard, Zénocrate revient de Clusium avec de tristes nouvelles.

QUATRIÈME PARTIE

LIVRE PREMIER

Zénocrate apprend à Valérius, en présence d'Amilcar et d'Herminius, qu'Aronce et son rival sont tous deux tombés entre les mains de Tarquin. Malgré tous les efforts de la princesse des Léontins, Porsenna a confirmé son alliance à Tarquin, moyennant la libération d'Aronce qu'il entend bien empêcher d'épouser Clélie, s'il le faut en le retenant prisonnier dans l'île des Saules. De son côté, Clélius, à tort convaincu qu'Aronce est responsable de la blessure d'Octave, lui retire sa promesse et s'engage à donner Clélie à Horace. Il entame des négociations pour délivrer Horace, retenu sous un faux nom comme esclave chez Mamilius, ancien allié de Tarquin qui est maintenant plutôt favorable au parti républicain : celui-ci s'efforce de convaincre ses concitoyens, à Véies, de retirer leur soutien à Tarquin. À Rome cependant, d'injustes soupçons pesant sur Valérius l'ont conduit à d'héroïques sacrifices personnels, lui valant le surnom de *Publicola* que l'Histoire lui a conservé.

Zénocrate rend visite à Clélie et Valérie, avant de retourner à Clusium. On entend de la bouche du Solitaire Méléagène l'« Histoire d'Elismonde », princesse d'Érice, qui met en scène aux côtés de l'héroïne du récit le fils de Mamilius, Hortense, leurs amours longtemps traversées et leur heureuse union.

LIVRE DEUXIÈME

Véiès s'est finalement déclarée contre Tarquin ; Horace, aussitôt libéré, regagne Rome. Il y retrouve Clélie toujours fidèle à Aronce malgré l'opposition inflexible de son père, tandis que Plotine a bien du mal à tenir à distance des soupirants de plus en plus nombreux, auxquels elle ne veut rien devoir ni accorder. Aux portes de la Ville les combats font rage : grâce au courage de Valérius, d'Horace et de Mutius, les troupes de Tarquin ne progressent pas. Aronce de son côté, aidé de la princesse des Léontins, parvient à différer les projets matrimoniaux de son père : une correspondance suivie avec Clélie soutient, dans ces épreuves, la constance des amants séparés.

Malgré ces difficultés, la vie à Rome poursuit son train entre deux combats, parfois même au milieu de festivités galantes : ainsi chez Sulpicie, où Clélie retrouve notamment Plotine, Hermilie, Collatine, et accueille, fraîchement débarquées d'Agrigente, Bérélise et Clidamire, ainsi qu'Artémidore revenu de Clusium ; le célèbre poète grec Anacréon s'est joint à toute cette belle compagnie. Collations, promenades, jeux et conversations font le charme de ces journées. Pour s'acquitter d'un gage, Amilcar procède à la lecture de l'« Histoire d'Hésiode », qu'il a traduite du grec : les mésaventures du grand poète, amant malheureux de Clymène, illustrent l'impossible conciliation de l'amour et de l'ambition, comme en témoigne la fin tragique des deux héros du récit. Une importante conversation en prolongera la leçon : Anacréon et Herminius, interrogés par les auditrices sur « la manière d'inventer une fable », exposent leurs convictions en matière de poétique romanesque.

LIVRE TROISIÈME

Aronce est parvenu à s'enfuir de sa prison de l'île des Saules pour gagner Rome et obtenir de Clélie une rapide rencontre : après s'être justifié de tous les soupçons, il explique sa décision de combattre aux côtés de Porsenna, par souci de l'honneur, sans pour autant renoncer à son amour. Il repart à Clusium honorer son engagement auprès de son père. Plotine cependant apprend qu'on lui a caché sa véritable identité, mais ne peut en savoir plus car l'urgence de la guerre se précise. Porsenna, qui prévoit un siège de longue durée, installe son camp aux abords de la Ville, et confie son armée au commandement d'Aronce, tandis que celle de Tarquin est conduite par le prince de Messène, rival de Thémiste. Une ultime tentative de négociation menée à Rome par la princesse des Léontins échoue. Mais pendant cette ambassade, Clélie et ses amies ont écouté l'« Histoire d'Aurélie et de Térentia », que leurs difficultés amoureuses avec Emilius et Téanor ont décidées à consulter l'Oracle de Préneste, pour débrouiller un véritable imbroglio.

Les combats s'engagent aux portes de Rome : Mutius et Horace se signalent par leur bravoure, tandis qu'Aronce, qui a pourtant cherché à vaincre en duel son rival, frappé par le geste audacieux d'Horace dans la défense du pont Sublicien, lui sauve une nouvelle fois la vie. Le courage héroïque d'Horace est célébré par l'édification d'une statue commémorative : couvert de gloire, le jeune homme est conduit par Clélius lui-même chez Sulpicie, à la grande inquiétude d'Aronce qui redoute l'inévitable proximité de son rival avec Clélie.

CINQUIÈME PARTIE

LIVRE PREMIER

La jeune fille cependant demeure constante dans ses engagements, comme elle l'affirme à Horace et l'écrit à Aronce. Avec l'appui de Porsenna, qui a barré le Tibre, le siège de Rome commence, entraînant des désordres dans la Ville où les partisans de Tarquin continuent de s'agiter. Les républicains tentent plusieurs sorties, où s'illustrent vaillamment Herminius, Horace, Thémiste. Lors de ces affrontements, les rivaux de toujours se retrouvent face à face : c'est ainsi que le prince de Messène est blessé à mort. On parvient à rompre un barrage, rendant possible l'entrée d'un convoi de provisions : répit immédiatement mis à profit dans Rome pour reprendre, autour de Clélie et de ses amies, les galants divertissements d'autrefois.

Une bataille livrée héroïquement par les Romains se solde par une terrible défaite, abaissant le courage des citoyens. Mutius se résout alors, pour l'amour de sa patrie — et de Valérie ! — à une entreprise désespérée : il se rend au camp de Porsenna pour assassiner le roi, mais se méprend sur sa victime. Cette tentative pourtant, et la brûlure que s'inflige le héros, la main dans le feu, pour se punir de son échec (geste mémorable qui lui vaudra le surnom de *Scævola* pour l'Histoire) jettent le trouble dans l'esprit du père d'Aronce, qui remet en question l'opportunité de son alliance avec Tarquin. Le principe d'un accord de paix avec Rome est arrêté ; Mutius se fera l'ambassadeur de Porsenna, qui demande en garantie quarante otages choisis au hasard, le temps de conclure le traité. Dans l'intervalle, voici que Plotine apprend enfin le secret de sa véritable identité : elle n'est autre que la fille de Clélius, née d'un premier mariage, et donc demi-sœur de Clélie, d'Octave, et même d'Horace, car la mère de ce dernier, qui l'avait conçu d'un premier lit, est celle aussi de Plotine… Le tirage au sort désigne notamment Hermilie, Valérie, Collatine, Plotine et Clélie : les otages arrivent au camp, ravivant les violentes passions de Sextus qui se montre menaçant envers Clélie. Aronce de son côté retrouve avec joie sa maîtresse, ainsi que sa mère et la princesse des Léontins : mais cette dernière suscite malgré elle la jalousie de Clélie, d'autant plus vive que Zénocrate semble lui aussi brûler pour la princesse. Ces raisons engagent Amiclée à raconter l'« Histoire de la princesse Lysimène » — puisque tel est le nom de l'amie d'Aronce. On y apprend que l'inconstant Zénocrate s'est enfin découvert une passion véritable pour Lysimène, non sans réciproque ; mais tout les sépare… Dans le même récit reparaissent des personnages secondaires déjà introduits dans le roman, notamment Artémidore, le frère de Lysimène. L'Oracle de Préneste tranchera là encore les destins de ces amants. L'histoire dite, on annonce que Porsenna a de nouveau fait emprisonner son fils, et maintient les otages romaines sous une étroite surveillance.

LIVRE DEUXIÈME

Le roi de Clusium suspecte en effet Aronce d'être à l'origine de la tentative d'assassinat à laquelle il vient d'échapper : c'est la perfide Tullie qui fait courir ces faux bruits ; or Mutius, qui pourrait tout éclaircir, reste introuvable. La princesse des Léontins, revenue à Rome pour son frère Artémidore en bonne voie de guérison, ne peut que confirmer ces funestes nouvelles ; elle expose également le péril qu'encourt Clélie, triste objet de la convoitise de Sextus — ce qui explique la garde scrupuleuse dont les prisonnières font les frais. Chez Bérélise et Clidamire, où se concentrent depuis le départ de Clélie et de Valérie les réunions de la belle société romaine, tous les amis du couple commentent avec chaleur la situation, et s'emploient de leur mieux à leur porter secours. Quelques-uns par ailleurs décident de mettre à profit la suspension provisoire des hostilités pour consulter les Sorts de Préneste : Bérélise et Clidamire, accompagnées d'Anacréon, se dirigent vers le célèbre Oracle. Pendant ce temps, Amilcar, soucieux, raconte à Plotine et Valérie l'« Histoire de Cloranisbe et de Lysonice », dont il fut à Carthage le témoin ému : dans ce récit s'illustrent une nouvelle fois les ravages de l'ambition dans les affaires d'amour.

Au camp de Porsenna, les choses sont loin de s'arranger pour Aronce, que son père tient pour coupable de trahison : Thémiste et Artémidore sont chargés d'une mission auprès du roi, pour tenter de disculper leur ami. Quant à la malheureuse Clélie, les assiduités importunes de Sextus lui font redouter le pire, comme elle le confie à ses compagnes de captivité...

Comme Plotine et Valérie étaient les confidentes de toutes ses douleurs, elle ne leur parlait d'autre chose dès qu'elles étaient seules, principalement les soirs, car ces trois belles personnes couchaient en un même lieu. Ce n'est pas qu'on ne pût dire que ces vingt belles Romaines étaient en une même tente, parce qu'il y avait communication des unes aux autres, mais on peut pourtant dire qu'elles avaient presque chacune la leur. Clélie, Valérie et Plotine étant donc un soir ensemble à se plaindre de leurs malheurs, Clélie dit à ses amies qu'elle avait encore plus de sujet de craindre quelque grande infortune, qu'elles ne le savaient, « Car enfin, leur dit-elle, j'ai vu, ou il m'a semblé voir, la vertueuse Lucrèce la nuit dernière, et j'ai même cru entendre sa voix.

— Comme les malheureux, reprit Valérie, ne font guère de songes agréables, il ne faut pas s'étonner si cette funeste idée vous a passé dans l'imagination. Il est vrai, ajouta-t-elle, qu'après l'aventure de son illustre amant, on peut ne mépriser pas ces sortes d'avertissements, car s'il vous en souvient, Lucrèce lui apparut. Dites-nous donc comment vous avez cru voir cette belle infortunée.

— Imaginez-vous, reprit Clélie, que comme mes chagrins m'occupent étrangement l'esprit, je ne dors jamais que par lassitude. De sorte qu'il s'en fallait peu que la première pointe du jour ne parût que je n'avais pu encore fermer les yeux. En cet état je ne sais si mon accablement m'a forcée de dormir, ou si j'étais effectivement éveillée, mais je sais bien qu'il m'a semblé voir une assez grande lumière, qui avait pourtant quelque chose de sombre ; un moment après Lucrèce m'a apparu plus belle que je ne la vis jamais, ses cheveux étaient négligés, elle était couverte d'un grand manteau blanc, et elle tenait un poignard sanglant à la main. En cet état j'ai cru entendre sa voix, qui avait quelque chose d'effrayant. *Fuyez, Clélie, fuyez*, m'a-t-elle dit, *mais fuyez promptement, car je vous avertis que le tyran qui me fit avoir recours à ce poignard, en veut à votre gloire, comme il en voulait à la mienne. Ayez donc recours à la fuite, et ne vous mettez pas dans la nécessité d'être obligée d'avoir recours à la mort*. Après cela cette lumière s'est éteinte, Lucrèce a disparu, et le son de sa voix a de telle sorte frappé mon esprit, que de tout le jour je n'ai fait autre chose que penser à ce que j'ai cru avoir vu et entendu, sans avoir même la force de vous le dire ; joint que ne vous ayant pas vues seules, je n'ai pas voulu parler d'une chose qui ne semble être propre qu'à me faire soupçonner d'avoir l'esprit un peu faible. »

Clélie achevait à peine de dire cela à ses amies, qu'un de leurs gardes entra dans leur tente, avec un certain air empressé, qui leur fit connaître qu'il avait quelque chose d'important à dire. « De grâce, Madame, dit-il à Clélie, pardonnez-moi la liberté que je prends d'entrer dans votre tente ; si Lucilius ou Télane eussent été revenus de chez le roi, je me serais adressé à eux, mais n'étant pas ici, et ne pouvant pas parler de ce que j'ai à vous dire à celui qui commande en leur absence, je m'adresse à vous pour vous avertir que Sextus vous enlèvera si vous n'y prenez garde. Je n'ai pu savoir si ce doit être cette nuit, ou la nuit prochaine, mais je sais avec une certitude infaillible qu'il a pris toutes ses mesures pour cela ; que plusieurs de mes compagnons doivent le servir, que celui qui nous commande est à lui, qu'il a des bateaux retenus, et qu'il doit assister lui-même à cette violence. De sorte, Madame, que croyant ne pouvoir jamais mieux servir le prince qu'en vous servant, je viens vous donner cet avis. La chose presse, ajouta-t-il, et je la sais si bien, qu'on ne peut pas la mieux savoir.

Mais encore, reprit Clélie tout effrayée, par quelle voie savez-vous ce que vous dites ?

— Je le sais, Madame, répondit-il, parce qu'un de mes compagnons me voulant engager dans ce criminel dessein me l'a dit, et j'ai même fait semblant d'en vouloir bien être, afin de pouvoir vous en avertir. »

Valérie, Plotine et Clélie demandèrent encore plusieurs choses à cet homme, qui leur parla avec tant d'ingénuité, qu'elles connurent bien qu'il ne mentait pas. Elles le remercièrent de sa générosité, et le prièrent dès que Télane serait revenu de chez le roi, de lui dire qu'elles avaient nécessairement à lui parler ; et en cas que Télane ne revînt pas bientôt, de revenir lui-même parler à elles. « Eh bien ma chère sœur, dit Clélie à Plotine, l'apparition de la vertueuse Lucrèce n'est que trop véritable, et ne suis-je pas bien malheureuse de me voir aimée par le plus infâme de tous les hommes ? N'étais-je pas assez accablée des malheurs d'Aronce, et de son infidélité[1], sans l'être encore par des maux plus redoutables pour moi que la mort ? Mais enfin, lui dit-elle encore, je ne suis pas résolue d'attendre cette funeste aventure, il faut que j'aille de tente en tente éveiller toutes mes compagnes, que je les oblige de demeurer toutes auprès de moi, jusques au retour de Télane, et que je les engage par serment de s'attacher à moi et de me déchirer plutôt que de me laisser enlever par l'infâme Sextus.

— Si Télane vient, il faut absolument, dit Plotine, qu'il nous donne lieu de nous sauver, car en l'état où sont les choses, nous ne saurions à qui avoir recours.

— Pour moi, dit Valérie, je ne sais si nous ferions bien de violer le droit des gens[2] en nous en allant à Rome quand nous le pourrions, et si nous ne ferions point mieux d'avoir recours à la princesse des Léontins.

— Non, non, reprit brusquement Clélie, je ne veux rien devoir à cette princesse, et en l'état où sont les choses, je crois qu'elle ne me servirait pas aussi bien qu'elle sert Aronce ; et puis pensez-vous que Porsenna pût présentement rien croire contre un fils de Tullie ; ainsi il faut commencer par assembler toutes nos amies. »

Et en effet Clélie se faisant éclairer par une esclave, fut suivie de Valérie et de Plotine, par les lignes de communication qui allaient de tente en tente ; ainsi elles furent éveiller Hermilie, Collatine, et toutes les autres. Mais après qu'elles les

eurent assemblées en une même tente, ce soldat
qui avait parlé à Clélie, vint lui dire que Lucilius
et Télane avaient envoyé dire qu'ils ne viendraient point coucher en ce lieu-là, parce qu'ils
étaient nécessaires ailleurs. Si bien que Clélie regardant cela comme un artifice de Sextus, qui les
avait fait retenir, afin de pouvoir mieux exécuter
son dessein, se vit en un état effroyable, et la
mort de Lucrèce lui revenant alors dans l'esprit,
elle croyait voir à tous les moments Sextus entrer
avec des soldats pour l'enlever. Toutes ses amies
participant à sa crainte, lui disaient tout ce qu'elles
pouvaient, mais comme elle avait un grand cœur,
« Non, non, mes compagnes, leur dit-elle, voyant
qu'il y en avait qui avaient les larmes aux yeux, il
ne faut point s'amuser à pleurer, il faut montrer
aujourd'hui que nous sommes Romaines, que
nous aimons l'honneur, et que la mort ne nous
épouvante point ; car ne vous imaginez pas, leur
dit-elle, que ce malheur ne regarde que moi, tous
ceux qui servent un ravisseur, sont des ravisseurs
eux-mêmes, et je ne doute pas que l'infâme Sextus ne vous ait promises à ceux qui le doivent servir à un si criminel dessein. Mais quand cela ne
serait pas, ajouta-t-elle, je veux croire que l'amitié
que vous avez pour moi, et un sentiment d'honneur vous porteraient à me vouloir sauver, et à
prendre la résolution de nous éloigner d'un lieu
où de moment en moment nous pouvons être
exposées à l'insolence de deux camps mutinés,
qui selon les apparences en viendront bientôt aux
mains. Prenons donc une hardie et généreuse résolution, nos tentes sont au bord du Tibre, et nous
ne pouvons nous sauver que par le fleuve. Si nous
mourons, nous mourrons encore avec plus de
gloire que Lucrèce, puisque ce sera pour éviter

un malheur, après lequel elle ne voulut plus vivre.
Je sais bien que Rome dira que nous violons le
traité, mais on doit tout faire pour sauver son
honneur. Cependant afin que vous ne croyiez
pas, ajouta-t-elle, que je veuille vous faire toutes
noyer pour ma conservation, et vous exposer à
un péril inévitable, voici ce que je crois que nous
devons faire. Vous savez que lorsque nous sortîmes de Rome, on nous para comme des victimes
publiques, qu'on sacrifiait à la paix ; ainsi nous
avons beaucoup de pierreries entre nos mains :
promettons tout ce que nous avons à ce soldat
qui nous a averties, afin qu'il nous serve, n'atten-
dons point le retour de Lucilius, ni de Télane, ne
leur proposons point de trahir le roi d'Étrurie,
qui nous a confiées à leur conduite, et songeons
seulement à tromper nos gardes ; nous le pouvons
aisément, pourvu que ce soldat, et quelques-uns
de ses compagnons soient pour nous, envoyons
demander à celui qui commande en l'absence de
Lucilius et de Télane, la permission de nous
baigner à la pointe du jour, il nous l'accordera
sans doute avec joie, car comme c'est peut-être la
nuit d'après celle-ci qu'il prétend m'enlever, il croira
que cela lui facilitera son dessein. Cependant
quand nous serons au bord de l'eau, vous ferez ce
que vous me verrez faire. Ne m'en demandez pas
davantage, et laissez-moi conduire cette entreprise. Je ne vous demande rien dont je ne vous
montre l'exemple, mais sur toutes choses pour
demeurer ferme dans cette généreuse résolution,
que je vois bien que je vous inspire, pensez toujours, je vous en conjure, qu'il s'agit de s'empêcher
d'être sous la puissance du bourreau de la vertueuse Lucrèce, que la gloire nous attend à l'autre
côté du Tibre, et que nous ferions éternellement

le déshonneur de notre patrie, si nous avions la faiblesse et la lâcheté de nous exposer à un malheur que nous pouvons éviter. »

Clélie parla avec tant de courage, et tant d'éloquence[1], que toutes ses compagnes s'empressant à donner toutes leurs pierreries, lui jurèrent de ne l'abandonner point, de faire tout ce qu'elle ferait, et de suivre aveuglément sa volonté. Après cela elle alla parler à ce soldat, et concertant son dessein avec lui, elle lui donna, et elle lui promit ; après quoi il fut de la part de toutes ces belles filles, demander à cet officier qui se nommait Minutius, la permission de s'aller baigner dans le Tibre à la pointe du jour. Il la leur accorda à l'heure même, et commanda ceux qui devaient les escorter, sans rien craindre de ce dessein-là, car Rome étant de l'autre côté du fleuve tirant sur la droite, il ne pouvait pas penser que ces filles s'imaginassent qu'il fût possible d'y aller. Joint qu'étant otages, et ne soupçonnant pas qu'elles pussent savoir le dessein de Sextus, il fut au contraire fort aise qu'elles commençassent de se baigner au fleuve, afin que le jour suivant cela facilitât l'entreprise de Sextus. Mais pour faire que le jour d'après il pût envoyer pour les escorter les soldats qui étaient le plus de son intelligence, il y en envoya d'autres ce jour-là, l'ordre voulant sans doute, que ce ne fussent pas toujours les mêmes. Cependant le soldat à qui Clélie s'était confiée, eut des planches, des claies, et des fascines[2], ne pouvant avoir ni bateaux ni chevaux ; il suborna aussi quelques soldats, avec les pierreries que Clélie lui avait données, et il fit enfin tout ce qui était en son pouvoir. Cependant ces vingt belles filles qui n'avaient point dormi de toute la nuit, ne virent pas plutôt paraître la première pointe du jour, qu'elles sortirent sous la conduite de ceux qui les devaient escorter. À peine commençait-on d'entrevoir les objets, lorsqu'elles furent hors de leurs tentes, et d'apercevoir distinctement l'agitation du fleuve à travers les saules qui le bordaient en cet endroit-là. Le lieu était sauvage et agréable, et propre à l'exécution du dessein de Clélie. Le soldat qui était de l'intelligence, s'empressant de les mener au lieu où l'on avait dressé des tentes dans la rivière, les mena par un petit sentier couvert par des saules entrelacés, qui formaient une espèce de berceau rustique, et elles arrivèrent enfin au lieu où elles firent semblant de se vouloir baigner. Ceux qui les escortaient demeurèrent derrière par respect, pour les laisser déshabiller, joint que ce soldat en avait gagné quelques-uns. Mais ne les trouvant pas encore assez loin, elles les prièrent de se retirer un peu davantage, ce qu'ils firent. Cependant dès qu'elles les virent éloignés, ce soldat qui s'était caché derrière un buisson pour les assister, leur montra les planches, les claies, et les fascines qu'il avait fait apporter secrètement en cet endroit, et qu'il avait si bien accommodées qu'elles pouvaient chacune soutenir une personne sur l'eau. Si bien que Clélie les comptant vit qu'il y en avait une de moins qu'il ne fallait, mais cela ne l'étonna point : « Non, non, dit-elle, mes compagnes, ne vous mettez point en peine qui sera celle qui n'aura rien à se soutenir sur l'eau, mon courage m'y soutiendra, et les dieux m'assisteront. Ne perdons point de temps, ajouta cette courageuse fille, les moments sont précieux, ce vaillant soldat que vous voyez aidera aux[1] plus faibles, et je suis enfin si persuadée que le ciel nous aidera, que je ne doute point du tout que nous n'arrivions toutes à Rome heureusement. Le dieu du Tibre sauva bien Horace lorsqu'il se jeta dedans tout armé, il nous sauvera peut-être aussi bien que lui. »

Après cela Clélie ayant invoqué le dieu du fleuve, sans attendre la réponse de ses compagnes se jeta courageusement dans l'eau, et se tournant vers elles, « Si vous aimez la gloire, vous me suivrez », leur dit-elle. Ensuite de quoi s'abandonnant au courant du fleuve qui allait vers Rome, elle s'éloigna du bord. Mais à peine fut-elle dans l'eau, que toutes ses compagnes firent la même chose ; il est vrai que le soldat qui les servait leur donna aux unes des planches, et aux autres des claies et des fascines, qu'il attacha si adroitement, qu'elles ne pouvaient se noyer, et puis se jetant dans l'eau après elles, il aidait tantôt à l'une et tantôt à l'autre ; leurs robes leur servirent aussi beaucoup en cette occasion à les soutenir sur l'eau ; mais ce qu'il y eut de remarquable, fut que Clélie qui de temps en temps tournait la tête pour voir si ses compagnes la suivaient, trouva au milieu du fleuve, un cheval qui s'était échappé comme on le menait boire, si bien que cette courageuse fille lui prenant la bride, fit si bien qu'elle monta dessus. Ainsi s'élevant au-dessus de l'eau, et le jour étant augmenté, les soldats qui les avaient escortées, furent bien surpris de la voir, et de voir à l'entour d'elle toutes ses compagnes, que cet officieux soldat aidait autant qu'il pouvait, car ceux qui n'avaient point été gagnés, croyaient que ces vingt belles filles étaient dans les tentes qu'on leur avait préparées sur le fleuve. D'autre part ceux qui étaient du côté de Rome, apercevant une fille sur un cheval qui nageait au milieu du fleuve, et la voyant suivie de grand nombre d'autres qui se soutenaient à des planches, à des claies, ou à des

fascines, ne surent d'abord si ce n'étaient point
des hommes déguisés en femmes, s'il n'y avait
point quelque artifice de Tarquin caché là-des-
sous ; si bien qu'ils furent tentés de tirer des flè-
ches, et ils eussent tiré en effet, si heureusement
Horace et Herminius ne fussent arrivés en cet endroit. Car comme les amants connaissent leurs
maîtresses de bien plus loin que les autres, ils ne
furent pas plutôt sur le bord du fleuve, qu'ils connurent Clélie et Valérie. Cet objet les surprit de
telle sorte, qu'ils pensèrent se jeter à l'eau pour
aller au-devant d'elles, mais ce premier sentiment
étant passé, la raison leur fit prendre des bateaux
qui étaient là, et aller au-devant de toutes ces
courageuses filles, dont la plus grande partie
étaient si lasses qu'elles reçurent ce secours avec
joie. Cependant jamais on n'a rien vu d'égal, car
les soldats qui avaient escorté ces belles Romaines,
ayant donné l'alarme partout, le bord du fleuve fut
en un instant bordé d'un nombre innombrable de
soldats du côté du camp, et du côté de la ville il
n'y eut guère moins de peuple. Cependant comme
ces belles filles n'étaient pas en état de traverser
les rues, Horace et Herminius les menèrent à une
maison qui était sur le bord de l'eau, où elles se
séchèrent, et changèrent d'habillements, qu'elles
envoyèrent quérir chez elles. En suite de quoi elles
furent toutes chez le premier consul pour lui rendre compte de leur fuite, et pour le prier d'en informer le Sénat. Mais elles y furent suivies d'une
foule inconcevable de peuple, qui ayant déjà su
que Clélie était celle qui avait entrepris cette hardie action pour conserver sa gloire, lui donnait
mille louanges, et la mettait au-dessus de tous les
héros de l'antiquité. Lorsque Publicola vit arriver
cette belle troupe, il en fut surpris, car encore

que le bruit en fût allé jusques à lui, il ne croyait pas ce qu'on lui avait dit. Clélie comme chef de l'entreprise marchait la première, et dès qu'elle vit Publicola, « Seigneur, lui dit-elle, si ce que mes compagnes et moi avons fait, ne vous semble pas raisonnable, je vous conjure de ne vous en prendre qu'à moi, car elles n'ont simplement fait que me suivre, et si le Sénat trouve que j'ai failli, je suis prête d'en recevoir telle punition qu'il lui plaira de m'ordonner, car je ne crains ni les supplices ni la mort, je ne crains que l'infamie. »

Après cela Valérie prenant la parole, instruisit Publicola du violent dessein de Sextus, et n'oublia rien de tout ce qui pouvait justifier l'action qu'elles venaient de faire. « Ce que vous avez fait est si grand, reprit Publicola en parlant à Clélie, que quand il serait injuste, il mériterait d'être loué éternellement, n'y ayant sans doute rien de plus héroïque, que de s'exposer à la mort pour conserver sa gloire. Mais comme vous avez agi pour votre honneur, il faudra que vous souffriez que Rome agisse aussi pour le sien, c'est pourquoi j'ordonne que vous demeurerez toutes ici jusques à ce que le Sénat ait délibéré sur l'action que vous avez faite. » Après cela Publicola les laissant sous la conduite de Domitia, donna ordre qu'on assemblât le Sénat extraordinairement.

Sur décision du Sénat, les jeunes filles seront rendues à Porsenna, que leur fuite a considérablement irrité. Clélie, qui s'est courageusement soumise au verdict, engage une nouvelle fois ses compagnes à suivre son exemple. Pour célébrer le geste héroïque de la jeune fille, le Sénat ordonne dans le même temps l'érection d'une statue équestre en haut de la Via Sacra.

LIVRE TROISIÈME

Le retour des otages est fixé au lendemain matin. En
attendant, Amilcar s'entretient avec Plotine et Césonie.

Comme un amant ne peut jamais manquer de
parler de son amour à sa maîtresse, lorsqu'il en
trouve l'occasion, Clélie ne fut pas plutôt retirée
qu'Amilcar se voyant seul avec Plotine et Césonie,
leur dit des choses qui faisaient assez connaître les
sentiments de son cœur. « Je sais bien, dit-il à Plotine, que la raison veut que je vous laisse, mais
pour ma consolation j'irai passer le soir avec Césonie, afin de parler de vous, et d'en parler avec une
personne qui vous aime.

— Pour moi, lui dit-elle, je suis si lasse d'avoir
tant veillé, d'avoir passé le Tibre sans bateau, que
je n'ose vous promettre rien de semblable, car
quelque mélancoliques que soient toutes mes compagnes, je crois qu'elles sont si endormies, que
quand je voudrais parler de vous, je ne pourrais en
trouver pas une qui me voulût écouter. Ainsi pour
aujourd'hui dispensez-moi même d'y penser, car
enfin le sommeil a ce privilège-là de faire tout
oublier sans crime.

— Du moins, dit Amilcar, permettez à Césonie
de me dire tout ce que je voudrais savoir de vous.

— J'y consens, répliqua-t-elle en s'en allant, mais
prenez garde que votre curiosité ne vous donne
plus de peine que de plaisir, et puis il n'appartient
pas aux enjouées d'avoir de grandes aventures, et
tous les événements extraordinaires sont réservés
aux mélancoliques[1]. »

Plotine n'eut pas plutôt dit cela, qu'elle suivit ses compagnes, et qu'Amilcar s'en alla avec Césonie ; dès qu'il fut dans la chambre de cette aimable femme, il la pria de vouloir lui conter tout ce qu'elle savait des aventures de la vie de Plotine. « Pour sa naissance, lui dit-il, je la sais bien présentement, mais ce que je vous demande précisément, c'est l'histoire de son cœur ; cela veut dire en un mot, ajouta-t-il, que je veux savoir de qui Plotine a été aimée, et si elle a aimé quelque chose fortement.

— Puisque Plotine m'a permis de contenter votre curiosité, reprit Césonie, je le veux bien, et je le fais d'autant plus tôt, que je n'ai pas un grand nombre d'événements à vous raconter, et que je suis assez bien instruite de tout ce qui s'est passé dans le cœur de Plotine. »

En effet, Césonie ayant donné ordre qu'on ne pût l'interrompre, commença de parler en ces termes à Amilcar, qui se mit à l'écouter avec une attention extraordinaire.

HISTOIRE DE PLOTINE

Comme vous savez de quelle manière Plotine a cru qu'elle était nièce de ce sage ami de Clélius, qui se nomme Rutilius, et qu'elle regardait sa femme, qui se nomme Ersilie, comme étant sa tante, il faut seulement que je vous apprenne que la maison de ma mère, car j'avais perdu mon père, touchait celle de Rutilius, et qu'il y avait beaucoup d'amitié entre Ersilie et celle à qui je dois la vie. Pour Ardée je ne vous en dis point les mœurs, les coutumes, et la galanterie, et il vous est ce me semble aisé de juger qu'il doit y avoir de fort honnêtes gens en un lieu où Plotine a pu

devenir telle que vous la voyez. Car enfin il faut
dire à sa gloire, que Rome ne lui a rien donné.
Joint qu'il me souvient que Plotine vous a autrefois conté mes aventures ; ainsi je ne doute pas
qu'elle ne vous ait dit que notre ville a été bâtie
par Danaé, quoique quelques-uns croient que ce
fut un fils d'Ulysse et de Circé qui la fonda[1] ;
mais pour cette dernière chose, elle n'a autre fondement, si ce n'est que comme Ulysse était très
éloquent, et Circé très savante en la connaissance
de toutes les vertus des herbes, on parle plus po-
liment à Ardée qu'en nulle autre ville, et qu'on y
connaît mieux les qualités bonnes ou mauvaises
de toutes les plantes. Je sais enfin qu'elle vous dit
que depuis la pluie d'or, dont Jupiter se servit, les
femmes qui aiment la gloire n'acceptent rien d'un
galant où il y ait de l'or, et que la magnificence,
la politesse, et la galanterie, s'y trouvent plus
qu'en nul autre lieu d'Italie, et que la poésie et la
peinture y sont même plus communes et plus célèbres. Cela étant supposé, j'ai à vous dire que
Plotine a toujours été si aimable, que dès qu'elle
eut six ans, on parla de son esprit avec admiration. Elle disait mille choses surprenantes et ingénieuses, mais elle les disait avec toutes les
grâces de l'enfance, et d'un air si charmant, qu'on
ne pouvait la voir sans l'aimer. Aussi quoique
j'eusse deux ans plus qu'elle, je ne pouvais vivre
sans la voir, toutes ses réponses étaient agréables, il y avait de l'innocence et de l'esprit, tout y
était naturel, et elle ne disait jamais rien que
d'elle-même. Elle avait l'imagination vive, et l'esprit brillant, elle dansait de bonne grâce, même
devant que d'avoir appris, et elle ne faisait rien
qui ne plût. Comme elle était un jour dans un
temple où toute l'histoire de Danaé est admira-

blement représentée, et qu'elle regardait cette
pluie d'or qui tombait dans la tour où l'on gardait
Danaé, elle demanda ce que cela voulait dire. De
sorte qu'Ersilie lui ayant dit que Jupiter étant
amoureux de Danaé, s'était transformé en cette
précieuse pluie pour l'amour d'elle, afin de la
voir, elle dit que cette invention-là ne lui plaisait
pas. « En effet, ajouta-t-elle, il eût été plus à propos que Jupiter eût employé son or à suborner
ceux qui gardaient Danaé, car après cela il aurait
paru de meilleure grâce devant sa maîtresse. »
Une autre fois voyant un Amour représenté avec
un flambeau à la main, et un autre avec un arc,
on lui demanda lequel des deux elle aimait le
mieux ; elle dit d'abord qu'elle n'aimait ni l'un ni
l'autre, comme tous les enfants le disent. Mais
comme on la pressa de dire du moins lequel elle
croyait être le plus dangereux, elle dit brusquement, « Je crains plus celui qui brûle, que celui
qui blesse, car j'ai ouï dire qu'on peut guérir d'un
coup de flèche, mais si mon cœur était réduit en
cendres, je crois qu'il n'y aurait plus de remède. »
J'aurais cent choses encore plus jolies à vous dire
de l'enfance de Plotine si je voulais, mais il vaut
mieux ne m'y arrêter pas. Je ne puis pourtant
m'empêcher de vous dire quelque chose d'une
conversation que nous eûmes ensemble lorsqu'elle
eut environ douze ou treize ans, et de l'impatience
qu'elle avait de n'être plus traitée en enfant par
ceux qui lui parlaient. « Pour moi, ma chère Césonie, me disait-elle un jour au retour d'une grande
fête où nous avions été, je suis si lasse d'être petite
fille, que je voudrais avoir acheté les deux années
que vous avez plus que moi, des dix dernières de
ma vie.

— Je vous assure, lui dis-je, que je trouve votre place meilleure que la mienne, et qu'en cas d'années, il vaut mieux être précédée que de précéder les autres ; car enfin vous aurez infailliblement quinze ans si vous vivez, et je ne puis plus n'en avoir que treize.

— Pour moi, reprit-elle avec un aimable chagrin, j'étais mille fois plus heureuse quand je n'en avais que six, car je ne me souciais point de quelle manière on me traitait. Je me jouais avec mille petits bijoux, et pourvu que je n'eusse ni faim ni sommeil, qu'on ne me grondât point, et qu'on ne me voulût pas faire avoir trop bonne grâce, j'étais la plus gaie du monde. Mais présentement que j'ai treize ans, et que pour mon malheur j'ai ma raison de dix-sept ans pour le moins, il m'ennuie presque partout, et je ne vois presque point de gens que je ne haïsse.

— Mais pourquoi les haïssez-vous ? repris-je ; tout le monde vous loue, tout le monde vous flatte, et tout le monde vous parle.

— Il est vrai, répliqua-t-elle, mais tout le monde me loue, me parle et me flatte presque comme un enfant. De sorte que j'aimerais cent fois mieux n'être ni louée ni flattée, et que personne ne me parlât.

— Mais encore, lui dis-je, quels sont véritablement vos chagrins ?

— Premièrement, me dit-elle, tous les hommes que je vois ne sont que des devins pour moi, qui prédisent l'avenir, et qui ne disent pas un pauvre petit mot du présent. Toutes les filles qui ont seulement seize ans ne me regardent presque point. Dès que j'entre quelque part avec Ersilie, on me parle de me donner collation pour me divertir, et on présuppose que je m'ennuierais si je ne mangeais pas ; et pour les hommes, comme je vous l'ai déjà dit, ils ne font autre chose que me faire des prédictions, encore sont-ce les plus civils, car les autres pensant à leurs affaires, ne me regardent que comme une petite fille à qui on ne sait que dire.

— Mais qui sont ces devins-là ? lui dis-je en riant, feignant de ne la pas entendre.

— Ce sont tous les hommes que je connais, et que vous connaissez, répliqua-t-elle. Encore hier Turnus en me voyant entrer chez vous, s'écria, "Ha ! qu'elle sera dangereuse quelque jour." Périandre avant-hier dit en ma présence que je serais assurément fort belle, quand je serais un peu plus grasse, et un peu plus grande. Lycaste, que bientôt j'aurais la taille agréable. Martius que quand j'aurais de la gorge, j'en serais beaucoup plus charmante. Livius, que dès que je saurais que je suis belle, j'en serais infiniment plus aimable, et ma mère même en parlant de moi à ses amies particulières, dit quelquefois que si je veux j'aurai de l'esprit quelque jour. De sorte que tous mes charmes sont à l'avenir ; mais si ces devins-là, ajouta-t-elle, disent vrai, et que je puisse en effet un jour être redoutable, s'ils ne sont pas morts de vieillesse, je veux les faire tous mourir d'amour, et les maltraiter de telle sorte, que je puisse être pleinement vengée du peu de soin qu'ils ont présentement de me plaire.

— Si je ne me trompe, lui dis-je, vous serez bientôt en pouvoir de vous venger.

— Eh bien, reprit-elle brusquement, ne me faites-vous pas vous-même des prédictions aussi bien que les autres ? »

Je ris alors de bon cœur, du dépit que j'avais fait à Plotine sans y penser, car il était constamment vrai qu'elle n'aimait point cette espèce de louange, qui ne regardait que l'avenir. Vous pouvez juger par ce que je vous dis, que Plotine avait un esprit fort avancé, et qu'elle l'avait déjà fort agréable. Aussi le fit-elle bien paraître en fort peu de temps, et la plus grande partie de ceux qui lui avaient tant fait de prédictions avantageuses furent en état de ne lui parler que du présent, et des maux que sa beauté leur faisait souffrir.

« Voici un endroit, interrompit Amilcar, qui me fait la plus grande frayeur du monde, car je meurs de peur que vous ne m'alliez dire que Plotine a été aimée par de beaucoup plus honnêtes gens que moi, et je crains même encore que vous ne m'appreniez qu'elle a plus aimé quelqu'un de mes rivaux, qu'elle ne m'aime.

— Vous ne craignez pas autant que vous dites, reprit Césonie, que je vous apprenne que Plotine a eu des amants plus honnêtes gens que vous, et pour le reste ce sera à vous à juger ce que vous en devez croire à la fin de mon récit. Je vous dirai donc, ajouta-t-elle, que le mérite de Plotine fit bientôt un fort grand bruit, et qu'elle vit tous ces faiseurs de prédictions, ne lui parler plus que du présent. Il faut pourtant dire à la gloire de Plotine, qu'elle ne se laissa point éblouir à l'éclat du monde, et qu'elle reçut toujours avec beaucoup de modestie, les premières louanges qu'on lui donna. En effet elle avait de l'enjouement sans folie, de la joie sans emportement, de la jeunesse sans imprudence, de l'esprit sans orgueil, et de la beauté sans affectation. Ce fut alors que je commençai d'agir avec elle comme avec une véritable amie ; je lui confiai d'abord de petits secrets de bagatelles, et voyant qu'elle en usait tout à fait bien, je lui dis tout ce que j'avais de plus secret dans le cœur. De sorte que notre amitié devint si grande et si étroite, qu'en parlant de nous, on se contentait bien souvent de dire les deux amies. En ce temps-là il y avait beaucoup d'honnêtes gens à Ardée, car outre Turnus, Périandre, et plusieurs autres, il y en avait trois qui avaient assurément bien du mérite. Le premier se nommait Martius, le second Lycaste, et le troisième Clorante. En effet ce dernier a la mine haute sans être fier, au contraire il a la physionomie douce, et l'air fort civil, quoiqu'il ait quelquefois quelque chose de froid et de négligé. Il a les cheveux bruns, la tête fort belle, le visage un peu long, le teint pâle, les yeux noirs et petits, mais ses regards sont pourtant pleins d'esprit, son silence même a quelque chose qui témoigne qu'il en a beaucoup, car il écoute comme un homme qui entend admirablement bien ce que l'on dit, et qui pourrait plus dire qu'il ne dit. Toutes ses manières sont assurément d'un homme de sa qualité, et il a sans doute l'esprit tout à fait tourné en homme du monde. Il aime les belles choses, et ceux qui les font, il a l'air mélancolique, et aime pourtant tous les plaisirs. Il a naturellement l'âme passionnée, et quoique l'extérieur de sa personne et de son esprit convienne à un de ces amants fidèles, dont il se trouve si peu par le monde, c'est pourtant quelquefois un coquet sérieux, ou si vous voulez un inconstant de bon sens, car il y en a sans doute qui ne le sont pas de cette manière. Il soutient pourtant hardiment qu'il est fidèle, parce qu'il dit qu'il n'a jamais quitté de femme qui ne lui eût donné quelque sujet de plainte. Il est même de ceux qui n'appellent pas infidélité de petites amours d'occasion, qui ne laissent pas de naître dans son cœur, pendant ses plus grandes passions.

Mais ce qu'il y a de constamment vrai, c'est que tant qu'il aime, il aime éperdument, qu'il n'a que sa passion dans la tête, qu'il est très sensible à la jalousie, qu'il sent les moindres choses fâcheuses avec une violence étrange, et qu'il connaît enfin tout ce que l'amour a de plus agréable, et de plus rigoureux. Pour Martius, c'était un homme qui aimait très ardemment, qui était incapable de quitter une maîtresse pour en aimer une autre, mais dont les passions pouvaient s'alentir[1] par le temps seulement. Il était très bien fait, il avait infiniment de l'esprit, et de cet esprit qui plaît. Pour Lycaste il était assurément très agréable, mais il était naturellement si inconstant, qu'on mettait au nombre des merveilles de l'amour, de l'avoir pu engager à aimer constamment une fois en sa vie.

Comme nous voyions tous les honnêtes gens d'Ardée, et qu'il y en avait peu dans la ville de plus considérées que Plotine et moi, nous étions de toutes les fêtes galantes qu'on faisait. On en fit une en ce temps-là en l'honneur de Circé, qui est appelée déesse dans Homère, où l'on représenta plusieurs de ces prodigieux changements qu'on lui attribue, et où Plotine parut si charmante, qu'on ne parla que de sa beauté, et de son agrément. Aussi fit-elle deux conquêtes fort remarquables ce jour-là, qui quelque temps après la firent nommer *la nouvelle Circé*. En effet celle qui fit autrefois ces changements si extraordinaires, par la vertu des simples dont elle connaissait si admirablement les propriétés, n'en a jamais fait de plus dignes d'étonnement. Mais pour comprendre ce que je dis, il faut savoir que jusques alors Lycaste avait fait profession publique d'être inconstant, et que Martius avait autrefois été fort amoureux d'une très belle fille dont il avait été aimé, en suite de quoi suivant l'ordre général du monde, on avait cru que cette passion s'était de telle sorte alentie, qu'on ne pouvait plus la nommer amour, sans lui faire grâce. Si bien que lorsqu'elle était morte, après en avoir paru fort affligé, il s'en était laissé consoler par le temps, et par ses amis. Il avait pourtant été très affligé de sa perte ; mais enfin on croyait qu'il l'avait plutôt regrettée comme un ami, que comme un amant. Il est vrai que depuis sa mort il n'avait point été amoureux ; il avait même paru fort indifférent ; mais enfin le jour de cette célèbre fête de Circé, Lycaste et Martius cessèrent d'être ce qu'ils étaient auparavant, c'est-à-dire en un mot, que le premier apprit à aimer constamment, et que l'autre cessa d'être insensible, et recommença d'aimer. Cependant les commencements d'amour n'étant pas pour l'ordinaire si sensibles, que l'on puisse connaître dès le premier moment le mal dont on est attaqué, Lycaste et Martius ne crurent pas devoir être fort amoureux de Plotine, et leurs amis et leurs amies s'en aperçurent plus tôt qu'eux. Comme Plotine a l'humeur libre et enjouée, ces deux amants étaient assez embarrassés à trouver l'occasion de lui faire entendre sérieusement qu'ils l'aimaient, lorsqu'ils s'en aperçurent, car elle détournait toujours si adroitement ce qu'ils lui disaient, qu'on eût dit que leur amour n'était qu'une simple galanterie, où le cœur n'avait point de part. Mais ils connurent à la fin qu'ils l'aimaient éperdument. En effet leur amour commença d'éclater par la jalousie, car ils ne pouvaient plus s'endurer l'un l'autre qu'avec peine, ils ne songeaient qu'à Plotine, et qu'à lui plaire, ils ne voyaient qu'elle, ils abandonnaient toutes leurs connaissances, et n'avaient enfin que leur passion dans la tête. Comme Plotine a toujours eu aversion pour le mariage, et qu'elle n'eût pas voulu faire une galanterie criminelle, il est certain qu'elle fit ce qu'elle put pour ôter toute force d'espérance à ces deux amants, mais cette rigueur augmenta leur amour, au lieu de la diminuer. Si bien que Plotine ne voulant pas s'inquiéter inutilement, leur laissa suivre leur inclination sans leur être ni douce ni favorable, et sans considérer plus l'un que l'autre. Elle donna pourtant un jour un furieux chagrin à Lycaste en présence de Martius, de Persandre, et de Lucie, qui est une fort aimable femme, car elle dit absolument qu'il lui serait impossible d'aimer un amant qui aurait été inconstant. « Mais si quelqu'un de ces amants volages, reprit Lycaste, devenait fidèle pour l'amour de vous, pourquoi ne l'aimeriez-vous pas, si d'ailleurs il avait de l'esprit et du mérite ?

— C'est parce, reprit-elle brusquement, que ce qui est arrivé une fois peut arriver cent, et que rien ne me serait plus insupportable, que d'être abandonnée par un homme à qui j'aurais donné la permission de m'aimer. C'est pourquoi pour ne m'exposer pas à ce malheur-là, il vaut mieux ne la donner jamais à personne, car enfin le monde est plein d'inconstants si bien déguisés en amants fidèles, qu'il est facile de s'y laisser tromper. » Plotine dit cela d'un certain air, qui fit connaître à Lycaste, qu'il lui serait difficile de gagner son cœur. Néanmoins il sentait si bien qu'il était revenu de son ancienne inconstance, et qu'il aimerait constamment Plotine, qu'il espéra que le temps la fléchirait. Pour moi je vous avoue qu'alors mon inclination me portait à favoriser Lycaste, et quoique Martius fût un très honnête homme, très bien fait, et très agréable, je penchais du côté de son rival. Je m'aperçus pourtant un jour que Plotine n'était pas de mon avis, et qu'elle avait alors un peu plus d'inclination pour Martius que pour Lycaste. Elle la cachait pourtant soigneusement, mais quelque soin qu'elle y apportât, non seulement je m'en aperçus, mais Lucie qui était parente et amie de Lycaste, le connut aussi bien que moi. Cette personne avait paru être autrefois amie particulière de la maîtresse de Martius, elle avait vu le commencement, la suite, et la fin de cette amour, où elle avait eu un intérêt que je vous dirai bientôt. Comme nous étions donc un jour toutes deux avec Plotine, nous vînmes insensiblement à parler de la force de l'inclination. « Pour moi, dit Plotine, je ne crois pas qu'elle soit aussi puissante qu'on dit, du moins suis-je persuadée que je n'ai encore jamais rien aimé sans raison.

— Vous le croyez ainsi, répliqua Lucie en souriant, et cependant de l'heure que je vous parle votre inclination préoccupe votre raison, au désavantage d'un de mes amis.

— C'est peut-être la vôtre qui est préoccupée, reprit-elle.

— Si vous voulez que Césonie nous juge, répliqua Lucie, je m'expliquerai plus clairement.

— Je vous assure, leur dis-je à toutes deux, que je suis fort équitable.

— Vous avez bien de la vanité de croire que vous l'êtes, répliqua Plotine, car je ne sache rien de plus difficile à faire, que de l'être toujours aux autres et à soi-même, et ce qu'il y a de rare, c'est que pour l'ordinaire ceux qui parlent le mieux de la justice, sont les plus injustes. Mais encore, pourquoi m'accusez-vous de me laisser préoccuper à mon inclination ?

— N'est-il pas vrai, répliqua Lucie, que je vous ai ouï dire cent fois, que vous ne pourriez jamais

souffrir l'affection d'un homme qui aurait été inconstant ?

— Je l'avoue, répliqua-t-elle, et c'est pour cela
que le mérite de votre parent ne me touche point,
et ne me touchera jamais.

— Mais pourquoi donc, reprit Lucie, souffrez-
vous plus favorablement Martius ?

— Je vous assure, répliqua Plotine, que je ne
traite guère mieux Martius que Lycaste, mais
quand cela serait, je soutiendrais que ce serait par
raison, et non pas par inclination, car Martius n'a
jamais été inconstant.

— Martius, reprit brusquement Lucie, n'a jamais
été inconstant ! Ha ! Plotine, vous vous connaissez
mal en inconstance, si vous croyez ce que vous
dites, car je vous soutiens au contraire, que la
sorte d'inconstance qu'on peut reprocher à Martius, est plus criminelle que celle dont on a accusé
Lycaste devant qu'il vous aimât.

— Mais, dis-je alors à Lucie, il me semble que
je n'ai point ouï dire que Martius ait aimé personne que Plotine, depuis la mort de Lysimire,
dont il avait été si amoureux, et qui était en effet
infiniment aimable.

— Il est vrai, reprit Lucie, mais Martius après
avoir aimé cinq ou six ans cette aimable personne, et en avoir reçu mille innocentes marques
d'affection, vint insensiblement à n'avoir plus pour
elle qu'une amitié si tiède, qu'elle en est morte de
douleur, quoiqu'il ne la trahît pas, et qu'il gardât
assez de mesures avec elle.

— Peut-être, reprit Plotine, cette personne toute
aimable qu'elle était, avait-elle quelque mauvaise
humeur, qui fit mourir l'amour dans le cœur de
Martius, mais quand cela ne serait pas, je ne
conclurais pas que Martius dût être appelé in-

constant, c'est tellement la coutume de voir que le temps affaiblit l'amour, que je ferais encore une grande différence entre Martius et Lycaste.

— Pour moi, repris-je, je vous avoue que j'appelle tout changement inconstance, et que c'est un abus de n'appeler inconstant que ceux qui aiment plusieurs personnes. En effet la tiédeur qui vient après une ardente amour, n'est-elle pas une espèce d'inconstance, et ne suffit-il pas de cesser d'aimer ce que l'on a aimé, pour être appelé inconstant ?

— Je ne sais pas trop bien si vous avez raison, ou si j'ai tort, reprit Plotine.

— Mais je sais bien que je ne regarde pas Martius comme Lycaste, et c'est en cela que vous êtes injuste, reprit Lucie. Si vous disiez, ajouta-t-elle, Martius a plus d'esprit, plus de mérite, et plus d'agrément, j'aurais patience, mais de maltraiter Lycaste comme un inconstant, et de souffrir Martius, qui a cessé d'aimer une des plus charmantes personnes du monde, dont il était constamment aimé, c'est ce que je ne puis souffrir.

— Mais Lycaste, répliqua Plotine, en a quitté cent.

— Je l'avoue, répondit Lucie, mais quand il en aurait quitté mille, il serait moins coupable que Martius, qui n'en a quitté qu'une. En effet jusques à cette heure Lycaste n'avait fait autre chose que commencer d'aimer ; à peine son cœur penchait-il d'un côté, qu'il était entraîné de l'autre par quelque nouvelle inclination ; ainsi n'ayant presque rien promis, et n'étant pas assez aimé pour se faire aimer, on peut dire que c'est une inconstance sans crime, qui tient plus de la légèreté que de la véritable inconstance. Mais pour Martius, il avait aimé plusieurs années, il était aimé, et ardemment aimé, et possédait le cœur de celle qu'il aimait. Mille choses devaient serrer les nœuds de son affection, et cependant sans sujet, sans raison, sans prétexte, sa passion cesse d'être passion ; ce qui avait fait son plaisir ne le touche plus, à peine sa maîtresse est-elle son amie, et changeant de sentiment sans nulle cause étrangère, il devient selon moi, le plus criminel de tous les inconstants. Mais peut-être direz-vous, n'était-il pas aimé comme il aimait ; pour vous prouver quelle était la passion de cette infortunée, lisez je vous en conjure une élégie que fit sous des noms supposés cette charmante personne, pendant un petit voyage de ce Martius, que vous voulez excuser. Mais afin que vous puissiez la trouver plus tendre, sachez que Martius après avoir donné mille marques d'amour durant plusieurs années, et en avoir reçu autant de cette incomparable personne, vint insensiblement à avoir une amour inégale, s'il est permis de parler de cette sorte, c'est-à-dire à faire tantôt des choses qui marquaient une violente passion, et tantôt d'autres qui pouvaient le faire soupçonner d'avoir de la tiédeur dans ses sentiments. Il l'aimait pourtant toujours, et l'aimait quelquefois jusques à la fureur, mais après tout il y avait des temps où sa passion se cachait, et où il lui eût été aisé de trouver sujet de se plaindre. Ce fut donc pendant un de ces intervalles d'amour, et pendant une absence que l'élégie que je veux vous montrer fut faite » ; et en effet Lucie montra à Plotine les vers que je m'en vais vous réciter.

ÉLÉGIE

Sortez de mon esprit sombre mélancolie,
Qui troublez trop longtemps le repos de ma vie.
Je ne puis plus souffrir les douleurs que je sens,
Tous mes plaisirs passés, me sont des maux
                                        présents,
Et mon cœur affligé, n'ayant plus d'espérance,
Ne voit dans l'avenir qu'une longue souffrance
Qui trouble ma raison, qui me fait soupirer
Et souffrir mille morts sans pouvoir expirer.
Amour, cruel Amour, source de tant de larmes,
Qu'un cœur est malheureux, de connaître tes
                                        charmes,
Et qu'il serait heureux s'il ignorait toujours,
Et les tendres soupirs et les tendres amours.
On vivrait sans plaisir, mais on vivrait sans peine,
La jalouse fureur que suit toujours la haine,
Les soupirs incertains, et l'affreux désespoir,
Ne feraient pas sentir leur dangereux pouvoir.
On ne connaîtrait point tous ces cruels supplices,
Qui suivent de si près tes plus grandes délices,
On ne connaîtrait point ces tourments éternels,
Qui sont presque toujours pour les moins
                                        criminels.
Je sais bien que la triste et froide indifférence,
Fait qu'on regarde tout avecque nonchalance,
Que vivant sans aimer, on n'a point de désirs,
Que ne désirant rien, on n'a point de plaisirs,
Que l'abondance même est souvent importune,

Et qu'on peut s'ennuyer avecque la fortune,
Mais ces légers ennuis sont de faibles douleurs,
Que l'on souffre aisément sans répandre de pleurs,
Le chant des rossignols, et le bruit des fontaines,
Suffisent pour charmer de si légères peines,
On se trouve du moins avec sa liberté,
Et l'esprit s'endormant parmi l'oisiveté,
On n'a plus de douleurs, ni vives ni pressantes,
Toutes les passions deviennent languissantes.
On jouit du soleil, de l'air, et d'un beau jour,
Mais est-ce vivre hélas que vivre sans amour ?
Et peut-il être un mal, plus grand, plus effroyable,
Que n'être point aimé, que n'être point aimable,
Que n'aimer rien que soi, que vivre tièdement,
Sans savoir ce que c'est que d'aimer ardemment,
Sans connaître le prix des soupirs et des larmes,
Des regards amoureux, et de mille autres charmes,
Qui changent en plaisirs les plus aigres douleurs,
Et qui savent donner plus d'un usage aux pleurs ?
Qu'on ne me dise point que l'amour est un crime,
Une constante amour est toujours légitime,
Aimons doncques Daphnis tout négligent qu'il est,
Et conservons un mal dont la rigueur nous plaît.
Mais que dis-je insensée, en ma douleur extrême ?
Est-il juste d'aimer beaucoup plus qu'on ne
                                             m'aime,
De souffrir mille maux que Daphnis ne sent pas,
Lui qui devait toujours me suivre pas à pas,
Ne vivre que pour moi, ne songer qu'à me plaire,

Ne me donner jamais ni chagrin ni colère,
Qui par mille serments m'a juré mille fois,
Qu'il se tenait heureux de vivre sous mes lois,
Qu'il y voulait mourir, et que toujours sa flamme,
D'une constante ardeur embraserait son âme,
Qu'il voulait m'adorer jusqu'au dernier moment,
Et n'être surpassé par aucun autre amant ?
Cependant cet ingrat peut supporter l'absence,
Quand je meurs de douleur en perdant sa présence,
Hélas ! s'il connaissait mon amoureux souci
L'insensible qu'il est serait bientôt ici,
Mais jugeant par son cœur de celui d'Élismène,
Il ne peut pas savoir la grandeur de sa peine,
Il ignore les maux qu'il me fait endurer,
Quoiqu'il ne semble pas qu'il les puisse ignorer.
Peut-être en ce moment cet amant infidèle,
Laisse entrer dans son cœur une flamme nouvelle ;
Puisqu'il ne revient pas, je le crois inconstant,
Grands Dieux s'il est ainsi que je meure à l'instant,
J'aime bien mieux mourir qu'apprendre
                              l'inconstance,
De cet injuste amant dont je pleure l'absence.
Mais n'ai-je point de tort, enfin de m'alarmer,
Et lorsqu'on est aimé, peut-on cesser d'aimer ?
Un cœur bien amoureux peut-il changer de
                              chaînes,
Quand on souffre pour lui mille amoureuses
                              peines ?
Non, non, mon cher Daphnis je vous accuse à tort,

Vous m'aimez, je vous aime, et jusques à la mort,
Nous vivrons l'un pour l'autre, et les races futures
À la postérité diront nos aventures ;
On parlera de nous à tous les vrais amants,
Ils ne se régleront que par nos sentiments,
Notre exemple instruira tout l'amoureux Empire.
Cependant malgré moi je sens que je soupire,
La crainte dans mon cœur veut régner à son tour,
Mais tout ce que je sens enfin est de l'amour,
Mes craintes, mes soupçons, mes chagrins, mes
                                    murmures,
Mes larmes, mes soupirs, mes dépits, mes
                                        injures,
Tout est amour Daphnis, et toutes mes douleurs,
Vous disent mille fois, je meurs Daphnis, je meurs[1].

À peine Lucie eut-elle achevé de réciter ces vers à Plotine, que cette aimable fille prenant la parole, « Ha ! Lucie, s'écria-t-elle, si vous avez cru nuire à Martius en me récitant ces vers, que vous êtes abusée, car enfin je les ai trouvés si tendres et si passionnés, que je suis persuadée qu'il faut que celui qui a pu inspirer des sentiments si amoureux, à une fort honnête personne, soit lui-même un fort honnête homme, et un honnête homme encore qui sait aimer, car on ne ferait point des vers de cette nature pour un indifférent.

— Quoi Plotine, répliqua Lucie, vous pouvez raisonner de cette sorte, et vous pouvez estimer un homme qui a pu changer de sentiments, et n'avoir plus qu'une affection tiède et languissante, pour une fille qu'il avait ardemment aimée, et dont il a toujours été tendrement aimé ? Pour une fille, dis-je, qui lui avait donné son cœur absolument, et qui comme vous le pouvez voir par les vers que je vous ai récités, avait les plus tendres sentiments du monde pour cet amant inconstant ?

— Quoi qu'il en soit, dit Plotine, je ne puis mettre un amant qui cesse seulement d'avoir de l'amour empressée, au rang des inconstants.

— Si vous ne le mettez pas en ce rang-là, reprit Lucie, mettez-le donc au rang des perfides, car selon moi c'est une perfidie de cesser d'aimer une personne qui vous aime toujours également. Pour ce qui me regarde, dis-je, je suis persuadée que tout changement se peut nommer inconstance, et qu'encore qu'un homme ne serve pas une autre maîtresse, s'il cesse d'aimer sans première sans sujet, il est inconstant.

— Je ne sais pas trop bien, répliqua Plotine, si selon l'exacte raison, ce que vous dites est inconstance, mais je sais bien que l'usage du monde veut qu'on appelle inconstant, un homme comme Lycaste, qui a aimé plusieurs femmes les unes après les autres, et quelquefois même plusieurs ensemble, et qu'on n'appelle pas ainsi un homme comme Martius, qui n'a fait que diminuer ses soins.

— Mais trouveriez-vous bon, reprit Lucie, quand même vous auriez épousé Martius, qu'il cessât de vous aimer ?

— Nullement, répliqua-t-elle, mais c'est que je suis persuadée que les amants qui cessent de l'être après avoir épousé leurs maîtresses, n'ont pas toujours tout le tort, car enfin la plupart des femmes dès qu'elles sont mariées, sont négligées pour leurs maris, contredisantes, chagrines, et bien souvent coquettes, et même jalouses sans sujet. De sorte qu'il ne faut pas s'étonner si les trouvant si différentes de ce qu'elles étaient avant que de les avoir épousées, les maris changent de sentiments pour elles.

— Flattez-vous Plotine, flattez-vous, reprit Lucie avec assez d'emportement ; c'est l'ordinaire de toutes les belles et jeunes personnes de croire que leurs charmes auront plus de force que ceux des autres, mais encore une fois, sachez que Martius est un inconstant plus dangereux que Lycaste.

— En vérité Lucie, reprit-elle, je ne les crains guère ni l'un ni l'autre, car le mariage me fait tant de peur que j'espère que ce sentiment-là m'aidera à défendre mon cœur, contre le mérite de ces deux rivaux, et si je l'ose avouer, contre quelque légère inclination que j'ai pour Martius. »

Voilà donc en quels sentiments était Plotine, et de quelle façon elle défendait Martius au désavantage de Lycaste. Cependant ils l'aimaient tous deux éperdument ; ils n'osaient pourtant encore le lui dire ouvertement ; mais sans en avoir le dessein, ils se rendirent cet office l'un à l'autre, quoiqu'ils se haïssent en secret, autant qu'ils s'étaient aimés.

En effet, il arriva un jour qu'étant à la promenade dans un jardin, où il y avait beaucoup de monde, ces deux amants s'y trouvèrent, et comme il est assez naturel de chercher à parler à la personne que l'on aime, ils s'empressèrent fort à s'approcher de Plotine ; mais Lucie s'y étant rencontrée, elle se mit à parler à Martius, afin d'obliger Lycaste, de qui elle était amie. Mais comme une parente de Martius remarqua l'adresse de Lucie, elle feignit d'avoir à entretenir Lycaste d'une affaire importante ; ainsi durant plus d'une heure, ces deux rivaux furent également malheureux ; mais à la fin Martius s'étant débarrassé assez brusquement de la conversation de Lucie, vint trouver Plotine avec qui je me promenais avec une autre de mes amies ; mais comme l'allée où nous étions était fort étroite, insensiblement Martius se trouva seul auprès de sa maîtresse, car je m'arrêtai à entretenir cette amie dont je viens de parler. Nous étions pourtant toujours dans la même allée ; mais enfin notre conversation se sépara de la leur. Comme Plotine a l'esprit fort enjoué, elle se mit d'abord à dire plusieurs choses divertissantes à Martius de tout ce qu'elle avait remarqué de plaisant dans la compagnie. « Pour moi, lui dit-il malicieusement, je n'y ai rien vu de plus particulier que de voir Lycaste si occupé à parler à une de ses amies, en un lieu où est l'aimable Plotine.

— Mais peut-être, reprit-elle en souriant, n'est-ce pas Lycaste qui parle à votre amie, et que c'est votre amie qui parle à Lycaste.

Quoi qu'il en soit, dit Martius, s'il vous aimait autant qu'il veut que vous le croyiez, il serait aussi incivil à la dame qui l'entretient, que je viens de l'être à Lucie, qui me parlait. Mais à n'en mentir pas, ajouta-t-il, les inconstants de profession comme Lycaste, n'ont pas les passions violentes.

— Mais qui vous a dit que Lycaste est amoureux de moi ? répliqua Plotine, car je ne m'en suis point aperçue.

— Comme je ne connais personne, sans exception, répliqua Martius, qui n'ait de l'amour pour vous, ou qui n'en ait eu, je présuppose qu'un homme qui est accoutumé d'avoir de l'amour par inconstance seulement, ne peut manquer d'en avoir pour la plus charmante personne du monde. Et puis, aimable Plotine, ajouta-t-il, les yeux d'un rival, et d'un rival constant, découvrent bien mieux les choses que ceux des autres gens.

— Je vous assure, reprit-elle, ne voulant pas faire semblant d'entendre Martius, que je ne me suis point aperçue que Lycaste m'aime plus que les autres dames qu'il voit.

— Du moins sais-je bien, poursuivit Martius, que s'il vous aime, il ne vous aimera plus guère, car il ne lui est pas possible d'aimer longtemps une même personne ; et je me souviens d'avoir ouï dire qu'il écrivit une fois à une dame qui était aux champs, pour lui demander une audience particulière, et que lorsque la réponse arriva, et que la permission de l'aller voir, et de lui parler en particulier lui fut accordée, il n'avait plus rien à lui dire, parce qu'il avait changé de sentiments pour elle.

— Ha ! Martius, reprit Plotine en rougissant, comme si elle eût eu dépit qu'on pût croire que quelqu'un pût ne l'aimer pas longtemps, ce que vous dites ne saurait arriver, car enfin

Je n'inspire jamais d'inconstantes amours,
Et si Lycaste m'aime, il m'aimera toujours[1].

— Je suis donc bien malheureux, Madame, reprit Martius, de ne pouvoir jamais espérer de guérir du mal qui me tourmente ; mais où avez-vous pris ces deux vers, qui m'annoncent non seulement que je vous aimerai toute ma vie, mais que j'aurai toujours non seulement un rival aussi redoutable que Lycaste, mais mille rivaux ?

— Je vous assure, répliqua-t-elle, qu'ils me sont venus sans y penser, et que je les ai dits malgré moi ; car afin que vous le sachiez, ajouta-t-elle en voulant tourner la conversation en raillerie, je ne fais nullement le bel esprit ; mais à n'en mentir pas je n'ai pu souffrir que vous crussiez que je ne pusse garder un cœur, quand je l'aurais conquis. Et puis il y a encore si peu que je me mêle d'en conquérir, poursuivit-elle en riant, que je suis un peu jalouse de mon pouvoir. »

Après cela s'étant arrêtée elle m'appela, ainsi Martius ne put lui dire rien davantage, et il se vit obligé de parler à d'autres dames. Cependant Lycaste s'étant débarrassé de celle qui lui parlait, vint nous joindre, et fit si bien que Plotine voulant passer un petit pont qui traversait un canal, lui donna la main, et qu'il lui aida ensuite à marcher. Comme il avait infiniment de l'esprit, et de l'esprit adroit, lorsqu'il voulait nuire à quelque rival, il prit la parole, et regardant Plotine, « Je ne sais, lui dit-il, si la conversation que vous avez eue avec Martius, était fort divertissante, mais il vous parlait en un endroit où quelque passion qu'il ait pour vous, il a plutôt dû soupirer de douleur, que d'amour ; car enfin j'ai su que la première fois que la belle et charmante personne qu'il a perdue, lui dit qu'elle voulait bien qu'il l'aimât, ce fut au même lieu qu'il vous entretenait peut-être de l'amour qu'il a pour vous.

— Je ne sais pas si Martius m'aime, répliqua Plotine, mais je sais bien que je sais assez me faire respecter pour qu'on n'ose me dire ce que je [ne] veux entendre.

— Quoi, Madame, reprit-il, vous pourriez empêcher éternellement qu'on ne vous dît qu'on vous adore : Ha ! non, non, ajouta-t-il, si Martius ne vous a pas encore dit qu'il vous aime, il vous l'a dû dire. Mais je vous confesse que pour vous prouver qu'il sait bien aimer, il fallait ne vous entretenir que de choses tristes, au lieu où il vous a entretenue.

— Eh de grâce ! répliqua-t-elle, dites-moi en quel lieu du monde pourriez-vous parler d'amour où vous n'en auriez point parlé ; vous, dis-je, qu'on accuse d'avoir dit mille fois que vous aimiez ?

— Mais, Madame, reprit-il, je n'ai aimé que des femmes qui ne m'aimaient pas ; mais pour Martius, il a été aimé, et aimé constamment ; et la tiédeur de son affection a fait mourir la personne qu'il avait tant aimée.

— Quant à ce que vous dites, répliqua Plotine, que vous n'avez jamais été aimé, il ne s'en faut pas trop étonner, car vous ne donnez pas le loisir à vos maîtresses de vous aimer.

— Ha ! pour vous, trop aimable Plotine, s'écriat-il, je vous promets de vous en donner tout le loisir que vous pourriez désirer, car je sens bien que je vous aimerai toute ma vie.

— Si cela est, ajouta-t-elle en souriant, je n'en serai pas trop fâchée, parce que cela me donnera lieu de venger toutes celles que vous avez quittées, et de faire voir qu'il peut être des rigueurs éternelles, aussi bien que d'éternelles amours. »

Plotine dit cela d'un certain air railleur, qui affligea sensiblement Lycaste. De sorte qu'il ne put plus lui parler de tout le reste du jour, parce qu'elle rejoignit toute la compagnie, dont elle ne se sépara plus. Depuis cela Martius et Lycaste n'oublièrent rien de tout ce qu'ils crurent devoir faire pour plaire à Plotine ; ils continuèrent même de vivre civilement ensemble ; parce qu'ils connurent qu'elle le désirait ainsi, mais ils ne laissèrent pas de se nuire autant qu'ils purent. Lycaste sachant que Lucie avait plusieurs billets de Martius à sa première maîtresse, et de cette personne à lui, la pria instamment de les montrer à Plotine, comme lui avait déjà montré l'élégie. Et en effet Lucie l'étant allée visiter une après-dînée, et la trouvant seule, elle agit si adroitement, qu'elle lui donna la curiosité de voir ces divers billets qu'elle disait avoir. « Je veux bien vous les montrer, disait Lucie à Plotine, mais si vous n'en profitez pas mieux que de l'élégie que vous avez déjà vue, je m'en repentirai sans doute, car enfin y a-t-il rien de plus cruel, que de voir après la mort d'une personne infiniment aimable, et infiniment vertueuse, que les marques les plus secrètes d'une affection, deviennent publiques par la négligence de celui qui a les a reçues ?

— Je confesse, dit Plotine, que si on pouvait toujours penser, qu'on peut être exposé à cette aventure, on n'écrirait jamais rien qui ne pût être vu de toute la terre ; mais le mal est sans doute que lorsqu'on accorde des lettres obligeantes, on a si bonne opinion de ceux à qui l'on écrit, qu'on ne craint pas qu'un semblable malheur doive arriver.

— Il y en a sans doute qui écrivent tout ce qu'elles pensent, par la raison que vous dites, répliqua Lucie, mais il y a en a d'autres, qui par une imprudence qui leur est naturelle, et par la seule envie d'avoir des billets doux, et des billets galants, écrivent non seulement à un homme, mais à plusieurs, et qui passent la moitié de leur vie à écrire des billets d'amour, et l'autre à les redemander à leurs galants. Il y en a même qui savent déguiser leur écriture de plusieurs façons, et d'autres encore qui n'écrivent pas de leur main, afin de pouvoir tout nier quand il leur plaira.

— Ha ! pour ces femmes-là, dit Plotine, je consens qu'on montre leurs lettres à toute la terre, car assurément elles ne sont pas dignes qu'on ait de la discrétion pour elles. Mais pour une personne qui a de la vertu, et qui n'a dans le cœur qu'une innocente affection, il y a bien de l'inhumanité à publier des choses qui peuvent être mal expliquées. Cela arrive pourtant si souvent, que je crois qu'il est bon pour s'empêcher d'écrire rien de trop doux, de songer à s'empêcher d'aimer, car quand on aime, la prudence est souvent mal écoutée, et la défiance est si opposée à l'amour parfaite, qu'on n'ose presque refuser à une personne qu'on aime, tout ce qui n'est pas criminel. Je crois même que plus une affection est innocente, plus les billets sont obligeants ; car comme on se fie à son innocence, on écrit avec plus de liberté ; c'est pourquoi pour ne s'exposer pas à un si grand malheur, et pour s'empêcher d'écrire, il faut comme je l'ai déjà dit, s'empêcher d'aimer. Mais pour me confirmer dans ce sentiment-là, ajouta-t-elle, montrez-moi de quelle manière Martius écrivait à Lysimire, et de quelle manière Lysimire écrivait à Martius.

— Je le veux bien, dit Lucie ; et pour faire que vous voyiez mieux combien les hommes sont trompeurs ou inconstants, je veux vous montrer des billets écrits en divers temps, de Martius à Lysimire. Voici donc un billet que Martius lui écrivit quelque temps après que Lysimire lui eut permis de l'aimer, et que lui ayant demandé quelque légère faveur qu'elle lui avait refusée, il en avait paru en colère, et l'avait quittée brusquement. »

Et en effet Lucie lut à Plotine ce que je m'en vais vous lire, car j'ai gardé les copies de tous les billets de Martius, parce qu'ils m'ont paru fort amoureux.

MARTIUS À LYSIMIRE

Je n'attends pas, Madame, que vous me reprochiez ma faute pour la reconnaître, pour m'en repentir, et pour vous en demander pardon. J'ai failli je l'avoue, je suis coupable, je ne puis excuser mon caprice que par un excès d'amour ; car enfin, Madame, que suis-je pour ne me contenter pas que la divine Lysimire, sache que je l'aime, sans me donner aucun témoignage d'une affection égale à la mienne. Ai-je mérité les autres bontés que vous avez pour moi, mille personnes de plus grand mérite ne seraient-elles pas satisfaites de la condition où vous permettez que je vive ? Hélas ! je ne le saurais nier ; mais de grâce, Madame, ne soyez point en colère contre moi, et n'ajoutez point aux supplices que je me fais moi-même, des supplices plus rigoureux et plus cruels. Si jamais personne aima plus tendrement, plus respectueusement, et plus ardemment que moi, je veux bien que vous me refusiez le pardon que je vous demande ; mais comme cela ne peut être, accordez-le moi, Madame, et croyez que je reconnaîtrai par une éternelle fidélité, le commandement que vous m'avez fait d'être fidèle. Je ne saurais pourtant deviner pourquoi vous me le recommandâtes avant-hier plus qu'un autre jour ; mais devineriez-vous aussi que je l'eusse été aujourd'hui plus que je ne le fus de ma vie. Quand vous m'aurez dit votre secret, je vous dirai le mien ; mais hélas ! quand aurai-je la joie de vous parler ? Je sais que j'aurai aujourd'hui l'honneur de vous voir, mais en un lieu où je ne pourrai faire rien moins que vous entretenir de mon amour ; plaignez-moi, Madame,

plaignez-moi, et imaginez-vous ce que vous auriez
à souffrir, si vous étiez obligée de cacher la plus
violente et la plus innocente passion du monde.

« J'avoue, dit Plotine, que le billet de Martius
est fort amoureux, et qu'il ne serait pas aisé de
concevoir qu'un homme qui écrit de cette sorte,
pût cesser d'aimer sans sujet.

— Voyez cet autre billet, reprit Lucie, car il a
encore quelque chose de plus passionné que le
premier », et en effet Plotine lut celui-ci.

MARTIUS À LYSIMIRE

Que je vous aime, Madame, que vous êtes aima-
ble, et que votre charmante lettre de ce matin m'a
tiré d'une grande peine. Que pourrai-je faire pour
vous rendre autant de joie qu'elle m'en a donné ?
Dites-le moi, Madame, car s'il ne s'agit que de mou-
rir pour votre service, je ne le refuserai pas. Rien
n'égale la douceur d'être aimé de la plus parfaite
personne du monde ; et vous aimant comme je
fais, j'ai quelquefois un regret extrême que vous ne
puissiez jamais avoir un plaisir égal au mien. Mais
de grâce, Madame, que ce plaisir m'accompagne
jusques au tombeau, que la fortune ne me le ra-
visse jamais, et qu'elle apprenne qu'il y a un bon-
heur plus grand que tous ceux qu'elle peut donner,
sur lequel elle n'a point de puissance. Pour recon-
naître tant de bontés, Madame, il n'y a rien que je
refuse, non pas même de contraindre la violente
passion que j'ai dans l'âme, quoiqu'elle n'ait rien
que d'innocent, s'il est vrai qu'elle ait quelque chose
qui vous déplaise. Cependant ne nous affligeons
point avant le temps, la fortune respectera peut-être
notre amour, et nous ne serons pas aussi malheu-

reux que vous le pensez. Et quand nous le serions,
vous savez ce que je vous disais au commence-
ment de ma passion, je ne suis pas pour m'en dé-
dire maintenant qu'elle est maîtresse de tous mes
sens, et qu'elle me tient lieu et d'âme et de vie :
aimez seulement Martius, qui sera éternellement à
vous, malgré tous les obstacles du monde, et faites,
Madame, que beaucoup d'amour lui tienne lieu de
beaucoup de mérite ; pardonnez-lui s'il ose vous
parler des bontés de sa divine Lysimire, il ne s'en
estime pas pour cela moins indigne, et cette douce
confiance n'ôte rien de son respect, bien qu'elle
ajoute infiniment à son amour.

« Ha Lucie ! s'écria Plotine, après avoir lu ce
billet, je ne veux point que Martius m'écrive, car
assurément il écrit trop passionnément, et trop
bien pour moi ; mais de grâce montrez-moi quelque billet de Lysimire.

— Je vais vous montrer quelque chose de plus,
dit Lucie, car je vous ferai voir des vers qu'elle fit
pendant une absence de Martius, qui quelque
temps devant que de partir, lui avait donné un
myrte fleuri le plus joli du monde, dans un de ces
beaux vases de terre façonnée qu'on fait si admirablement bien à Rome. De sorte que s'étant souvent entretenue de son chagrin auprès de ce
myrte, elle lui parlait ainsi.

Beau myrte si souvent arrosé de mes pleurs
Vous qui fûtes témoin de toutes mes douleurs,
Apprenez à Daphnis mes soupirs et mes larmes,
Dites-lui mes chagrins et mes tristes alarmes,
Que depuis son départ j'ai souffert nuit et jour
Tout ce que font souffrir et l'absence et l'amour,

Quand un cœur est rempli d'une tendresse
                                   extrême,
Et qu'il voudrait toujours posséder ce qu'il aime,
Si vous lui dépeignez mes amoureux tourments,
Puissiez-vous couronner les plus heureux amants,
Puissiez-vous, adoré dans l'empire de Flore,
N'être plus arrosé que des pleurs de l'Aurore.

— Ces vers ont assurément un caractère assez tendre, dit Plotine ; mais comment allèrent-ils entre les mains de Martius ?

— Imaginez-vous, reprit Lucie, qu'au retour de cet amant, il trouva que cette belle fille avait si bien parlé de lui pendant son absence, que tous ses autres amants étaient jaloux de lui. Si bien que la première visite qu'il lui fit, on fit une grande guerre à cette aimable personne en sa présence. D'abord elle en railla fort agréablement, mais comme la vérité est une chose qui touche, à la fin elle fut contrainte pour empêcher qu'on ne remarquât l'agitation de son visage, de feindre d'avoir oublié quelque chose dans son cabinet ; de sorte que Martius cherchant à lui pouvoir dire un mot, la suivit en lui faisant la guerre à son tour, de ce qu'elle ne pouvait souffrir qu'on la lui fît, mais en la suivant il releva ces vers qu'elle avait laissé tomber sans y penser. Si bien que les prenant sans qu'elle en vît rien, il les serra[1] et ne les vit que le soir ; ils lui donnèrent la joie que vous pouvez penser, il écrivit le lendemain au matin à Lysimire le billet qui suit.

MARTIUS À LYSIMIRE

La jalousie de tant d'amis, de tant d'amies, et de tant de rivaux, ne fait, Madame, que me rendre plus amoureux, et je ne puis vous dire quelle est ma joie, quand je m'imagine que je possède un cœur où tant d'illustres personnes m'estiment heureux d'avoir quelque place ; un cœur le plus généreux et le plus grand qui soit au monde. Ha ! Madame, n'est-ce point trop pour Martius ? Je vous jure pourtant qu'il aimerait mieux mourir que de se contenter de moins, et qu'il mourrait infailliblement si quelque autre pouvait avoir autant de gloire que lui. Non, Madame, ce malheur ne m'arrivera jamais, vos aimables vers m'en assurent, et je ne puis m'empêcher de baiser mille fois ces favorables marques de la tendresse de votre cœur. Entreprendrais-je de vous en rendre les très humbles grâces que je vous dois, il me serait impossible. Je vous dirai seulement, ou pour mieux parler, je vous jurerai que j'aimerai éternellement la divine Lysimire, mais comme elle veut être aimée, et comme elle mérite de l'être. Mais pour vous rendre deux vers au lieu des vôtres, que je compte pour cent mille, sachez que tant que mon voyage a duré, j'ai dit cent et cent fois,

L'absence ne détruit que les faibles amours,
Et je ne vois que trop que j'aimerai toujours.

— Ha ! Lucie, s'écria Plotine, je ne puis plus croire que Martius m'aime, parce que quoi que vous disiez je ne puis penser qu'il ait cessé d'aimer Lysimire toute morte qu'elle est.

— Vous le voyez pourtant fort gai auprès de vous, reprit Lucie, mais s'il n'avait été infidèle qu'aux cendres de Lysimire, on pourrait alléguer l'usage des amants vulgaires pour l'excuser. Mais enfin après mille billets plus engageants que ceux que je viens de vous montrer, il a pu venir insensiblement à l'aimer moins, quoiqu'il ait toujours eu de la civilité pour elle. Mais enfin en devenant heureux, il a entièrement cessé d'être amant, et depuis la perte de Lysimire, qu'il sentit pourtant alors vivement, vous voyez que vos yeux l'ont bien su consoler.

— Tout de bon Lucie, dit Plotine, vous êtes une cruelle personne, et je veux me venger sur Lycaste, de tout le mal que vous faites à Martius.

— Vous seriez bien injuste si vous en usiez ainsi, répliqua Lucie.

— Croyez-moi, reprit Plotine, en souriant, l'injustice a quelquefois quelque chose d'agréable en certaines occasions. Cependant je vous déclare, ajouta-t-elle, que je ne veux plus voir de ces billets-là, car ils me forceraient malgré que j'en eusse à aimer ou à haïr Martius, et je ne veux faire ni l'un ni l'autre.

— Ces deux choses-là ne se ressemblent guère, dit Lucie.

— Je l'avoue, reprit Plotine, mais je ne laisse pas de sentir mon esprit en état de pouvoir être capable de ces deux sentiments opposés.

— Pour vous empêcher de l'un et de l'autre, répliqua Lucie en souriant, aimez le pauvre Lycaste qui vous adore, et n'ayez que de l'indifférence pour Martius, qui a trop de mérite pour être haï, et qui n'aime pas assez constamment pour être aimé.

— Ha ! pour Lycaste, reprit Plotine, je vous déclare que je ne puis ni l'aimer ni le haïr, car il est trop agréable pour inspirer de la haine, et je le crois trop inconstant pour me donner de l'amour.

— Si cela est ainsi, répondit Lucie, vous aimerez infailliblement Martius.

— J'en serais bien fâchée, reprit Plotine, car je ne veux rien aimer que la gloire, mes amis, et moi.

— Quand on s'aime bien, répliqua Lucie, on aime quelquefois les autres pour l'amour de soi.

— Je vous assure, répondit Plotine, que je suis persuadée que quand on entend bien ses intérêts, on n'aime rien, du moins avec amour, car pour de l'amitié, la vie serait bien ennuyeuse si on n'en avait point.

— Il est si difficile en l'âge où vous êtes d'avoir des amis, répliqua Lucie, que vous avez bien la mine d'avoir des amants déguisés, et d'être de l'humeur de celles qui ne s'offensent que des apparences, et qui souffrent une passion sous le nom d'amitié.

— Pour moi, reprit Plotine, je ne suis pas obligée d'aller examiner de si près le cœur de mes amis, pourvu qu'ils ne me disent rien qui me fâche. Mais, ajouta-t-elle, je n'en suis pas encore là, car jusques à cette heure, je n'ai voulu avoir que des connaissances, et je n'ai point encore voulu choisir d'amis. Je sens pourtant bien que mon cœur cherche à en avoir, et que si ma raison ne s'opposait à lui, j'en aurais déjà quelqu'un.

— Du moins, dit Lucie, prenez garde à ces amants déguisés dont je vous ai parlé, car il n'y a rien de plus agréable et de plus dangereux qu'un amant qui contrefait l'ami.

— Je tâcherai de profiter de vos conseils, répliqua Plotine. »

Voilà donc aimable Amilcar, en quels termes cette charmante fille avait l'esprit pour ses deux amants. Le lendemain de cette conversation, Martius se trouvant en une promenade où était Plotine, et où Lycaste n'était pas, trouva lieu de l'entretenir le long d'une allée, et de lui parler un peu plus ouvertement de son amour qu'il n'avait

fait. D'abord Plotine le rebuta assez fièrement :
« Non, non, Martius, lui dit-elle, ne prétendez
point que votre mérite m'empêche de vous défendre de me parler de votre prétendue passion, car
si vous ne m'aimez point, vous me faites une injure de me le dire, et si vous m'aimez vous êtes
un assez honnête homme pour m'obliger à ne
vous laisser pas une espérance inutile.

— Mais, Madame, lui dit-il, pensez-vous qu'il
dépende de vous, de m'ôter la passion que vous
m'avez donnée, ni même de m'empêcher d'espérer ? L'amour est bien plus capricieux que vous ne
pensez, ajouta-t-il, il entretient l'espérance contre
la raison, et vous travaillerez en vain pour m'empêcher de croire que malgré vous vous m'aimerez
quelque jour. Oui Madame, la grandeur de ma
passion, et ma persévérance fléchiront infailliblement votre cœur.

— Il y a bien de l'audace en vos paroles, reprit-
elle.

— Je vous assure, reprit-il, qu'il y a plus
d'amour que d'audace, puisque je ne me confie
qu'en la grandeur de ma passion.

— Mais Martius, reprit Plotine, pensez-vous que
je puisse jamais aimer un homme qui a pu cesser
d'aimer une très aimable personne, dont il était
ardemment aimé ?

— Qui vous a dit, Madame, répliqua-t-il, que
j'ai jamais cessé d'aimer la charmante personne
que j'ai perdue ?

— Tout le monde, reprit-elle, et puis je me le
dis à moi-même, car si vous n'aviez pas cessé de
l'aimer, vous n'aimeriez que votre douleur, et
vous ne m'aimeriez point du tout.

— Ha ! Madame, répliqua Martius en soupirant, pourquoi me voulez-vous forcer à vous révéler un secret que j'avais résolu de ne dire jamais ?

— Je vous assure, répondit Plotine, que je n'ai nulle intention de vous forcer à me dire rien de particulier.

— Vous m'y forcez pourtant, reprit Martius, en me reprochant que j'aie cessé d'aimer la personne que j'ai perdue, afin d'avoir un prétexte de me défendre de vous aimer. Cependant il est certain que si je ne l'avais pas aimée jusques au-delà du tombeau, je ne vous aimerais peut-être pas. Mais, Madame, croyez-moi sur ma parole, sans m'obliger à vous particulariser les choses. »

Plotine ayant alors assez de curiosité de savoir ce que Martius lui voulait dire, le traita si fièrement, afin de le forcer à lui révéler ce secret caché, qu'enfin il se vit contraint de dire plus qu'il ne voulait. « De grâce charmante Plotine, lui dit-il, écoutez un malheureux qui vous adore. Ce que j'ai à vous apprendre est pourtant très difficile à dire, car il faut que je renouvelle toutes mes douleurs, et que malgré que j'en aie, je me mette au hasard d'être soupçonné de vanité, et de peu de discrétion. Sachez donc que j'ai sans doute été aimé de Lysimire, qui était assurément une des plus aimables personnes du monde ; et je puis vous jurer, que je n'ai jamais cessé un moment de l'aimer ; il est vrai qu'après que notre affection fut liée par mille serments, je changeai ma façon d'agir avec elle, parce que la bienséance le voulait, et qu'elle-même le voulait ainsi ; mais pour mon cœur il ne changea point du tout. Cependant pour mon malheur, Lysimire crut que Lucie ne m'avait pas haï autrefois, et ne me haïssait pas encore ; de sorte qu'elle vint insensiblement à avoir une jalousie secrète qui la dévorait.

— Quoi, interrompit Plotine, Lucie que je connais vous a aimé, et vous aime encore.

— Présentement, répliqua Martius, je crois que Lucie me hait, mais en ce temps-là Lysimire croyait qu'elle ne me haïssait pas, et elle craignait que je ne l'aimasse, quoique je n'eusse assurément pour elle qu'une certaine civilité, dont un honnête homme ne se peut dispenser quand il croit n'être pas haï. Cependant Lysimire voulant dissimuler son chagrin, et voulant m'empêcher de voir Lucie en particulier, aima mieux la voir tous les jours, quoiqu'elle la haït, que de ne la voir point, et de pouvoir craindre que je ne la visse en particulier ; si bien qu'elle devint inséparable de Lucie. Je ne m'arrêterai point, Madame, à vous dire combien de chagrins la pauvre Lysimire se donna sans m'en rien dire, car elle était glorieuse, et n'aimait pas à se plaindre, et combien je lui en donnai innocemment, par la civilité que j'avais pour Lucie, qui comme vous le savez a beaucoup d'esprit. C'est assez que vous sachiez que Lysimire devint peu à peu fort languissante, et fort mélancolique. Je m'en affligeai, et lui en demandant la cause, je connus enfin qu'elle avait l'esprit aussi malade que le corps. Je la priai, je la pressai de m'apprendre le sujet de son chagrin, mais elle ne voulut jamais me le dire. Les Dieux savent que je n'oubliai rien de tout ce que je crus qui pouvait lui plaire, pour la guérir ou la soulager. Je fis même une chose assez difficile à faire, car ayant à la fin su par une amie particulière de Lysimire, la véritable cause de sa tristesse, je ne vis plus Lucie que lorsque je ne pouvais l'éviter, et je lui dis tout ce qui pouvait l'assurer de mon affection. Mais pour son malheur elle douta de la sincérité de mes serments, et devint si malade qu'elle mourut en peu de jours. En mourant elle conserva sa jalousie jusques au dernier soupir, et me laissa écrit de sa main dans des tablettes que son amie me donna après sa mort, les tristes paroles que je m'en vais vous réciter.

J'ai assez vécu, Martius, puisque je vous ai té-moigné que je vous aimais, plus que ma vie, mais si j'ai eu quelque pouvoir sur vous, faites tout ce que vous pourrez pour épouser Plotine, quand le temps aura essuyé vos larmes. C'est la seule per-sonne que je puis souffrir qui tienne ma place dans votre cœur ; ne me refusez pas cette dernière grâce que je vous demande ; et si vous ne pouvez vous faire aimer de celle que je vous nomme, n'aimez rien que ma mémoire, je vous en conjure.

— Mais Martius, reprit Plotine, ce que vous dites peut-il être vrai ?

— Je vous le ferai voir quand il vous plaira, ré-pliqua Martius en soupirant. Je m'assure, ajouta-t-il, que vous concevez bien que la malheureuse Lysimire songea principalement à m'empêcher d'aimer Lucie, en me commandant de faire ce que je pourrais pour vous épouser, car elle ne vous connaissait pas particulièrement. Mais elle n'avait que faire de le craindre, car la regardant comme la cause innocente de la mort de Lysimire, je ne l'allai plus voir depuis que j'eus perdu cette aima-ble personne, que je regrettai avec une sensibilité de cœur que je ne vous puis exprimer. En effet je me résolus de n'aimer plus rien ; et quoiqu'elle m'eût commandé de faire ce que je pourrais pour vous épouser, je pris pourtant le parti d'être fidèle

à ses cendres, et de passer le reste de mes jours
avec beaucoup d'indifférence. Mais comme on ne
peut éviter son destin, après que le temps a eu di-
minué ma douleur, votre beauté, les charmes de
votre esprit, et mille qualités agréables que tout
le monde admire en vous, ont disposé mon cœur
à obéir à Lysimire ; de sorte que trouvant lieu de
faire mon devoir, en suivant mon inclination, je
vous ai aimée, et je vous aime, et pour l'amour de
Lysimire, et pour l'amour de vous. Jugez après
cela charmante Plotine, si je suis un infidèle ; car
enfin je vous jure avec toute la sincérité d'un
homme d'honneur, que sans vous je n'aurais jamais rien aimé que les cendres de Lysimire, et
que si Lysimire ne m'avait pas permis de vous
aimer, je me serais opposé de si bonne heure à la
passion que j'ai pour vous, que peut-être n'aurait-
elle pas été plus forte que ma raison. Il m'arriva
même un malheur qui m'affligea sensiblement,
car dans le désordre où la mort de Lysimire mit
ma raison, on me déroba une cassette où Lysimire et moi avions mis tout ce que nous nous
étions écrit, parce qu'elle n'osait garder mes lettres ; et pour moi j'ai toujours cru que Lucie pour
m'ôter tout ce qui pouvait me faire souvenir de
Lysimire, l'avait fait dérober. Je témoignai tant
de chagrin de cette perte, que mes amis particuliers savent bien que je ne suis pas un infidèle. »

Martius dit cela d'un air si touchant, et tellement comme un homme qui disait la vérité, que
la nouveauté de cette aventure fit assez d'impression sur l'esprit de Plotine. Elle se souvint alors
de tout ce que Lucie lui avait dit contre Martius,
et à l'avantage de Lycaste ; si bien que ne doutant
pas alors que ce ne fût un effet de l'inclination secrète qu'elle avait toujours pour Martius, Plotine

en fut un peu moins sévère à cet amant. Elle ne
lui permit pourtant pas de l'aimer, mais elle ne
lui défendit pas si absolument, qu'il pût désespérer d'en obtenir un jour la permission. Et en effet
il apporta tant de soins à plaire à Plotine, qu'elle
souffrit qu'il lui dît quelquefois quelque chose
des sentiments qu'il avait pour elle. C'était pourtant toujours d'une manière qui ne l'engageait à
rien ; car comme elle a l'esprit enjoué, elle se tire
sans peine des choses les plus difficiles. Cependant depuis sa conversation avec Martius, Lucie
lui devint insupportable, et comme elle ne me cachait rien de tout ce qu'il lui arrivait, elle me dit
tout ce qu'elle avait appris de Martius, et je connus
bien à l'air dont elle me parlait, que cet amant
était plus heureux qu'il ne pensait l'être. Ce n'est
pas que Plotine eût une grande passion dans le
cœur, mais toujours avait-il l'avantage d'être
mieux dans son esprit que pas un de ses rivaux.
Aussi disait-elle qu'il était son premier ami. Cependant Lycaste était bien malheureux, et si Lucie ne
l'eût consolé, et ne lui eût toujours donné quelque
espérance, je crois qu'il se serait guéri. Mais cette
personne qui voulait servir Lycaste, principalement pour nuire à Martius, n'oubliait rien pour
faire réussir son dessein, car encore que Plotine ne
l'aimât plus, par prudence elle ne laissait pas de
continuer de la voir. Comme Martius devint plus
heureux, il devint plus gai ; si bien qu'il ne songeait tous les jours qu'à donner de nouveaux divertissements à Plotine. Il avait pourtant souvent
du chagrin de voir qu'il ne faisait pas plus de progrès dans le cœur de cette belle fille, mais le malheur de Lycaste lui était une consolation très
sensible. En ce temps-là il arriva plusieurs choses
assez plaisantes ; mais comme je n'aime pas les

longs récits, j'accourcirai celui-ci le plus que je
pourrai. Il faut pourtant que je vous dise que Plotine et Martius, ayant fait une gageure, mon amie
perdit, et donna un cachet[1] fort joli à Martius, qui
le reçut avec joie, mais quelques soins qu'il apportât à le conserver, il le laissa tomber en se prome-
nant dans une prairie avec des dames, mais si
heureusement pour lui, que je le retrouvai, et le
lui rendis. Quelques jours après il perdit des tablettes que je lui avais données, et qui avaient été
à Plotine, et il eut encore le bonheur que Plotine
les trouva, et les lui rendit ; mais en les lui renvoyant, elle lui envoya ces vers, qui convenaient à
une conversation qu'ils avaient eue le jour auparavant, où Plotine soutenait qu'on pouvait recommencer d'avoir de l'amitié, quoiqu'on eût cessé
d'en avoir, mais qu'on ne pouvait jamais avoir
deux fois de l'amour pour une même personne :
voici les vers.

Enfin vous êtes trop heureux,
Tout ce que vous perdez le sort vous le redonne,
Gardez-vous bien pourtant d'en être moins soigneux,

C'est Plotine qui vous l'ordonne,
Car dans l'empire des Amours,
Lorsque l'on perd un cœur, on le perd pour toujours.

Martius répondit à cette galanterie avec beaucoup d'esprit ; mais comme je ne me souviens pas
assez bien ni de ses vers, ni de son billet, je n'entre-
prendrai pas de vous les dire. Cependant comme
on ne fit pas un secret de ces six vers, Lycaste en
eut tant de jalousie, qu'il querella Martius,
mais de telle sorte qu'ils en vinrent aux mains.
Ils se battirent donc, et se blessèrent, mais

Martius le fut légèrement, et Lycaste le fut de telle sorte, qu'on connut d'abord qu'il en mourrait. Si bien qu'encore que ce fût lui[1] qui fut l'agresseur, il fallut que Martius s'éloignât d'Ardée, et qu'il s'en éloignât même sans dire adieu à Plotine, qui ne voulut jamais lui accorder une audience particulière. Ainsi il fallut qu'il se contentât de lui écrire, et d'avoir une réponse de quatre lignes seulement. Quelques jours après son départ, Lycaste mourut sans être regretté de pas une de ses maîtresses, excepté de Plotine, qui en eut pitié, et qui fut bien marrie qu'il mourût, principalement parce que sa mort exilait Martius. Durant son absence il écrivit très soigneusement à Plotine ; mais comme Lucie savait bien qu'en amour l'absence est le temps le plus propre pour nuire à un amant, principalement quand l'absence est longue, et que la maîtresse est fort jeune, et aime la joie et les plaisirs, elle ne désespéra pas de pouvoir à la fin détruire Martius dans le cœur de Plotine. En effet un frère qu'elle avait revenant d'un long voyage, et ayant vu Martius durant quelque temps au lieu qu'il avait choisi pour sa retraite, elle l'obligea à faire une méchanceté pour la contenter. Il était jeune, il n'était pas naturellement trop bon, il n'aimait pas même Martius, il aimait à donner de l'inquiétude, il ne haïssait pas à mentir, et avait un peu aimé Plotine dès son enfance ; si bien que Lucie ayant concerté avec lui, sur ce qu'il devait dire de Martius, il vint pour me faire une première visite ; et ayant su que je me faisais peindre ce jour-là, pour donner mon portrait à Plotine, il vint où j'étais ; mais comme ce n'était pas chez un peintre ordinaire et que la conversation qu'on fit chez lui changea l'esprit de Plotine, à l'égard de Martius, il faut que je vous dise quelque chose de cet excellent homme.

— Sa réputation, reprit Amilcar, est sans doute venue jusques à moi, car si je ne me trompe, c'est un homme qui fait des portraits en crayon blanc et noir, et en petit, et qui s'appelle Nélante[1].

— C'est celui-là même, reprit Césonie.

— Mais est-il possible, répliqua Amilcar, que ces portraits-là ressemblent aussi bien, et aient autant de vie, que des portraits colorés ?

— Imaginez-vous, répondit Césonie, qu'un miroir ne représente pas plus juste ceux qu'il peint, que les crayons de cet excellent homme ; car il pénètre dans le cœur des gens pour animer leurs portraits. Il fait paraître leur esprit et leur humeur, il exprime jusques aux moindres mouvements de leur âme dans leurs yeux, la moindre action remarquable ne lui échappe point, il conserve jusques à la ressemblance des habillements, on distingue avec du blanc et du noir, les cheveux bruns des cheveux blonds, on peut même discerner les couleurs vives des couleurs pâles, et tous ses portraits sont inimitables. Il sait si bien ménager la lumière et l'ombre, et donne si parfaitement l'air et la vie à ses crayons, que tous les savants en peinture sont surpris de son travail. Les têtes qu'il fait sont tellement en bosse[2], que les yeux en sont trompés, et l'on y voit une certaine mollesse, qui imite si bien la nature, qu'on ne le peut assez louer. Au reste Nélante est grand, bien fait, et de bonne mine, il parle bien de tout, il divertit ceux qu'il peint par la variété de sa conversation, il aime fort les belles choses, et il a fort bien écrit des préceptes de son art[3]. Il fait même des vers fort agréablement et fort à propos, lorsqu'il peint quelque personne qui lui plaît, et qu'il veut louer ; et ce qu'il y a de surprenant, c'est que dans le même temps qu'il fait ses admirables crayons[1], qui méritent d'être admirés de tout le monde, il parle avec le même enjouement et la même liberté d'esprit, que s'il n'avait rien à faire qu'à divertir la compagnie, et cependant il n'y a rien de plus beau ni de plus achevé que ce qu'il fait[2]. Aussi a-t-il peint tout ce qu'il y a de gens de haute qualité, et de gens illustres et savants en Italie. Voilà donc quel est celui chez qui je fus un jour avec Plotine pour me faire peindre, lorsque le frère de Lucie, dont je vous ai parlé m'y vint trouver. Comme il est assez ordinaire de faire des questions à un homme qui vient d'un long voyage, je me mis à demander plusieurs choses à Célius ; c'est ainsi que s'appelait le frère de Lucie ; mais comme Plotine avait son dessein caché, elle se mit à railler de mes demandes, et à conseiller à Célius de ne me répondre point, ou s'il me répondait de ne me point dire la vérité. « Car enfin, lui dit-elle, je ne trouve rien de plus importun, que d'être obligé à rendre compte de ses voyages à tous ceux qu'on rencontre. En effet y a-t-il rien de plus incommode, ajouta Plotine en souriant, que de rencontrer de ces gens qui veulent savoir jusques aux moindres circonstances des pays qu'on a vus, qui veulent qu'on connaisse jusques à la différence qu'il y a des fourmis d'Égypte, qu'on dit qui sont si grandes, aux fourmis d'Italie, et qui faisant questions sur questions, ne savent pourquoi ils veulent savoir tout ce qu'ils demandent. Mais pour moi, qui ne me soucie ni des éléphants d'Asie, ni des fourmis d'Égypte, ni des crocodiles du Nil, je veux seulement demander à Célius si les femmes d'Italie sont aussi aimables que celles qu'il a vues ailleurs, et si les honnêtes gens de ce pays-ci, ne valent pas bien ceux des autres pays.

— Quand on parle à deux des plus charmantes personnes du monde, reprit Célius, on n'a pas la liberté de dire qu'il y ait rien ailleurs qui les puisse égaler ; mais si je parlais en un autre lieu, après vous avoir exceptées, j'avouerais ingénument que les Grecques ont quelque chose de fort touchant, et que leurs regards sont si propres à l'amour, qu'on ne les peut guère voir sans les aimer, si ce n'est qu'on ait le cœur engagé ailleurs.

— Vous avez donc aimé quelque belle Grecque, repris-je.

— Puisque j'ai été si longtemps absent, répliqua-t-il, il est aisé de s'imaginer qu'il faut que j'aie eu de l'amour en quelque lieu du monde, car assurément on devient plus facilement amoureux ailleurs qu'en son pays, car les absents sont toujours oisifs, et l'oisiveté sert assez à faire naître l'amour.

— Je connais pourtant des absents, répliquai-je en regardant Plotine, que je jurerais bien qui ne sont point amoureux au lieu de leur exil.

— En vérité, reprit-elle en rougissant, il ne faut point dire cela si affirmativement, car il y a peu de gens qui sachent être absents comme il faut. Cependant je ne trouve rien de plus obligeant que de l'être comme je l'entends. Mais à n'en mentir pas, je ne trouve guère de personnes qui ne s'accoutument à ne voir plus les gens qu'ils aiment le mieux. C'est pourtant la chose du monde qui me ferait le plus de dépit, ajouta-t-elle, car toute enjouée qu'on me voie, je suis assurée que je ne m'accoutumerais point à ne voir pas une personne que j'aimerais fort, que j'en serais toujours plus triste, plus négligée, que je la désirerais à tous les moments, que je n'aurais point de plaisirs aux lieux mêmes où les autres en trouveraient le plus, et que chaque jour mon chagrin augmenterait. Cependant pour l'ordinaire, deux jours après qu'un amant ne voit plus sa maîtresse, il se console, il se pare comme auparavant, il se promène, il se divertit, il se souvient toujours moins de ce qu'il aime, et n'est plus affligé que lorsqu'il écrit.

— J'avoue, répliqua Célius, que la plupart des hommes sont comme cela, mais avouez aussi que la plupart des femmes se consolent aussi promptement que les hommes.

— Je l'avoue de bonne foi, dit Plotine, mais de l'humeur dont je suis, si j'avais le malheur d'aimer quelqu'un de ces absents consolés, s'il est permis de parler ainsi, et que je le susse, je me consolerais si bien de sa perte, que je le mettrais peut-être un jour en état d'être inconsolable, car la plupart de ces absents-là, quand ils reviennent, parlent comme s'ils ne s'étaient point consolés.

— Il est vrai, dit alors Nélante, sans cesser de peindre, que la plupart des absents sont de grands menteurs, car j'ai vu un jour un amant absent, qui m'obligea de mettre en petit un grand portrait qu'il avait d'une maîtresse qu'il avait laissée à Volterre d'où il était. Comme il prenait assez de plaisir à me voir travailler, il venait fort souvent me visiter ; et je me souviens d'un jour entre les autres que je le vis fort gai. Il me conta plusieurs divertissements où il s'était trouvé les jours auparavant, il chanta, il fit des vers plaisants sur un portrait que j'avais fait ; j'en fis aussi à mon tour, je contrefis l'Africain pour le divertir, et me divertir moi-même ; en suite de quoi s'étant souvenu que c'était le jour qu'il fallait qu'il écrivît à Volterre, il me demanda de quoi écrire. Comme il eut à moitié écrit, on le vint quérir pour aller à une promenade, de sorte qu'il laissa sa lettre à moitié écrite, et fut se promener avec des dames, sans se soucier d'achever d'écrire, quoiqu'il ne le pût plus faire que dans quelques jours. Comme il fut parti, j'ôtai le billet qu'il avait commencé, et en l'ôtant j'avoue que je le lus. Mais je fus bien surpris de voir qu'il écrivait à sa maîtresse, comme l'homme du monde le plus triste, le plus chagrin, et le plus affligé de son absence. Car il lui disait qu'il fuyait le monde, qu'il ne se divertissait à rien, et qu'il menait la plus ennuyeuse vie qui fut jamais. Et ce qu'il y eut de rare, fut qu'au retour de la promenade, il repassa chez moi, et sans songer à sa lettre, il me pria de laisser le portrait que j'avais commencé, et de vouloir dès le lendemain commencer celui d'une des dames avec qui il s'était promené l'après-midi. De sorte que depuis cela, je ne me suis pas trop fié aux lettres des absents.

— Pour moi, reprit Célius, j'avoue que je n'ai encore jamais vu d'absent longtemps mélancolique.

— Je connais pourtant un absent, repris-je, que vous ne devez pas avoir vu fort gai, car comme il est exilé pour une affaire fâcheuse, je m'imagine que vous devez l'avoir trouvé triste.

— Je vois bien, reprit Célius, que vous voulez parler de Martius ; mais comme on m'a dit, ajouta-t-il malicieusement, que son cœur est une conquête que l'aimable Plotine a rejetée, je ne craindrai pas de dire que j'ai vu une belle personne au lieu où il est, qui se vante d'être fort aimée de lui. Je dis qui se vante, parce que c'est une femme qui dit assez facilement les conquêtes qu'elle fait.

— Celles qui se vantent si aisément de prendre des cœurs, dit Plotine en rougissant, ont bien la mine de ne savoir pas l'art d'en conquérir.

— Quoi qu'il en soit, reprit-il, elle m'a montré des billets fort jolis, et je pense même lui en avoir dérobé un sans qu'elle s'en soit aperçue.

— Martius écrit si bien, reprit Plotine, que j'ai beaucoup de curiosité de voir de ses lettres, principalement d'amour, car je n'en ai pas vu de lui. »

Célius voyant Plotine dans les sentiments où il voulait qu'elle fût, lui montra effectivement un billet d'amour de Martius, que Lucie lui avait baillé, car elle en avait cent entre ses mains, qui n'avaient même point de nom. De sorte que Plotine connaissant l'écriture et le style de Martius, crut qu'il était inconstant, et ne soupçonna point Lucie de cette fourbe[1] de Célius. Et comme elle était fort sensible et fort glorieuse, elle sentit cette aventure plus que vous ne pouvez vous imaginer. Mais elle la sentit avec fierté, et au lieu de se plaindre à Martius de son inconstance, elle prit la résolution de faire tout ce qu'elle pourrait pour le chasser de son cœur. Ainsi le lendemain elle ne lui répondit que ce peu de paroles, à un billet très obligeant qu'il lui avait écrit.

PLOTINE À MARTIUS

Quand on se divertit fort bien aux lieux où l'on est, il ne faut point chercher de plaisir ailleurs, c'est pourquoi pour votre commodité, et pour la mienne, ne vous donnez plus la peine de m'écrire, mais n'oubliez point je vous en conjure, que je vous ai dit autrefois,

> *Que dans l'empire des amours,*
> *Lorsque l'on perd un cœur, on le perd pour toujours.*

Vous pouvez juger combien cette lettre surprit Martius, qui effectivement était très fidèle. Ce n'est pas qu'il n'y eût une belle femme au lieu où il était, qui avait donné quelque prétexte au mensonge de Célius, car c'était une de ces femmes qui par mille petites inventions que la coquetterie enseigne, forcent les honnêtes gens à leur dire plus qu'ils ne veulent, et plus qu'ils ne pensent. Martius écrivit encore plusieurs fois à Plotine, mais elle ne lui répondit plus. Et je lui dis aussi plusieurs fois qu'elle avait tort de condamner Martius sur le simple rapport d'un homme qui avait quelque amour pour elle, et qui de plus était frère de Lucie, qui ne cherchait qu'à nuire à Martius. « Je crois peut-être plus que vous, répondit Plotine, que Martius n'est pas aussi coupable que je fais semblant de le croire, mais à n'en mentir pas, comme je serais bien marrie, aujourd'hui que ma raison est un peu plus forte qu'elle n'était, d'avoir une grande passion dans l'âme, je cherche moi-même à accuser Martius, et à profiter de ma colère. J'avais cru autrefois, poursuivit-elle en rougissant, qu'on pouvait être aimée d'un fort honnête homme, sans l'aimer qu'autant qu'on le trouvait à propos ; mais je m'en suis désabusée, et je sens bien que si je n'y prenais garde, je viendrais peut-être à aimer plus Martius qu'il ne m'aime. C'est pourquoi pour éviter un aussi grand malheur que celui-là, je vous conjure de ne me dire jamais rien qui puisse servir à justifier Martius. Il est absent, je puis le soupçonner d'inconstance, je suis glorieuse, j'aime la liberté et la joie, il n'en faudra pas davantage pour me guérir. » Plotine dit pourtant cela d'un certain air fier et dépit[1], qui me fit croire qu'elle aurait plus de peine à chasser Martius de son cœur qu'elle ne

pensait. Cependant je fis ce qu'elle désirait, c'est-
à-dire que je ne lui parlai plus de Martius. Après
cela il arriva bien des choses en la fortune de Plotine, que je ne m'amuserai pas à vous dire, soit
par l'absence de celui de qui elle croyait être fille,
soit par la mort de celle qu'elle croyait être sa
mère. Mais enfin comme je changeai de condition,
Plotine vint demeurer avec moi, un peu devant
que Tarquin vînt assiéger Ardée. Cette entreprise
surprit si fort notre ville, que je ne saurais vous
représenter quelle fut d'abord l'épouvante qui fut
parmi le peuple. Mais comme ceux d'Ardée sont
fort braves, ils se remirent bientôt, et se résolurent
à se bien défendre. Les choses étant en cet état,
Martius profitant de cette occasion, et sachant
qu'on devait essayer de faire passer un convoi
dans la ville, se mit à la tête de ceux qui l'escortaient, et fit de si belles choses, qu'on peut dire
qu'il fit entrer seul le convoi dans Ardée. Dès qu'il
y fut il alla trouver ceux qui gouvernaient, et parlant avec beaucoup d'éloquence et de hardiesse,
dit qu'il venait demander à mourir pour sa patrie.
Cette action parut si belle, que malgré les parents
de Lycaste, Martius eut la liberté de demeurer
dans Ardée, où l'on avait grand besoin de gens faits
comme lui. De sorte que Martius revint auprès de
Plotine mais il ne s'y trouva plus comme autrefois. En ce temps-là Horace avait amené Clélie à
Ardée, et tout le monde avait été si charmé de sa
beauté et de sa vertu, qu'elle s'y était fait adorer,
quoiqu'elle fût fort mélancolique. Plotine et moi
fûmes les deux personnes pour qui elle témoigna
avoir le plus de bonté ; elle nous confia ses malheurs, et nous lui promîmes de la servir en tout
ce que nous pourrions, quoique Horace la gardât
très soigneusement. Cependant Martius était au

désespoir de ne pouvoir regagner le cœur de Plotine ; ce n'est pas qu'il ne lui fît voir son innocence clairement. Célius même qui n'était pas trop brave, craignant d'être traité comme Lycaste, et étant lors brouillé avec sa sœur, justifia celui qu'il avait accusé, car l'amour qu'il avait pour Plotine, était une de ces amours de jeunes gens, qui croient qu'il irait de leur honneur, s'ils ne contrefaisaient pas les amants. Cependant quoique Plotine vît bien que Martius était innocent, son cœur n'était plus pour lui ce qu'il avait été. « Mais pourquoi, Madame, lui disait-il un jour, ne me redonnez-vous pas ce commencement d'affection que vous aviez pour moi ?

— C'est parce, reprenait-elle, que je ne le veux ni ne le puis. Pour mon estime, lui disait Plotine, je vous la redonne tout entière, mais pour cette espèce d'affection pleine de ne je sais quelle tendresse inquiète, je ne pourrais la rappeler dans mon cœur, quand je le voudrais. Le dépit l'en a chassée, et ma raison étant devenue la plus forte, l'empêchera d'y revenir.

— Ha ! injuste personne que vous êtes, s'écria Martius, vous me faites éprouver la plus cruelle aventure qui fut jamais, et la mort de Lysimire n'a rien eu de plus fâcheux pour moi. Elle est morte en m'aimant, elle m'a commandé de vous aimer, elle ne m'a rien ôté, je n'ai qu'à me louer de sa constance, sa mémoire m'est encore douce ; mais pour vous, je vous perds sans vous perdre, je vous vois plus aimable que jamais, mais je vous vois sans espérance d'être aimé. Encore si je n'avais point eu d'espoir, j'aurais patience, mais vous avouiez vous-même que vous aviez quelque bonté pour moi.

— Je l'avoue tout de nouveau, répliqua Plotine, et si j'en avais moins eu, j'en aurais peut-être encore ; mais à n'en mentir pas après avoir senti que mon cœur était si près d'être engagé, que je n'en eusse plus été la maîtresse, pour peu que j'eusse encore continué de vous aimer, je rends grâces au dépit qui m'a guérie.

— Mais, Madame, ce dépit était mal fondé, reprit-il.

— Mais Martius, on n'est pas obligé d'aimer tous ceux qui ne nous ont pas trahis.

— Il est vrai, répliqua-t-il, mais je crois que lorsque l'on a commencé d'aimer quelque chose, on doit l'aimer toujours.

— Si je vous l'avais promis, répondit Plotine, je vous tiendrais ma parole, mais je ne vous ai jamais avoué que je vous aimais, que lorsque je ne vous ai plus aimé, et que je ne vous veux plus aimer.

— Ha ! Madame, s'écria-t-il, vous portez la cruauté trop loin, et je ne crois pas qu'il y ait jamais eu d'aventure égale à la mienne.

— Tout de bon, reprit Plotine, rien ne vous nuit dans mon cœur que votre mérite, et la tendresse que j'ai eue pour vous, et je vous confesse ingénument, que vous êtes le seul homme que j'aie vu, que j'aie jugé digne de mon affection. Mais je vous assure en même temps, que j'eus tant de honte de connaître ma faiblesse, lorsque je crus que vous en aimiez une autre, que je ne suis pas résolue de me retrouver jamais en pareil état. Mais pour reconnaître l'affection que vous avez pour moi, de la manière dont je le puis, je vous assure aussi que je suis dans la résolution de défendre mon cœur toute ma vie, et même de ne me marier jamais, car se marier sans aimer ceux qu'on épouse, c'est selon mon sens la plus folle, et la plus cruelle chose du monde, et s'assurer sur l'affection de quelqu'un, est la plus grande témérité qui fut jamais. C'est pourquoi la liberté est le parti le plus sûr, et si vous m'en croyez, mon exemple vous servira. Aussi bien est-il juste que vous soyez fidèle aux cendres de Lysimire.

— Hélas ! reprit Martius, qu'il est aisé à une indifférente de conseiller l'indifférence. Mais comment peut-il être que ne m'ayant point haï, vous me haïssiez ?

— Si je vous haïssais, répliqua-t-elle, je vous pourrais encore aimer ; mais Martius, je vous estime, et je puis même avoir pour vous d'une certaine amitié solide, qui n'engage que l'esprit, et qui n'émeut guère le cœur.

— Ha ! Madame, je ne veux point de cette amitié-là, reprit Martius, et j'aime mieux mille fois la haine.

— En vain voudriez-vous être haï, répliqua Plotine, car je vous estime trop pour cela.

— Quoi, Madame, reprit-il brusquement, il y a une égale impossibilité pour moi, à acquérir votre haine ou votre amour ?

— Oui, reprit Plotine, et comme je m'aime trop pour vous aimer, je vous estime trop pour vous haïr. Mais pour vous découvrir le fond de mon cœur, sachez que je vous ai la plus grande obligation du monde, de ce que vous serez cause que je n'aurai point de peine à résister à l'affection de tous ceux qui pourront peut-être à l'avenir avoir dessein de me plaire, car après le danger où vous avez exposé ma liberté, j'y penserai de si bonne heure, qu'elle ne sera plus en péril.

— Quoi, Madame, reprit l'affligé Martius, vous pouvez m'ôter l'espérance pour toujours ? Ha ! Madame, ajouta-t-il, vous ne vous connaissez pas bien, et votre cœur malgré vous me rendra peut-être justice.

— Non, non, Martius, reprit-elle d'un air fort sérieux, vous ne me verrez jamais engagée en une affection de cette nature, j'aime la joie, le repos et la gloire, et je les veux conserver toute ma vie. Après cela ne me dites plus rien, car je ne vous répondrais plus. »

Martius voulut lui désobéir, mais elle l'empêcha de parler, et depuis cela Plotine évita si soigneusement de lui donner occasion de l'entretenir en particulier, qu'il ne la put trouver. Il connaissait bien qu'elle disait vrai, et comme elle a toujours l'esprit enjoué et galant, quand elle le fuyait, elle lui disait en souriant qu'elle le craignait ; de sorte qu'il en était cent fois plus misérable. Car il était vrai qu'en ce temps-là Plotine souffrait plutôt Damon, Sicinus, et Acrise, qui étaient déjà amoureux d'elle, quoiqu'elle ne les aimât ni ne les estimât, qu'elle ne souffrait Martius pour qui elle avait beaucoup plus d'estime. De sorte que Lucie en avait bien de la joie. « Mais pourquoi ne fuyez-vous pas Acrise, lui disais-je un jour ?

— C'est parce qu'il parle trop, reprit-elle, et que je ne puis jamais craindre qu'il me puisse plaire.

— Pourquoi donc n'évitez-vous pas Sicinius ? répliquai-je.

— C'est parce qu'il parle si peu, ajouta-t-elle, que je ne puis pas appréhender qu'il me persuade ; et pour Damon, poursuivit Plotine, je ne dois pas non plus craindre qu'il me fasse changer de sentiments pour lui.

— Mais comment peut-il être, reprenais-je, que vous ayez autrefois tant résisté à celles qui voulaient vous empêcher de suivre l'inclination que vous aviez pour Martius, et qu'aujourd'hui que vous auriez plus de raison de l'aimer, vous ne l'aimez plus ?

— C'est qu'en ce temps-là, dit-elle, l'inclination était forte, et la raison était faible, mais le dépit m'ayant guérie de ma préoccupation[1], j'ai pris la sage résolution de passer toute ma vie en liberté. Je veux bien avoir, ajouta-t-elle, d'une certaine amitié galante, qui n'embarrasse point, et qui ne divertit guère moins que de l'amour ; mais pour de grandes passions, je n'en veux point du tout, car on n'en peut jamais avoir sans chagrin.

— Le chemin que vous voulez prendre, lui dis-je, est peut-être aussi dangereux que celui que vous voulez éviter, car plusieurs de ces amitiés galantes, approchent assez aisément de la coquetterie si on n'y prend garde.

— Vous verrez, me dit-elle, que je saurai bien me démêler d'un pas si dangereux, et que je connais mieux que vous ne pensez les bornes de toutes les diverses sortes d'amitiés dont on peut avoir.

— Mais que n'en avez-vous de quelqu'une de ces espèces-là, répliquai-je, pour le pauvre Martius, pour qui je suis présentement ?

— Eh ! Césonie, reprit-elle en souriant, ne savez-vous pas qu'il y a un proverbe qui dit,

Que sur les mers d'amour un habile Nocher,
Ne brise pas deux fois contre un même rocher.

— Vous parlez si peu sérieusement, lui répliquai-je, que j'ai envie de ne vous dire plus rien.

— Tout de bon Césonie, reprit-elle, je dis positivement ce que je pense, et je vous déclare que je ne veux de ma vie avoir nulle sorte d'affection qui me donne de l'inquiétude. Quand je commençai d'avoir de l'inclination pour Martius, j'étais si jeune, que je n'eus pas la force de m'y opposer, mais présentement je suis assurée que je défendrai mieux mon cœur. Car enfin je suis tellement résolue de me bien aimer, et d'aimer par conséquent le repos, la liberté et la gloire, comme je l'ai dit quelque autre fois, que je n'aimerai de ma vie pas un de ces gens qu'on ne peut aimer sans hasarder ces trois choses-là, qui sont sans doute les plus agréables du monde.

— Mais ne pourriez-vous pas épouser Martius ? repris-je.

— Si je voulais épouser quelqu'un, répliqua-t-elle, j'avoue que Martius m'y pourrait obliger ; mais Césonie je hais si fort le mariage, que je n'ai garde de le regarder comme devant être mon mari. Et pour moi je suis tellement résolue de ne me marier jamais, que je ne crois pas que rien me puisse faire changer de sentiments. En effet je ne trouve rien de plus beau que de prendre la résolution de vivre libre ; et quand je considère toutes les suites presque infaillibles du mariage, elles me font trembler. Ce n'est pas que je ne conçoive qu'il pourrait y en avoir quelqu'un d'heureux ; mais Césonie, où trouvera-t-on deux personnes qui aient assez d'esprit, assez de constance, assez d'amitié l'une pour l'autre, assez d'égalité d'humeur pour vivre toujours bien ensemble ? Il peut y en avoir, mais il y en a peu, et je ne crois pas être assez heureuse pour trouver une si grande félicité. C'est pourquoi il m'est bien plus aisé de prendre la résolution de vivre en liberté[1]. »

Comme elle disait cela, par un cas fortuit étrange, tous ceux qui avaient alors de l'amour pour Plotine, vinrent les uns après les autres me voir, et se trouvèrent tous ensemble dans ma chambre. Si bien que Plotine se trouvant en sa belle humeur, se mit à me dire en riant, qu'elle avait quelque envie pour ne tromper personne, de faire une déclaration publique de ses sentiments. Ainsi en raillant de la meilleure grâce du monde, elle leur dit à tous qu'elle avait absolument résolu de ne rien aimer fortement, et de ne se marier jamais ; et que le plus que l'on pouvait espérer, était de lui plaire, d'acquérir son estime, et d'avoir quelque part à une espèce d'amitié tranquille dont elle était résolue d'avoir toute sa vie. « Car enfin, disait-elle, je ne veux jamais m'exposer à trouver des amants indiscrets, infidèles, capricieux, tièdes, inégaux, et fourbes ; ni me mettre au hasard d'avoir un mari, ni jaloux, ni avare, ni prodigue, ni bizarre, ni impérieux, ni chagrin, ni coquet, ni peu honnête homme, ni par conséquent à avoir des enfants mal faits, peu honnêtes gens, ingrats et méchants ; et j'aime sans comparaison mieux passer toute ma vie avec la liberté d'avoir des amies et des amis tels qu'il me plaira. Car je sens bien que si je me mariais, je serais si bonne femme, que j'en serais misérable. »

Tous les amants de Plotine s'opposèrent à ses sentiments, et principalement Martius ; mais elle leur répondit si bien qu'ils ne surent plus que lui dire. Et en effet elle demeura ferme dans sa résolution. Cependant n'y ayant pas grand plaisir à demeurer dans une ville assiégée, trois ou quatre des amies de Plotine, et des miennes, prirent la résolution aussi bien qu'elle et moi, de se servir de l'occasion de Clélie pour sortir d'Ardée, car Horace croyant que Tarquin prendrait la ville, ne voulut pas y demeurer. Si bien que Plotine sans considérer la douleur qu'elle causerait à Martius, l'employa pour négocier cette affaire, et pour faire que la même escorte qui servirait à Clélie, nous servît. La conversation de Plotine et de Martius, fut tout à fait extraordinaire, et je ne sais comme Plotine put être aussi ferme qu'elle le fut. Car il n'y a rien de tendre, de doux, et de passionné, qu'il ne lui dît pour lui toucher le cœur, mais elle ne changea point de sentiments, et tout ce qu'il put en tirer, fut qu'il ne la verrait jamais aimer personne plus que lui, et qu'elle ne se marierait de sa vie. Et en effet si le pauvre Martius avait vécu, je vous déclare que vous auriez eu moins de part au cœur de Plotine que vous n'en avez ; mais il faut que vous sachiez que lorsque nous sortîmes d'Ardée avec Clélie, ce généreux amant malgré sa douleur, vint lui-même nous escorter. Il fit cela d'un air si héroïque et si touchant que Plotine l'en estima beaucoup davantage. Comme on craignait d'être plus tôt découverts par les ennemis si on prenait beaucoup de gens avec nous, Horace, Martius, et huit de leurs amis, furent les seuls qui se chargèrent de notre conduite. Mais pour notre malheur nous trouvâmes Hellius, qui était un des ministres de la cruauté de Tarquin, qui vint à la tête de vingt des siens attaquer Horace, Martius, et leurs amis.

« Quoi, interrompit Amilcar, Martius était parmi ceux qu'Hellius combattait, lorsqu'Aronce, Herminius, et Célère, dont Artémidore, Zénocrate, et moi nous étions séparés le matin, arrivèrent, et emmenèrent Clélie qui était au pied d'un arbre avec vous ?

— Oui, reprit Césonie, et le malheureux Martius fut tué par Hellius dès le commencement du combat, quoiqu'il fût très brave. Aussi fut-ce sa valeur qui causa sa mort, parce qu'il se précipita avec trop de violence contre ceux qui voulaient prendre

Plotine et ses amies. Je ne vous dirai point tout ce qui se passa en cet endroit, car vous avez su de la bouche d'Aronce, comment Horace et Hellius s'étant aperçus qu'on leur enlevait Clélie, s'unirent pour l'attaquer, et comment Aronce, Herminius, et Célère résistèrent à tant d'ennemis à la fois.

— Oui, généreuse Césonie, reprit Amilcar, je sais tout ce qui se passa en cette grande journée ; je sais ce que fit Clélie, en se mettant courageusement au-devant de ceux qui voulaient attaquer ses trois protecteurs, je sais quel fut cet effroyable combat, je sais de quelle façon Aronce combattit Horace, de quelle manière le généreux Herminius défendit sa vie et sa liberté, et parla à Hellius, et avec quelle générosité Aronce assista Horace blessé, qu'il trouva la nuit dans un bois ; mais je ne sais point de quelle sorte Plotine regretta Martius, lorsque l'on vous eut prises, et que l'on vous mena à Tarquin.

— Ne vous informez pas tant de sa douleur, reprit Césonie, car vous la trouveriez peut-être trop forte ; tout de bon, ajouta-t-elle, on ne peut pas avoir plus d'affliction qu'en eut Plotine de la perte de Martius, et durant assez longtemps elle ne sentit point la rigueur de sa captivité, parce qu'elle sentait avec excès la perte de Martius. Mais à la fin comme on ne peut pas aller contre son tempérament, elle se consola par la pensée que peut-être si Martius eût vécu, aurait-elle eu la faiblesse de ne pouvoir toujours défendre son cœur ; et depuis cela, comme vous le savez, votre connaissance a remis la joie dans son âme[1]. »

Césonie ayant cessé de parler, Amilcar la remercia, de lui avoir appris ce qu'il y avait si longtemps qu'il avait envie de savoir. « Ce n'est pas, ajouta-t-il, que je ne sois presque affligé de ce que Plotine ne put jamais recommencer d'aimer Martius, car si malgré moi je lui faisais jamais dépit, et qu'elle m'ôtât son amitié, elle ne me la redonnerait jamais non plus qu'à Martius.

— À mon avis, reprit Césonie, vous êtes si peu accoutumé à être maltraité, que vous ne craignez pas autant que vous dites, de ne pouvoir faire votre paix avec Plotine, si vous vous brouilliez avec elle.

— Au contraire, répliqua Amilcar, je n'ai presque jamais été fort heureux, et je ne le suis encore guère, car enfin, Plotine n'a assurément qu'une tendresse d'amitié pour moi.

— Mais est-il possible, dit Césonie, qu'Amilcar puisse avoir été presque toujours maltraité ?

— Comme je ne suis pas capable d'une fausse gloire, reprit-il, j'avoue de bonne foi, que j'ai rarement été fort aimé. J'ai eu souvent l'avantage d'être agréable, même à celles qui m'ont maltraité ; mais mon humeur enjouée et badine, m'a fait un tort en galanterie sérieuse, que je ne vous puis exprimer. Cependant comme elle m'a bien donné autant de plaisir, que m'en auraient pu donner les faveurs de mes maîtresses, je ne me plains pas de mon destin. »

Tandis que les otages sont reconduites au camp de Porsenna, Amilcar se dirige vers Préneste à la demande de Publicola, qui croit savoir que Mutius s'y est arrêté. Le jour de la Fête de la Fortune, l'Oracle rend ses décisions tant attendues : Artémidore, à qui vient d'échoir le royaume des Léontins, épousera Bérélise, tandis que Clidamire sera unie à Méléonte ; Téanor et Émilius trouveront le bonheur en épousant celle qui les aime, quand bien même ils n'en sont pour le moment pas amoureux ; Valérie est promise à Herminius, ses amants Émile et Mutius se consoleront l'un par sa vertu, l'autre par la gloire, tandis que le dépit guérira Spurius de sa passion ; Anacréon connaîtra une fin digne de sa vie passée au milieu des plaisirs ; Amilcar apprend qu'il doit mourir en Italie, et les amants de Plotine qu'ils ne seront pas heureux...

Le lendemain de cette journée, Amilcar pris d'un malaise au cours d'un festin meurt brusquement, non sans avoir chargé Herminius de ses adieux à Plotine et à ses amis, qui le pleurent tristement.

Pendant ce temps, la situation ne s'est nullement améliorée à Rome, ni au camp de Porsenna...

Mais pendant que ces choses se passaient à Préneste, [...] Aronce était dans sa prison bien malheureux, et bien désespéré. Sextus était très affligé d'avoir manqué à enlever Clélie, et ne songeait à autre chose qu'à chercher les voies de l'enlever une seconde fois. Tullie ne pensait qu'à perdre Aronce et Clélie, Tarquin qu'à chercher les moyens de remonter au trône, Galérite et la princesse des Léontins, qu'à servir Aronce et Clélie, Artémidore qu'à son bonheur, et qu'à protéger Aronce, Zénocrate qu'à sa jalousie, Thémiste qu'à s'en retourner dès qu'Aronce serait hors de danger, Publicola qu'à assurer la paix, et Horace qu'à son amour[1]. Cependant ce sage Romain qui était allé conduire ces vingt belles Romaines à Porsenna, étant en chemin d'aller au camp, se vit attaqué par Sextus, qui étant à la tête de cent chevaux, voulut une seconde fois enlever Clélie. L'escorte qu'avaient ces belles filles n'était que de cinquante hommes seulement, ainsi le nombre était fort inégal. Joint que celui qui leur commandait étant déjà assez vieux, ne pouvait pas encourager les siens par son exemple, avec la même ardeur que faisait Sextus, à qui l'amour augmentait le courage. Ce prince était pourtant déguisé, car cette entreprise s'était faite du consentement de Tullie, qui prétendait en donnant cette satisfaction à

Sextus, faire croire à Porsenna, que les amis d'Aronce avaient enlevé cette belle fille, de peur qu'elle ne déposât contre Aronce, et par conséquent hâter par cet artifice la perte de ce grand prince. Et en effet d'abord la chose réussit à Sextus, car pendant que ces cinquante Romains combattaient contre les siens, il fit tuer celui qui conduisait le chariot où étaient Clélie, Valérie, Hermilie, et Plotine, et faisant prendre sa place à un homme qu'il avait destiné à cet usage, il fit prendre le chemin de Tarquinies à ce chariot, qu'il escorta lui vingtième, durant que tous les siens attaquèrent les Romains pour les amuser[1]. Ce dessein lui réussit, car les Romains voyant le gros des chariots arrêtés, ne pensèrent pas à celui où était Clélie. Si bien que Sextus croyant que rien ne pouvait plus s'opposer à son bonheur, Clélie, Valérie, Plotine, et Hermilie avaient beau crier, leurs cris n'étaient point écoutés. Mais quoique Sextus fût fort déguisé, Clélie ne douta point que ce ne fût lui qui l'enlevait. Ainsi se résolvant courageusement à la mort, elle ne faisait plus que songer de quelle manière elle se la pourrait donner, pour prévenir tous les malheurs qu'elle avait sujet de craindre. D'autre part le combat était assez âpre au lieu où étaient toutes les autres Romaines, qui étaient si effrayées qu'elles ne s'aperçurent point que Clélie était enlevée.

Cependant comme ce sage Romain qui conduisait les otages, avait envoyé à Rome pour demander du secours, il arriva que celui qu'il y envoya rencontra Horace à la porte qui s'y était arrêté avec Octave. De sorte que les ayant avertis de ce qui se passait, ils envoyèrent avertir les consuls ; mais pour eux sans attendre le secours qu'ils jugeaient bien qu'on enverrait, ils montèrent promptement à cheval, et furent où le combat se faisait. Mais en y allant, ils virent de dessus une petite éminence, le chariot où était Clélie, escorté par Sextus, qui était déjà assez loin. S'imaginant donc alors que ce chariot pouvait être celui où était tout ce qu'ils aimaient, ils furent d'abord à ces chariots arrêtés, où ne trouvant point ce qu'ils cherchaient, ils furent à l'endroit du combat, mais au lieu de s'y arrêter, « Eh de grâce ! dit Horace, en parlant à quatre ou cinq Romains qu'il trouva les plus proches, venez nous aider à tirer les filles de Clélius, celle de Publicola, et la sœur de Brutus, des mains de leurs ravisseurs. » À ces noms-là, ces Romains sans hésiter suivirent Horace et Octave, et laissèrent leurs compagnons bien empêchés à soutenir l'effort des Tarquiniens. Mais quoique Horace et Octave, suivis de ces cinq Romains, allassent à bride abattue, ils n'eussent pu joindre Sextus, s'il ne fût arrivé par bonheur, que dans la précipitation avec laquelle ce prince violent faisait aller les siens, ils n'eussent pris un chemin pour un autre. Si bien que s'étant engagé en un endroit où l'on avait fortuitement abattu de grands arbres, qui empêchaient de passer, il fallut de nécessité qu'il retournât sur ses pas, et qu'il allât vers ceux qui allaient vers lui. Néanmoins comme il les vit en petit nombre, il ne s'en inquiéta point, et laissant quatre des siens pour garder le chariot, il fut avec le reste au-devant de ceux qui venaient, avec une résolution qui par l'inégalité du nombre avait quelque chose de fort héroïque. Cependant Clélie et ses compagnes regardaient avec douleur, et sans espérance, ceux qui les venaient secourir. Mais leurs sentiments furent bien mêlés, lorsqu'elles reconnurent Horace et Octave, car en quelque péril que se trouvât Clélie, la mort avait quelque chose de plus doux pour elle, que d'avoir de l'obligation à Horace, et d'autre part voyant son frère en un aussi grand danger, elle en avait bien de l'inquiétude. Hermilie toute indifférente qu'elle était à toutes choses, en fut en peine, et Valérie et Plotine sans tant raisonner, faisaient des vœux pour leurs protecteurs.

Cependant Horace voyant Sextus déguisé, ne douta pas que ce ne fût lui qui fût le chef de l'entreprise. De sorte qu'allant à lui l'épée à la main, « Qui que tu sois, lui cria-t-il, il faut que je te punisse de ta lâcheté. » Horace fut à lui si déterminé, que s'il ne se fût retiré en parant, il l'eût tué du premier coup ; mais dans ce même temps ce vaillant Romain se vit enveloppé de la moitié des gens de Sextus, pendant qu'Octave combattait le reste avec une valeur incroyable. D'abord deux de ceux qui suivaient Horace et Octave, furent tués, si bien qu'ils n'étaient plus que cinq contre un nombre trois fois plus grand. Il est vrai qu'Horace en tua deux, et qu'Octave en blessa trois ; mais un des gens de Sextus qui ne songeait qu'à faire vaincre son maître, de quelque façon que ce fût, ne s'attacha qu'à tuer, ou du moins à blesser les chevaux d'Horace et d'Octave. En effet ces deux braves ne se doutant pas de cette lâcheté, et ne pensant qu'à attaquer et à se défendre, sentirent que leurs chevaux leur manquaient, et se virent démontés, et par conséquent en grand danger, principalement Horace, car étant tombé engagé sous son cheval, son épée se faussa. Il fit pourtant des choses prodigieuses en cet état-là, et Octave après s'être débarrassé, disputa encore sa vie et sa liberté. Mais comme quinze ou seize hommes à cheval, contre deux à pied, sont un nombre trop inégal (car les trois autres qui leur restaient avaient pris la fuite, en les voyant tomber), ils furent à la fin accablés. Ils ne furent pourtant blessés que très légèrement, mais l'épée d'Horace s'étant achevé de rompre, il fut pris prisonnier par Sextus. De sorte qu'Octave étant alors tout seul, ne put plus résister à la force des ennemis, et fut désarmé et pris aussi bien qu'Horace. Sextus ravi de sa victoire, ôta une gaze qu'il avait devant le visage, et se montra à ceux qu'il avait vaincus, pour insulter davantage à[1] leur malheur. « Ah lâche ! s'écria Horace quand il le reconnut ; est-il possible que je sois vaincu par toi ? Mais non, ajouta-t-il, n'espère pas de jouir de ta victoire, les Dieux sont trop justes, et ces pierres se changeront plutôt en soldats, que le ciel permette que tu sois maître du destin d'Horace, et de tant de personnes vertueuses. » Sextus sourit du discours d'Horace, sans répondre, et fit inhumainement lier derrière un des siens ce généreux héros, traitant un peu mieux Octave, parce qu'il était frère de Clélie, après quoi il recommença de marcher.

La douleur de Clélie et de ses compagnes, fut alors si forte, qu'elles ne pouvaient se plaindre, mais à peine Sextus eut-il eu le loisir de penser qu'il allait avoir la joie de remettre Horace au pouvoir de Tarquin et de Tullie, qu'il avait Clélie en sa disposition, et que cet enlèvement hâterait la mort d'Aronce, qu'il vit ce prince à l'entrée d'un petit bois où il fallait qu'il passât, et qu'il le vit à la tête de dix hommes de qualité, entre lesquels était Télane amant de Plotine. Cette vue le surprit si fort qu'il fit faire halte à ses gens. D'autre part Horace qui était au désespoir d'avoir été vaincu devant Clélie, voyant Aronce, eut une honte étrange d'être vu en cet état par un rival qui lui était si redoutable. Néanmoins un senti-

ment d'amour lui fit désirer qu'il délivrât Clélie ;
mais en même temps ce même amour fit qu'il dé-
sira la mort, ne trouvant rien alors qui lui pût
être plus avantageux. D'autre part Clélie qui
croyait Aronce en prison, fut bien surprise de le
voir, et craignant qu'il n'eût le destin d'Horace,
elle avait des sentiments si mêlés, qu'elle ne pouvait les démêler. Pour Aronce, il ne fut pas étonné
de rencontrer Sextus, ni de voir Clélie, car il n'avait
forcé sa prison que pour la délivrer, sur l'avis
qu'il avait eu par un de ses gardes, que Sextus la
voulait enlever, lorsque le Sénat la renverrait au
camp. Mais il était étrangement surpris de voir
Horace prisonnier de Sextus. Cependant ce grand
et généreux prince, après avoir regardé Clélie
d'assez loin, comme voulant lui demander un re-
doublement de valeur, par un regard favorable,
fut droit à ceux qui gardaient Horace lié, car
Sextus s'était retiré du premier rang, pour donner ses ordres aux siens. De sorte qu'Aronce abor-
dant fièrement ceux qui gardaient son rival, « Ha
lâches ! leur dit-il, est-ce ainsi que vous traitez le
plus brave homme du monde ? » En disant cela il
en tua un, et en blessa deux, et faisant délier Horace, commanda à son écuyer de lui donner une
épée et un cheval, qu'il faisait mener en main, et
prenant la parole, « Venez Horace, lui dit-il, venez
m'aider à délivrer Clélie, car comme je vois bien
que Porsenna a résolu ma mort, je ne sache que
vous au monde, quand je ne serai plus, qui soit
digne de la servir, et capable de la défendre. — Ha
Aronce ! s'écria Horace, c'est pis d'être délivré par
vous, que d'être vaincu par Sextus. » Après cela
Aronce ayant aperçu Octave, le mit aussi en liberté, malgré la résistance de Sextus, qui étant
revenu de son étonnement, après avoir donné ses

ordres aux siens assez tumultuairement, combattait comme un tigre désespéré. Mais Aronce animé
par l'amour qu'il avait pour Clélie, par la haine
qu'il avait pour Sextus, par l'estime qu'il avait pour
Horace, et par le dessein de le surpasser, fit des
choses si prodigieuses en cette occasion, qu'Horace
et Octave en furent épouvantés, quoiqu'ils fussent
braves entre les plus braves. Ils le secondèrent
pourtant autant qu'ils purent ; mais comme ils
s'étaient tous deux assez blessés en tombant, ils
n'avaient pas la liberté de montrer tout leur courage, car Horace avait le bras droit à moitié démis,
et Octave était si blessé à un genou, qu'à peine
pouvait-il se tenir ferme à cheval. De sorte que ce
fut presque Aronce seul qui soutint l'effort de cet
âpre combat. Télane s'y signala aussi hautement,
ce combat devint pourtant encore plus dangereux
pour Aronce, car ceux qui étaient demeurés à combattre pour amuser les Romains, croyant Sextus
assez éloigné, se retirèrent, et voyant Sextus
aux mains avec Aronce, se joignirent à lui. Mais
comme les Romains en avaient tué, et que quelques-uns s'étaient débandés, ce renfort, quoique
très considérable, ne fit qu'augmenter le cœur[1]
d'Aronce, et jugeant bien que pour défaire ses ennemis tout d'un coup, il fallait tuer Sextus, il se
fit jour pour aller à lui, en tuant ceux des siens qui
voulaient le défendre, et il se fit alors un furieux
combat entre ces deux rivaux. D'abord Aronce
blessa Sextus, qui lui déchargeant un grand coup,
l'eût peut-être tué, ou dangereusement blessé, s'il
ne l'eût paré avec adresse, et si sans perdre temps
il ne lui en eût déchargé un autre sur la tête, qui
l'étourdit tant il fut pesant. Cependant tous les
gens de Sextus ne songeant qu'à lui, Aronce était
toujours attaqué par plusieurs à la fois, mais il se

démêla si bien de tant d'ennemis, et en tua tant,
qu'étant secondé d'Horace, d'Octave, de Télane,
et de tous les autres qui l'avaient suivi, Sextus vit
qu'il n'avait alors guère plus de gens qu'Aronce ;
si bien que se sentant blessé, perdant l'espérance
de vaincre, et craignant fort de tomber après ce
qu'il avait fait au pouvoir de Porsenna, ou au
pouvoir des Romains, il se résolut à la fuite, sachant bien qu'il avait un cheval fort vite[1]. Et en
effet commençant de lâcher le pied, et de se retirer en combattant, tout d'un coup il se retira suivi
des siens, à bride abattue, et s'enfonça dans le bois
par des sentiers détournés qu'il connaissait, et
qu'Aronce ne connaissait pas. Ainsi l'ayant perdu
de vue, l'amour le rappela auprès de Clélie, malgré
l'envie qu'il avait de tuer Sextus. Mais comme Horace connaissait mieux ce bois-là qu'Aronce, il prit
une route suivi d'Octave et de Télane, par où il espéra couper chemin à Sextus, pendant quoi Aronce
allant droit au chariot de Clélie, fut reçu avec
mille témoignages d'amitié, et d'elle et de ses compagnes, qui lui donnèrent mille louanges. « Ce
que j'ai fait, Madame, dit-il à Clélie, est si peu de
chose, qu'il ne faut pas perdre des moments qui
nous sont précieux, à me louer plus que je ne mérite. C'est pourquoi il faut que je vous conduise à
Rome, et qu'après cela j'aille apprendre au roi
mon père, que je n'ai pas forcé ma prison comme
un parricide qui veut éviter le supplice qu'il mérite, mais comme un amant malheureux et fidèle,
qui a voulu défendre ce qu'il adore.

— Quoi, Seigneur, reprit Clélie, vous n'êtes
sorti de prison que pour me secourir, et je puis
croire que vous êtes constant pour moi ; eh de
grâce, ajouta-t-elle, dites-moi comment vous avez
pu faire.

— J'ai été averti par un garde fidèle, répliqua-t-il, que Sextus vous voulait enlever ; ensuite de cela j'en ai suborné quelques-uns, j'ai forcé les autres, et ayant trouvé Télane et un écuyer, ils ont ramassé en un moment ceux qui m'ont suivi, et je suis venu assez heureusement pour vous rendre peut-être le dernier service de toute ma vie, car comme je vous l'ai dit, Madame, il faut que je retourne en prison dès que je vous aurai ramenée à Rome.

— Ha ! Seigneur, répliqua Clélie, que cette générosité est cruelle ; mais pour vous imiter en quelque sorte, ne me ramenez point à Rome, et menez-moi au camp, afin que je serve à vous justifier.

— Non, non, Madame, lui dit-il, ce n'est pas à moi à ramener des otages au roi, ils ne lui seraient peut-être plus inviolables. C'est pourquoi il faut absolument que je vous conduise à Rome, d'où les consuls vous y renverront s'ils le veulent ; mais si vous m'en croyez, Madame, n'y revenez point quand on vous y voudra renvoyer, et toute la grâce que je vous demande si je meurs, c'est que vous croyiez que je n'ai jamais aimé que vous, que je vous ai plus aimée qu'on ne peut aimer, et que je ne regretterai que vous seule en mourant. »

Comme Aronce parlait ainsi, Horace, Octave, et Télane revinrent les joindre, sans avoir pu trouver Sextus. Après quoi prenant tous le chemin de Rome, ils rencontrèrent ceux que les consuls avaient envoyés au secours des otages, qui allaient chercher Clélie et ses compagnes. Aronce sut par eux que l'on avait fait rentrer dans la ville toutes ces belles Romaines, jusques à ce que l'on eût su ce que c'était que cette aventure, et qui avait fait cette injuste entreprise. Aronce voulut pourtant

escorter Clélie jusques à deux cents pas de Rome.
Pendant le chemin il se fit entre Horace et lui une
conversation qui ne fut entendue de personne, et
où il paraissait bien à leur visage qu'ils se contrai-
gnaient étrangement, et qu'Horace était au désespoir de devoir tant de fois la vie à son rival ; mais
enfin Aronce étant obligé de se séparer, dit adieu
à Clélie et à ses compagnes d'une manière qui
toucha le cœur de tous ceux qui le virent, car il
paraissait sur son visage une fermeté héroïque,
quoiqu'on vît pourtant dans ses yeux une tristesse extrême, et qu'il fût aisé de connaître que
l'amour seul la causait. Pour Clélie, on n'a jamais
rien vu de si triste qu'elle parut en cette occasion,
mais sa mélancolie était accompagnée de tant de
sagesse, qu'elle en faisait plus de pitié. Plotine
pria Télane d'empêcher Aronce de retourner dans
sa prison, mais il lui dit que ce prince aimait trop
la gloire, pour se résoudre à se laisser soupçonner
d'être coupable. De sorte qu'il fallut se résoudre à
le voir partir. Aronce et Horace se séparèrent avec
civilité. « Souvenez vous, lui dit le prince d'Étrurie, de ce que vous m'avez promis. — Je n'y man-
querai pas, répliqua Horace, mais souvenez-vous
aussi qu'en quelques occasions on peut être excu-
sable d'être ingrat. » Aronce embrassa Octave
avec tendresse, et après avoir encore une fois dit
adieu à Clélie d'un air le plus touchant du
monde, il reprit le chemin du camp, où toutes
choses étaient en une confusion étrange.

En effet Porsenna apprenant qu'Aronce avait
forcé sa prison, acheva de se confirmer dans
l'opinion où il était, que ce prince était coupable,
et avait conspiré contre sa vie. De sorte que dans
la préoccupation où il était, il dit qu'il ne fallait
plus d'autres preuves, et commanda qu'on allât

après, qu'on le lui ramenât, afin qu'il le fît punir comme un parricide, n'étant plus besoin d'autres preuves. D'ailleurs ce sage Romain qui avait eu la conduite des otages, l'ayant envoyé avertir qu'il ne pouvait les lui mener ce jour-là, parce que l'on avait enlevé Clélie, il crut qu'Aronce était celui qui avait fait cet enlèvement ; de sorte qu'assemblant toutes ces conjectures, il s'en forma dans son esprit un dessein inébranlable de perdre et Aronce et Clélie, s'il pouvait les avoir en sa puissance. Galérite, ni la princesse des Léontins, ni tous les amis d'Aronce, ne pouvaient même rien dire qui parût vraisemblable contre ces deux choses, car ils ne savaient rien de la vérité. Ainsi il y avait une consternation universelle dans tous les esprits ; car la fuite d'Aronce faisait même un très mauvais effet parmi les soldats qui lui étaient le plus affectionnés. D'autre part Tarquin et Tullie attendaient en leur quartier avec une impatience étrange, ce qui arriverait d'une intelligence[1] qu'ils avaient dans Rome ; de l'enlèvement de Clélie ; de l'accusation que Porsenna faisait à Aronce, et du dessein de suborner celui qui expliquait les Sorts à Préneste, et en tout cas leurs troupes avaient ordre de se tenir toutes prêtes à marcher s'il le fallait.

Mais s'il y avait du tumulte au camp, il y en avait aussi beaucoup à Rome, car les uns disaient qu'il ne fallait plus renvoyer les otages, parce qu'il y avait apparence que Porsenna savait l'entreprise de Sextus, et qu'assurément il avait voulu avoir Clélie en sa puissance, sans qu'il parût qu'il eût violé la foi publique. Publicola demeura pourtant toujours ferme en son opinion, et il y demeura d'autant plus, que ce jour-là Horace et Octave ne purent sortir à cause de leurs blessu-

res, car peut-être l'amour les aurait obligés à s'y
opposer. D'ailleurs Clélie, après avoir eu le consentement de toutes ses compagnes, demanda à
retourner vers Porsenna, afin d'accuser Sextus, et
de justifier Aronce autant qu'elle pourrait, car sa
jalousie était alors de beaucoup diminuée. En ce
même temps on découvrit l'intelligence que Tarquin et Tullie avaient dans Rome, et l'on se saisit
de celui qui avait promis de livrer la porte Névie[1]
aux Tarquiniens. De sorte que tout cela ensemble
causait un si grand désordre dans la ville, qu'on
assembla le Sénat extraordinairement, pour avi-
ser à tout ce qu'il était à propos de faire. On résolut donc de renvoyer les otages avec une bonne
escorte, de faire savoir à Porsenna l'entreprise de
Sextus pour enlever Clélie, et celle de Tarquin sur
Rome après un traité de paix. Mais durant que
tout était en confusion et à Rome et au camp, et
que l'infâme Sextus tout noirci de crimes, se reti-
rait à Tarquinies, blessé et désespéré d'avoir manqué son entreprise, le généreux Aronce accablé
d'ennuis, s'en allait rentrer dans sa prison. En y allant il trouva quelques-uns de ceux qui faisaient
semblant de l'aller chercher pour le prendre, et
qui ne le cherchaient que pour l'avertir de la colère de Porsenna ; mais quoi qu'ils lui pussent
dire, il ne voulut point changer de dessein ; il pria
même Télane de le quitter, de peur qu'il fût mal
avec Porsenna, mais Télane ne le voulut pas
faire. Quand il fut au camp il alla droit à sa prison, et n'y trouvant plus de gardes, il envoya Télane au roi son père pour lui en redemander, et
pour le conjurer de lui permettre de le voir, afin
de lui rendre compte de son action. Mais ce prince
avait l'esprit si irrité, que bien loin d'écouter Télane, il le fit arrêter et conduire à la même prison

d'Aronce où l'on envoya promptement des gardes ; car Porsenna crut dans sa faveur, que le prince son fils n'était revenu que parce qu'il avait vu qu'il serait repris, ou que peut-être encore aurait-il obligé quelques-uns de ceux qu'il avait envoyés après lui à dire qu'il retournait de lui-même. De sorte qu'il n'avait alors dans l'esprit que le dessein de faire punir Aronce.

Le lendemain Galérite suivie de la princesse des Léontins, de la charmante Hersilie, et de la généreuse Mélinthe, entra dans sa tente pour lui parler pour Aronce. Mais devant que la reine d'Étrurie pût lui rien dire, on avertit ce prince que les Romains lui renvoyaient les otages. Ce prince surpris de voir qu'après ce qui venait d'arriver, on lui renvoyait ces vingt belles filles, en parut embarrassé, quoiqu'il souhaitât fort d'avoir Clélie en son pouvoir, pour tâcher de s'en servir à convaincre Aronce. « Le Sénat, dit-il brusquement, se fie bien à la foi publique, de me renvoyer une personne qui a du moins su la conjuration qu'on a faite contre ma vie. — Ah ! Seigneur, s'écria Galérite, le prince n'est assurément point coupable. — Vous le verrez, Madame, lui dit-il, vous le verrez. Cependant ajouta-t-il avec un air chagrin, qu'on fasse entrer les otages. » Cet ordre fut donné, ce Romain qui les conduisait, et qui se nommait Célius, entra, suivi de ces vingt belles Romaines. Mais comme il ne fut pas alors défendu d'entrer, le prince Artémidore, Thémiste, Théomène, Zénocrate, plusieurs officiers, et beaucoup d'autres, entrèrent en même temps. La vue de ces vingt belles filles, qu'il n'avait pas voulu voir lorsqu'elles étaient dans son camp, surprit Porsenna. Elles entrèrent de bonne grâce, elles le saluèrent avec une civilité qui n'avait rien que de noble, et portant sur le visage une hardiesse modeste, elles le forcèrent à les regarder moins fièrement qu'il ne voulait. Il combattit pourtant ce premier sentiment qu'il ne put retenir, et rappelant sa fureur, « Qui d'entre vous, leur dit-il, sans vouloir écouter Célius, qui avait voulu commencer de parler, fut assez téméraire pour concevoir l'injuste dessein de violer le droit des gens, en sortant de mon pouvoir sans ma permission, et pour s'exposer plutôt à périr dans le Tibre, qu'à demeurer dans mon camp ?

— Ce généreux dessein, reprit promptement Valérie, qui ne voulait pas que toute la colère de Porsenna s'adressât à Clélie, est si glorieux, que toutes mes compagnes et moi voulons bien y avoir part.

— Non, non, trop généreuse amie, répliqua Clélie en regardant Valérie, il n'est pas juste que vous vous exposiez injustement à la colère d'un grand roi, c'est pourquoi, Seigneur, ajouta-t-elle en parlant à Porsenna, apprenez la vérité par ma bouche, et sachez que ce glorieux dessein m'appartient à moi seule, et que je n'oubliai rien pour le persuader à mes compagnes, qui sachant le juste sujet que j'avais de l'entreprendre, furent assez généreuses pour exposer leur vie afin de conserver ma gloire.

— Dites plutôt, répliqua Porsenna, que la peur d'être contrainte par la force d'accuser un criminel que vous aimez, vous obligea de fuir.

— Ah ! Seigneur, répliqua Clélie sans s'étonner, et sans s'emporter, si j'avais cru le prince votre fils capable d'un crime aussi horrible que celui dont vous l'accusez, bien loin de l'aimer, je l'aurais haï, car mes parents m'ont appris par leur exemple à haïr le vice, même sur le trône. Mais, Seigneur, je ne suis sortie de votre camp, que parce que je fus avertie que Sextus me voulait enlever. De sorte que croyant que rien ne me devait être si cher que la conservation de ma gloire, je méprisai la mort qui me paraissait presque assurée, et j'entrepris de passer le Tibre. Mais pour prouver ce que je dis, vous n'avez qu'à vous donner la peine d'écouter ce que Célius a ordre de vous dire de la part du Sénat. »

Clélie dit cela d'un air si noble, que Porsenna fut étonné de sa grande beauté, de son esprit, et de sa hardiesse. De sorte que craignant que si elle parlait davantage, son cœur ne devînt sensible à la pitié, il commanda à Célius de s'acquitter de sa commission : « Seigneur, lui dit ce sage Romain, j'ai ordre du Sénat de rendre les otages à votre majesté, et de lui dire que durant que Rome lui tient si exactement sa parole, ceux que vous avez protégés contre elle, vous outragent avec toute l'injustice imaginable ; car enfin Sextus voulut hier enlever Clélie, et attaqua à la tête de cent chevaux, ceux qui l'escortaient, et que je commandais. D'abord il parut déguisé, mais dans la suite il se fit connaître. Horace fut pour secourir cette vertueuse fille, et trois de ses compagnes qu'il tenait déjà sous sa puissance, mais la valeur d'Horace, et celle d'Octave frère de Clélie, fut contrainte de céder au nombre ; ainsi ils furent prisonniers de Sextus, et si le vaillant et généreux Aronce ne fût arrivé à leur secours, Clélie, Horace, et Octave seraient sous le pouvoir de cet injuste prince. Mais pour vous faire voir qu'il n'est pas le seul des Tarquins qui vous outrage, on a découvert dans Rome une conjuration de Tarquin et de Tullie, dont nous avons le principal des conjurateurs entre nos mains, et que le Sénat veut bien remettre entre les vôtres.

— Tout ce que vous me dites, reprit Porsenna, me surprend et m'embarrasse ; mais quand tout ce que vous dites serait vrai, cela ne justifierait pas Aronce, et si Clélie voulait dire la vérité, elle l'accuserait, et le convaincrait.

— S'il était coupable, reprit Clélie, et que son crime fût venu à ma connaissance, je ne l'accuserais pas, quand même je verrais la mort assurée. Mais, Seigneur, ma haine l'accuserait assez, et j'aurais une telle horreur pour lui, que tout ce que je pourrais faire, serait de ne lui nuire point. Cependant, Seigneur, souffrez que je vous dise pour votre propre gloire, que le prince ne peut être coupable, et que vous ne pouvez sans injustice le traiter en criminel. Je sais bien, ajouta-t-elle, que vous le haïssez parce qu'il me fait l'honneur de m'aimer, mais, Seigneur, cette haine est injuste, s'il m'est permis de parler ainsi. Je ne savais point qu'il fût fils de roi quand il commença de m'aimer, et il ne le savait pas lui-même ; et depuis que nous l'avons su, je ne l'ai jamais porté à vous désobéir. Il n'a sans doute pu cesser de m'aimer, et je n'ai pu lui ôter une affection que je lui ai donnée par le commandement de mon père. Mais, Seigneur, ne craignez rien de cette innocente passion, et soyez assuré qu'elle ne peut jamais inspirer des crimes. Je ne suis sans doute pas fille de roi, mais Seigneur, je suis Romaine, et fille d'un Romain qui préfère la vertu à toutes choses. Pensez donc bien je vous en conjure à ne ternir pas votre gloire, par une injustice. Je ne vous demande point à régner en Étrurie, poursuivit-elle, je vous demande seulement que vous donniez le temps au prince de se justifier ; je suis accoutumée à l'infortune, je saurai bien vivre comme j'ai vécu, et quand les

Dieux le voudront, je saurai mourir avec assez de courage. »

Porsenna regarda Clélie attentivement tant qu'elle parla, et ne pouvant s'empêcher de l'admirer ; « Plût aux Dieux, s'écria ce prince irrité, que vous m'eussiez aussi bien persuadé l'innocence d'Aronce que la vôtre. Car enfin je l'avoue, ajouta-t-il, je trouve quelque chose de si grand, dans ce que je viens d'entendre, et dans ce que vous avez fait, que pour imiter la générosité des Romains, je veux vous renvoyer à Rome, et vous obliger même à me demander quelque récompense de la hardie action que vous avez faite ; car excepté la vie ou la liberté d'Aronce, je vous promets tout ce que vous me demanderez.

— Puisque cela est, Seigneur, reprit Clélie, je vous demande seulement la grâce de vous donner le temps de bien examiner la vertu du prince, et la méchanceté de Tullie, et que vous renvoyiez tous les otages aussi bien que moi.

— Je vous accorde ce que vous me demandez, reprit Porsenna, et si mon fils était digne de vous, rien ne vous pourrait empêcher d'être un jour reine d'Étrurie, tant je suis charmé de votre courage, et de votre vertu[1]. »

Après cela Porsenna dit plusieurs choses à Célius afin d'être bien éclairci de l'entreprise que Tarquin et Tullie avaient faite sur Rome. Après quoi il fit donner à Clélie le plus beau cheval qu'il eût, pour témoigner qu'il lui trouvait le cœur d'un héros, car c'était la coutume des rois d'Étrurie, de faire un pareil présent à ceux qui s'étaient signalés par quelque action héroïque. Mais après que ces belles Romaines furent parties, Lucilius, Herminius, Téanor, Émilius, Mutius, ce sage devin qui avait expliqué les Sorts à Préneste, et Célère qui était demeuré prisonnier à Tarquinies depuis si longtemps, arrivèrent. Dès qu'ils furent dans la tente, Mutius s'approcha, et adressant la parole au roi d'Étrurie, en lui montrant la main qu'il avait si courageusement laissé brûler en sa présence. « Est-il possible, Seigneur, lui dit-il, qu'un homme que vous avez vu assez ferme pour supporter constamment le feu en votre présence, puisse être soupçonné d'être le complice d'un parricide ? Non, non, Seigneur, ajouta-t-il, les véritables Romains ne sont pas capables de faire des crimes comme celui-là. J'ai voulu vous perdre pour le salut de ma patrie, mais je ne vous aurais pas perdu pour faire régner le prince votre fils. Commandez donc s'il vous plaît qu'on me fasse voir ceux qui disent que j'ai traité avec eux par les ordres d'Aronce, afin que je les couvre de confusion, et s'il le faut, je mettrai une seconde fois ma main dans le feu, sans craindre d'en être brûlé, pour attester cette vérité. Au reste qu'on ne prenne pas mon départ de Rome pour une fuite, mes malheurs particuliers m'ont fait aller à Préneste pour y consulter les Dieux en secret, et quoiqu'ils ne m'aient pas été favorables, et que j'eusse résolu d'aller cacher mon chagrin en quelque lieu éloigné de Rome, je n'ai pas plutôt su par Herminius qu'on accusait le prince votre fils, et qu'on m'accusait moi-même, que je suis venu pour sa justification et pour la mienne ; et si vous voulez écouter Célère qui s'est sauvé des prisons de Tarquinies, où Tullie le tenait, il vous apprendra encore diverses choses qui justifient Aronce.

— Et que m'apprendrez-vous ? dit Porsenna à Célère avec précipitation.

— Je vous apprendrai, Seigneur, répliqua-t-il, que ceux qui déposent contre le prince, ont été prisonniers avec moi, et que pour obtenir leur liberté, ils ont promis à Tullie de porter ce faux témoignage. Ils me l'ont dit eux-mêmes en me voulant persuader de la part de Tullie, d'aider à perdre Aronce, et l'on m'a tantôt menacé de la mort, et tantôt promis la liberté, pour me porter à ce que l'on voulait, et s'ils paraissaient, je vous assure qu'ils n'oseraient me contredire. Mais, Seigneur, si ce sage devin dont vous connaissez la probité, vous parle, il vous dira des choses plus importantes.

— Il est vrai, Seigneur, ajouta ce devin, qui avait longtemps demeuré à Clusium, que Tullie m'a envoyé un homme à Préneste, le jour de la grande fête de la Fortune, pour m'offrir toutes choses, afin de m'obliger à trahir les Dieux, et à rendre une fausse réponse à Lucilius, qui les est venu consulter de votre part. Mais comme je suis incapable de commettre un sacrilège, je l'ai donnée cachetée à Lucilius, telle qu'elle s'est trouvée dans les Sorts de la plus redoutable de toutes les divinités[1]. Et pour vous prouver ce que j'avance contre Tullie, j'ai fait arrêter celui qui a voulu suborner ma fidélité. » Lucilius, Herminius, Émilius, Téanor, et Mutius ayant confirmé ce que disait ce sage devin, Porsenna prit cette réponse cachetée que lui apportait Lucilius, et l'ayant ouverte avec un visage qui témoignait assez qu'il avait l'esprit fort occupé, il y trouva ces paroles.

Ton fils est innocent, tu ne peux le faire périr sans périr toi-même, son amour est agréable aux Dieux, et si tu l'empêches d'être heureux, tu seras toujours infortuné.

Porsenna fut fort touché de cette réponse, il ne s'expliqua pourtant pas encore, et commanda que l'on allât en diligence au quartier de Tullie, pour lui demander ceux qui devaient soutenir à Mutius qu'Aronce avait eu part au dessein qu'il avait eu de le tuer. Mais à peine eut-il donné cet ordre, qu'on vint l'avertir que Tarquin et Tullie décampaient, et qu'ils faisaient déjà travailler à rompre le pont, qui faisait la communication des quartiers, afin qu'on ne les pût suivre si promptement, parce qu'encore que Porsenna en eût un autre, il était fort éloigné de la route de Tarquinies. Et pour achever d'éclaircir toutes choses, on lui amena deux hommes que Tullie avait commandé qu'on jetât dans le Tibre, après avoir ordonné qu'on les poignardât. Mais comme dans le tumulte où le décampement subit mettait tous les siens, elle avait été mal obéie, et la pitié ayant pris ceux qui avaient cet ordre, ils s'étaient contentés de leur dire qu'ils s'enfuissent où ils pourraient. Ainsi ne sachant où fuir, ni du côté de Rome, ni de celui du camp, le remords de leur crime les porta à chercher leur salut en la clémence de Porsenna. Si bien que s'étant fait présenter à lui, ils se jetèrent à ses pieds, lui découvrirent la méchanceté de Tullie, et implorèrent sa pitié pour pardonner à des malheureux, qui pour éviter une prison éternelle avaient promis de faire un crime. Aronce étant alors pleinement justifié, Porsenna eut une telle confusion de son injustice, qu'il commanda qu'on allât promptement quérir le prince. Et en effet étant venu suivi de Télane, et d'un grand nombre d'officiers, Porsenna fut à lui dès qu'il le vit, et l'embrassant avec tendresse, « Les Dieux et les hommes vous ont justifié, lui dit-il, et c'est moi présentement qui suis le criminel. Mais mon fils je vous satisferai bientôt, et j'ai su si mal user de mon autorité, que je la veux remettre entre vos

mains. Cependant allez promptement à la tête de
la cavalerie tâcher de joindre les troupes de Tarquin et de Tullie, car de leur protecteur je suis
devenu leur ennemi mortel, et à votre retour vous
saurez mes intentions. »

Aronce repartit à Porsenna avec le même respect que s'il ne l'eût pas maltraité, et lui obéissant à l'heure même, il fut suivi d'Artémidore, de
Thémiste, de Mutius, d'Herminius, de Téanor, et
de tous les autres, assembler les troupes, et laissa
Porsenna avec Galérite, la princesse des Léontins,
Hersilie, Mélinthe, et ce sage devin, qui le confirma
dans les bons sentiments où il était alors. Cependant tout le camp voyant Aronce en liberté, et à
la tête des troupes, en témoigna une joie inconcevable. Comme ce prince souhaitait ardemment de
pouvoir joindre les troupes de Tarquin, il fit en
effet tant de diligence, quoique le détour fût grand,
qu'il atteignit ces troupes en désordre, qui n'allaient
pas si vite, parce qu'elles étaient embarrassées de
bagage. De sorte qu'Aronce les chargeant vivement,
les tailla en pièces, et les mit tellement en désordre, que Tarquin et Tullie craignant de tomber
sous le pouvoir de Porsenna, et qu'il les remît aux
Romains, quittèrent les troupes, laissèrent Titus
pour les commander, s'enfuirent par des chemins
détournés, et furent chercher un asile auprès du
tyran de Cumes[1], où ils furent même assez mal
reçus, et où dans la suite du temps ils moururent
très misérables, aussi bien que Sextus. Cependant
le prince Titus vit bientôt le reste de ses troupes
taillées en pièces, il fut même reconnu par
Aronce, qui l'eût pu prendre s'il eût voulu, mais
ce généreux prince le regardant comme son ami,
et comme un prince vertueux, favorisa généreusement sa retraite qu'il fit lui sixième. Ainsi après

avoir vu qu'il n'y avait plus d'ennemis à vaincre, et qu'il n'y avait plus d'espoir de prendre ni Tarquin ni Tullie, Aronce s'en retourna au camp, mais en y retournant il trouva deux cents chevaux romains à la tête desquels était Octave, qui ayant su qu'on poursuivait Tarquin, allait pour aider à[1] Aronce à le vaincre. Dès qu'Aronce l'aperçut, il fut civilement à lui, et après lui avoir dit en deux mots ce qui s'était passé, il se sépara de quelques pas de tout le reste, et lui adressant la parole, il le conjura de lui être toujours favorable, et d'adoucir l'esprit de Clélius autant qu'il le pourrait. De sorte que s'engageant à parler de Clélie, insensiblement Aronce et Octave en traversant un bois, quittèrent le grand chemin que les troupes tenaient, et prirent un sentier détourné qui les éloigna assez. Cependant par respect il n'y eut qu'un des écuyers d'Aronce qui les suivit.

À peine avaient-ils marché un quart d'heure, qu'Aronce crut entendre la voix d'Horace, et un bruit d'épées. Si bien que poussant à travers les arbres vers le lieu d'où venait cette voix, il vit dix ou douze hommes morts que son redoutable rival avait tués en se défendant, et il le vit environné de dix ou douze autres qui voulaient le prendre ou le tuer. Il n'avait plus qu'un tronçon d'épée à la main, il était blessé en deux endroits, son bouclier était rompu, et il allait infailliblement être pris ou tué sans l'arrivée d'Aronce. En effet pendant qu'Horace avait saisi l'épée d'un de ces gens-là pour la lui arracher, un autre allait lui passer la sienne au travers du corps, lorsqu'Aronce le voyant en cet état, prit la résolution de le secourir. « Quoi, s'écria-t-il, en s'avançant l'épée à la main vers ceux qui l'attaquaient, il y a encore des Tarquiniens, qui osent attaquer un Romain, après

que Tarquin est défait, vaincu, et chassé ? »
Aronce suivi d'Octave et de son écuyer, fut alors
si fièrement vers ceux qui étaient prêts de perdre
Horace, qu'ils changèrent le dessein de le tuer en
celui de se défendre. Horace reconnaissant à son
tour la voix d'Aronce, parut plus affligé de voir
qu'il était encore une fois son libérateur, qu'il
n'avait été étonné du péril où il venait de se trouver. Cependant il vit que d'abord Aronce tua un
de ses ennemis, en blessa deux, et soutint l'effort
des autres. Prenant donc un nouveau cœur[1], il se
jeta à terre pour prendre l'épée d'un de ces morts,
et remontant à cheval, fut à son tour pour défendre Aronce, mais il n'en avait point de besoin, car
en ayant encore tué un, et Octave en ayant aussi
blessé quelques autres, le reste prit la fuite. Après
quoi Aronce ayant abordé son rival assez civilement, pendant que son écuyer raccommodait
quelque chose à la bride de son cheval : « Vous savez, lui dit-il, sans lui donner loisir de parler, que
lorsque je vous vis la dernière fois, je vous obli-
geai dans cette conversation secrète que nous
eûmes ensemble, de me promettre que si je mourais vous ne forceriez jamais Clélie à vous épouser, que vous n'employeriez que les prières, et que
si vous ne la pouviez fléchir, vous ne laisseriez pas
de la protéger toute votre vie, contre ceux qui la
voudraient contraindre. Vous me le promîtes en
considération du petit service, que je venais de
vous rendre ; et je vous promis aussi que je n'épou-
serais jamais Clélie, que je ne vous eusse offert de
la mériter encore par un combat avec vous ; je
m'acquitte de ma parole, ajouta Aronce, car encore
que je ne sache pas précisément si je dois être
heureux, il vient d'arriver tant de changement à
ma fortune, que j'ai lieu de l'espérer : ainsi devant

que nous soyons au camp, je pourrai me dérober dans le bois que nous allons traverser, et vous satisfaire si vous en avez envie.

— Mais, Seigneur, reprit Horace, que diriez-vous de moi si vous devant la vie et la liberté plus d'une fois, je pouvais encore me voir l'épée à la main contre vous, dans le même moment que vous venez d'employer votre courage pour me secourir ?

— Je dirais, reprit généreusement Aronce, qu'un rival n'est pas aussi obligé qu'un autre à la reconnaissance.

— Ha ! Seigneur, répliqua brusquement Horace, je ne me le dirais pas à moi-même, c'est pourquoi il vaut mieux que je vous cède un bien que vous seul pouvez mériter, et que les Dieux mêmes vous ont destiné ; aussi n'allais-je que pour chercher à mourir en vous aidant à vaincre Tarquin, lorsque j'ai rencontré ceux qui m'ont attaqué. Mais pour achever de vous rendre heureux, ajouta-t-il, sachez qu'ayant vu Clélie rentrer à Rome, elle m'a parlé si cruellement, que je ne vois plus que la mort qui me puisse soulager.

— Ce que vous me dites est si digne de votre courage, reprit Aronce, que si vous voulez être mon ami, je serai le vôtre toute ma vie avec joie.

— Hélas ! Seigneur, reprit Horace, je ne sais ce que je veux, et de peur que ma vertu ne m'abandonne, souffrez que je vous quitte, et que je m'en retourne à Rome. »

En effet Horace quittant Aronce, s'en alla annoncer aux Romains la victoire de son rival. Cependant Clélie y avait été reçue comme en triomphe avec toutes ses compagnes. Mais Horace pour porter sa générosité encore plus loin, fut trouver Clélius, à qui il fit voir une réponse que les Sorts de Préneste lui avaient rendue, car il avait envoyé un de ses amis qui la lui avait rapportée, et qui était si précise, qu'il n'y avait rien de plus clair, car elle était conçue en ces termes.

Clélius doit Clélie à Aronce, les Dieux l'ordonnent ainsi, et vous ne pouvez la disputer sans leur déplaire.

Cependant Aronce étant retourné victorieux au camp, fut reçu avec joie de Porsenna, de Galérite, de la princesse des Léontins, de toute l'armée, et de toute la cour. Et afin d'achever son bonheur, le roi d'Étrurie lui dit que pour témoigner à Rome qu'il voulait hâter l'exécution de la paix, il décamperait dès le lendemain, et enverrait des ambassadeurs demander Clélie au Sénat. Aronce le remercia avec un transport de joie qui n'a jamais eu de semblable. Et en effet le roi d'Étrurie tenant sa parole, décampa dès le jour suivant, et envoya demander Clélie au Sénat pour le prince son fils, afin qu'elle fût le lien de la paix. Le Sénat reçut cette proposition avec joie, et demanda Clélie à Clélius, qui après avoir bien su la vérité de toutes choses, la lui donna du consentement d'Horace. De sorte que sans différer davantage, la princesse des Léontins fut prendre Sulpicie et Clélie pour les mener à Clusium, où la cérémonie se devait faire, et où Clélius accompagné d'Octave, d'Herminius, de Zénocrate, d'Anacréon, et de ses amis particuliers, se rendit. Pour Clélie elle fut accompagnée de Bérélise, de Clidamire qui étaient revenues de Préneste, et de Valérie ; car Plotine fut si touchée de la mort d'Amilcar, qu'elle en tomba malade, et n'y put aller. Dès que Porsenna fut arrivé à Clusium, et que toute cette belle et grande compagnie y fut, on célébra les noces d'Aronce et de Clélie, dans le superbe temple de Junon Reine, avec une magnificence incroyable. Mais ce qui surprit fort, fut que comme Aronce et Clélie étaient à genoux devant cette célèbre statue de Junon, Porsenna mit le sceptre qu'il tenait sur l'autel, comme remettant son autorité aux Dieux dont il la tenait ; et que Galérite mit une couronne de fleurs sur la tête de Clélie, comme la déclarant reine. En suite de quoi le sacrificateur prenant le sceptre le présenta à Aronce, qui le refusa modestement. Et en effet il ne voulut point accepter la souveraine puissance que Porsenna lui voulut céder. Si bien que par cette grande action, il acheva de mériter toute la félicité dont il jouit par la permission de la plus vertueuse personne qui fut jamais.

Au milieu de cette joie publique, Amilcar eut la gloire d'être fort regretté ; Anacréon fit des vers sur cet heureux mariage, et après avoir em-

ployé huit jours entiers en fêtes et en réjouissances, Thémiste, Mérigène, et leur ami s'en
allèrent trouver Lindamire, Artémidore s'en retourna à Léonte pour y faire régner Bérélise, et
pour y faire épouser Lysimène à Zénocrate, qui
recouvra la principauté d'Herbèse qui avait été
à ses pères. Pour Clidamire, quoiqu'elle fût assurée d'épouser Méléonte, elle n'était pas aussi
contente qu'elle le paraissait ; Téanor et Émilius obéirent aux Dieux, et s'en trouvèrent bien,
l'autre amant s'en alla voyager pour guérir de
sa passion ; et pour Herminius à son retour à
Rome, Publicola lui donna Valérie malgré tous
les obstacles qui s'étaient opposés à son bonheur. Pour Hermilie elle eut de l'amitié pour
Octave, et Octave pour elle, sans se marier ; Collatine mourut de douleur des malheurs de Titus,
et Plotine déclara à tous ses amants qu'elle ne se
marierait jamais ; on sut que le prince qui per-
sécutait Cloranisbe était mort, et Horace tout
malheureux qu'il était, fut encore assez généreux pour prendre soin de faire mettre la statue
de Clélie suivant la délibération du Sénat, au
haut de la rue Sacrée, auprès de la sienne, ayant
cette triste consolation de voir que les marques
de leur gloire étaient du moins en même lieu. Il
est vrai que pour reconnaître sa générosité,
Aronce et Clélie lui envoyèrent offrir leur amitié, de sorte qu'après tant de malheurs ces deux
illustres personnes se virent aussi heureuses
qu'elles avaient été infortunées, et ne virent rien
qui pût égaler leur bonheur, que leur vertu.

Mais comme Clélie avait une statue à Rome, Porsenna lui en fit faire aussi une, devant le superbe tombeau qu'il avait fait bâtir, et Anacréon mit ces vers au piédestal de la statue.

Son courage est encore plus grand que sa beauté,
Le Tibre dans son onde en fut épouvanté,
Et tant qu'on parlera de Rome et d'Italie,
Le temps respectera la gloire de Clélie.

FIN

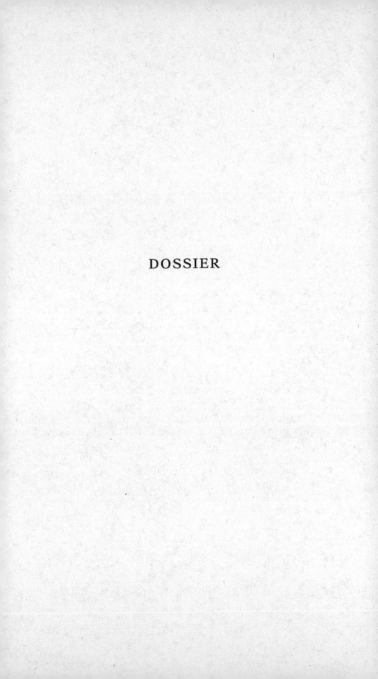

DOSSIER

DOSSIER

REPÈRES CHRONOLOGIQUES

1599. Georges de Scudéry père, issu d'une vieille famille provençale installée depuis peu en Normandie, épouse Madeleine de Goustimesnil, de bonne famille normande.

1601. Naissance au Havre de Georges de Scudéry.

1607. Naissance au Havre de Madeleine de Scudéry, le 15 novembre.
Parution de la première partie de *L'Astrée* d'Honoré d'Urfé.

1613. Mort du père, puis de la mère des Scudéry. Madeleine de Scudéry est recueillie par un de ses oncles, Guillaume de Goustimesnil.

1622. Richelieu est fait cardinal. Il entre au Conseil de Louis XIII en 1624, et devient officiellement principal ministre en 1629.

1623. Parution de la première version de *L'Histoire comique de Francion* de Charles Sorel.

1628. Mort de Malherbe. Ses *Œuvres* sont publiées en 1630, avec un *Discours* liminaire d'Antoine Godeau.
Parution du dernier tome du *Berger extravagant* de Sorel.

c. 1630. Éclat du salon de Mme de Rambouillet.
Nicolas Faret, *L'Honnête Homme, ou l'Art de plaire à la Cour.*

1631-1644. Georges de Scudéry fait représenter seize pièces de théâtre, et reçoit la protection de Richelieu.

1634-1635. Fondation de l'Académie française.

À l'hôtel de Rambouillet, le marquis de Montausier collecte les madrigaux de la *Guirlande de Julie*, recueil composé pour Julie d'Angennes qui sera publié en 1642. Le couple se mariera en 1645.

1635. Premiers séjours parisiens de Madeleine de Scudéry : elle loge chez son frère, rue du Perche, puis rue de Touraine. Elle est reçue à l'hôtel de Clermont et à l'hôtel de Rambouillet.

Louis XIII déclare la guerre à l'Espagne, et s'engage dans la guerre de Trente Ans.

1637. *Le Cid* de Corneille est représenté au théâtre du Marais en janvier.

Polexandre de Marin Le Roy de Gomberville. *Discours de la méthode* de Descartes.

1637-1638. Madeleine de Scudéry rejoint son frère à Paris. Elle entre en relation avec Jean Chapelain, Godeau, La Mesnardière, Mme de Sablé, etc.

« Querelle du *Cid* » : Georges de Scudéry fait paraître ses *Observations sur « Le Cid »*, qui seront suivies de la *Lettre de Balzac à Mr de Scudéry touchant ses « Observations… »*, puis des *Sentiments de l'Académie française sur « Le Cid »* de Chapelain.

1638. Naissance du Dauphin, le futur Louis XIV.

1639. « Querelle des *Suppositi* » de l'Arioste : correspondance de Madeleine de Scudéry avec Chapelain, à l'occasion de sa « victoire ».

1641. *Ibrahim ou L'Illustre Bassa*, roman[1].

1642. Mort de Richelieu.

Georges est nommé gouverneur de Notre-Dame-de-la-Garde à Marseille, sur recommandation de Mme de Rambouillet.

Première partie des *Femmes illustres, ou les Harangues héroïques* de Georges de Scudéry (rééditions en 1655, 1665 et 1667).

Cassandre de La Calprenède.

---

1. Ni *Ibrahim*, ni *Le Grand Cyrus*, ni *Clélie*, ni plus tard les trois « nouvelles » (*Célinte, Mathilde, La Promenade de Versailles*) ne portent la signature de Madeleine de Scudéry. Les romans paraissent sous le nom de Georges, tandis que les nouvelles sont anonymes, tout comme le seront à partir de 1680 les dix volumes de *Conversations* et d'*Entretiens*. Sur cette question, voir la Préface, p. 10-13.

1643. Mort de Louis XIII. Avènement de Louis XIV sous la régence d'Anne d'Autriche. Mazarin est premier ministre.

Paul Scarron commence à publier le *Recueil de quelques vers burlesques* (jusqu'en 1648).

1644. Seconde partie des *Femmes illustres*.

Œuvres diverses de Jean-Louis Guez de Balzac.

fin 1644. Installation des Scudéry à Marseille. Correspondance avec Mlle Paulet, Mlle Robineau, Mlle de Chalais.

1646. Jean Chapelain compose son *Dialogue de la lecture des vieux romans*, qui circule en manuscrit.

1647. Retour à Paris des Scudéry. Ils sont logés à l'hôtel de Clermont, avant de s'installer rue Vieille-du-Temple.

Remarques sur la langue française de Vaugelas.

Lettres choisies de Guez de Balzac.

Cléopâtre de La Calprenède.

Traité des passions de René Descartes.

1648. Premières réunions, encore irrégulières, chez Madeleine de Scudéry.

Mort du poète Vincent Voiture, « âme » du cercle de l'hôtel de Rambouillet. Début de la parution du *Virgile travesti* de Scarron.

1649. Début de la parution d'*Artamène ou Le Grand Cyrus*, en dix volumes (dernier tome en 1653), chez Augustin Courbé. Le roman est dédié à la duchesse de Longueville, Anne-Geneviève de Bourbon-Condé.

1650. Élection de Georges de Scudéry à l'Académie française : il succède à Vaugelas. Correspondance de Madeleine avec Godeau.

Fronde des Princes et incarcération de Condé. Les Scudéry prennent le parti de Condé et de la duchesse de Longueville, qu'ils soutiendront fidèlement.

Publication des *Œuvres* de Vincent Voiture par son neveu Étienne Martin de Pinchesne.

1651. Les Scudéry s'installent rue de Beauce, dans le logis que Madeleine occupera jusqu'à sa mort. Débuts des « Samedis ».

Mazarin doit s'exiler, cependant que les Frondeurs se divisent.

Le Roman comique (première partie) de Scarron.

1652. Nombreux troubles liés à la Fronde. En octobre 1652, Condé quitte Paris et s'exile (il se ralliera à l'Espagne), tandis que le roi et la Cour rentrent à Paris.

1653. Pendant l'été, à Romène, maison de campagne de Mme Aragonnais, Madeleine de Scudéry rencontre grâce à Valentin Conrart le protestant Paul Pellisson. Celui-ci rédige sa *Relation contenant l'Histoire de l'Académie française*, qu'il offre dès sa parution à Madeleine (septembre). Georges de Scudéry se brouille avec Pellisson, sans doute pour s'être jugé trop faiblement loué dans cette *Histoire*. Relations très tendues entre le frère et la sœur.

Les « Samedis » se tiennent régulièrement, soit chez Madeleine de Scudéry, soit chez ses voisines du Marais, aux demeures bien plus fastueuses, Mlle Bocquet ou Mme Aragonnais. Pellisson constitue, avec Madeleine, le manuscrit des *Chroniques du Samedi*.

Pellisson entre à l'Académie française (en novembre). Le poète Jean-François Sarasin est de retour à Paris, et se joint aux habitués des « Samedis ».

Le 20 décembre, « Journée des Madrigaux » chez Mme Aragonnais : Sarasin est déclaré vainqueur de cette joute poétique. Publication du dernier tome de *Cyrus*, avec l'« Histoire de Sapho ».

Retour de Mazarin à Paris. Liquidation des dernières frondes en Provence et en Guyenne.

Foucquet partage avec Servien la charge de surintendant des Finances.

Défense des ouvrages de M. de Voiture de Pierre Costar, adressée à Guez de Balzac.

1654. Sacre de Louis XIV à Reims.

Mort de Guez de Balzac.

Pellisson, qui avait été mis à l'épreuve pendant six mois, est enfin déclaré « citoyen de *Tendre* » par Madeleine de Scudéry.

Début de la publication de *Clélie, histoire romaine* (dernier volume en 1660), toujours chez Courbé. Le roman est dédié à Mademoiselle de Longueville.

Sarasin compose son poème héroï-comique, *Dulot vaincu ou la Défaite des bouts-rimés*, qu'il lit aux « Samedis ».

Perrot d'Ablancourt dédie à Conrart sa traduction de *Lucien*.

Publication des *Lettres* de Voiture et début de la seconde « querelle des *Lettres* » où s'opposent défenseurs du style enjoué de Voiture (Pierre Costar) et partisans de la prose d'art éloquente de Guez de Balzac.

Mort de Sarasin, qui avait suivi en province le prince de Conti dont il était le secrétaire.

fin 1654. Georges de Scudéry, trop compromis dans la cause de Condé, doit se retirer en Normandie. Il y épouse en 1655 Marie-Madeleine de Martin-Vast. Madeleine de Scudéry demeure seule à Paris, rue de Beauce, et reçoit beaucoup plus librement.

1656. Publication des *Œuvres* de Sarasin par les amis du poète, Gilles Ménage et Paul Pellisson. L'ouvrage, précédé d'un *Discours sur les Œuvres de M. Sarasin* dû à Pellisson, est dédié à Madeleine de Scudéry.

La Pucelle de Jean Chapelain.

Le château commandé par Foucquet à Le Vau s'élève à Vaux-le-Vicomte : y travaillent notamment Le Nôtre et Le Brun (jusqu'en 1661).

1656-1658. *La Précieuse* de l'abbé Michel de Pure. *Les Nouvelles françaises* de Jean Regnault de Segrais, secrétaire de la Grande Mademoiselle qu'il a suivie en exil, à Saint-Fargeau.

Première visite de la reine Christine de Suède à Paris : Ménage est chargé de lui présenter les intellectuels de la capitale. Elle sera l'une des correspondantes fidèles de Madeleine de Scudéry.

1657. Pellisson, récemment introduit auprès de Foucquet par la cousine du surintendant, Mme du Plessis-Bellière, devient son principal commis. Il lui présente Madeleine de Scudéry, qui reçoit du Surintendant une gratification. C'est Pellisson qui se charge de remercier Foucquet au nom de son amie (elle en réutilisera ultérieurement le texte).

La Pratique du théâtre de l'abbé d'Aubignac. Publication des *Entretiens* de Guez de Balzac.

1658. En mars, Christine de Suède est reçue à l'Académie française.

Jean de La Fontaine remet à Foucquet le manuscrit calligraphié du poème d'*Adonis*. Antoine Furetière, *Nouvelle allégorique ou Histoire des derniers troubles arrivés au Royaume d'Éloquence*.

1659. *Divers portraits*, rassemblés par Pierre-Daniel Huet et composés dans l'entourage de Mlle de Montpensier, qui ne fait tirer que quelques rares exemplaires du recueil. Une deuxième édition, partiellement différente, paraît sous le titre de *Recueil des portraits et éloges en vers et prose*.

Les Précieuses ridicules de Molière.

Cabale et division du clan Scudéry contre l'élection de Gilles Boileau, frère du poète, à l'Académie française : Ménage, Pellisson, les Scudéry, Scarron, Costar s'opposent à Chapelain, Godeau, Conrart, Furetière, d'Aubignac, partisans de Boileau.

Le traité des Pyrénées met un terme à la guerre que se livrent la France et l'Espagne depuis 1635 : selon l'une des clauses de l'accord, le roi doit épouser l'Infante Marie-Thérèse.

Foucquet reste seul surintendant des Finances à la mort de Servien.

1660. Mariage de Louis XIV avec Marie-Thérèse, à Saint-Jean-de-Luz. Le 26 août, le couple royal entre dans Paris en liesse.

Parution du dernier tome de *Clélie*.

La Fontaine compose le *Songe de Vaux*, hommage au somptueux château de Foucquet.

1661. Début des travaux de Versailles.

Naissance du Grand Dauphin Louis à Fontainebleau. Mme de Montausier est nommée gouvernante des Enfants de France.

Mort de Mazarin et début du règne personnel de Louis XIV.

Fête de Vaux (août), avec la représentation des *Fâcheux* de Molière. En septembre, arrestation sur ordre du roi de Foucquet puis Pellisson, emprisonnés en Bastille. Pellisson y composera son poème *Eurymédon*.

Célinte, nouvelle première.

Publication du *Grand dictionnaire des Précieuses* d'Antoine Baudeau de Somaize.

1662. La Cour demeure à Paris, jusqu'en 1665.

Début du procès de Foucquet, en février. La Fontaine compose, en hommage au surintendant menacé de la peine capitale, son *Élégie aux Nymphes de Vaux*.

Molière, *L'École des Femmes*. Parution anonyme de *La Princesse de Montpensier* de Mme de Lafayette.

1663. Le Nôtre dessine le parc de Versailles.

Aggravation des conditions de détention de Pellisson.

1664. À Versailles, fête des *Plaisirs de l'Île enchantée*. Condamnation de Foucquet, exilé dans la forteresse de Pignerol, où il meurt en 1680.

Premier Recueil La Suze-Pellisson.

Nicolas Boileau prend Madeleine de Scudéry pour cible dans son *Dialogue des héros de roman*, qui circule en manuscrit dans les milieux mondains, mais ne paraîtra — sans son aveu — qu'en 1688.

1665. Allègement des conditions de détention de Pellisson : Madeleine de Scudéry reçoit, dans la chambre du prisonnier, de nombreux visiteurs, parmi lesquels le duc de Montausier et le duc de Saint-Aignan.

Contes et nouvelles de La Fontaine.

Maximes du duc de La Rochefoucauld, ami de Mme de Lafayette.

1666. En janvier, libération de Pellisson, après l'envoi à Louis XIV d'un *Placet en vers au nom de la Pigeonne de Sapho*. Pellisson reparaît dans le monde et tente de rentrer en faveur auprès du roi, en le suivant dans ses campagnes de Flandre et de Franche-Comté (1667-1668).

La Cour réside à Saint-Germain, jusqu'en 1673.

Satires (I à VII) de Boileau. *Le Misanthrope* de Molière. Furetière, *Le Roman bourgeois*. L'abbé Charles Cotin publie *La Ménagerie*, recueil d'épigrammes satiriques contre Ménage, qui avait pris ombrage des railleries de Cotin envers Madeleine de Scudéry.

1667. Mort de Georges de Scudéry.

Parution de *Mathilde*, dédiée à Monsieur, frère unique du roi.

1668. En juillet, Madeleine de Scudéry assiste au *Divertissement royal* à Versailles, en compagnie de Mme de Montausier (Julie d'Angennes).

Premier recueil des *Fables* de La Fontaine.

Conversations du Chevalier de Méré.

1669. *La Promenade de Versailles*, dédiée au roi.

La Fontaine, *Les Amours de Psyché et de Cupidon*. *Zayde* de Mme de Lafayette, parue anonymement et précédée d'une *Lettre-traité de l'origine des romans* de Huet, adressée à Segrais.

1670. En janvier, Pellisson est nommé historiographe du roi (il travaille à la rédaction des *Mémoires* de Louis XIV). Il restera en étroite relation avec Madeleine de Scudéry, avec qui il entretient une correspondance régulière. Il abjure en octobre.

1671. Début de la correspondance de Mme de Sévigné avec sa fille Mme de Grignan (février).

En avril, réconciliation de Ménage et Pellisson avec Chapelain.

Madeleine de Scudéry reçoit, en août, le premier prix d'éloquence française pour son *Discours de la Gloire*.

Essais de morale de Pierre Nicole. Le jésuite Dominique Bouhours publie les *Entretiens d'Ariste et d'Eugène*.

1672. Début de la guerre de Hollande.

1674. *Art poétique* de Boileau. Le Brun travaille pour Versailles.

1675. Mort de Conrart. Bouhours, *Remarques nouvelles sur la langue française*.

1677. Boileau et Racine sont nommés historiographes du roi.

À Versailles, ouverture d'une importante campagne de travaux, sous la direction de Hardouin-Mansart.

Méré publie *Des Agréments*, *De l'Esprit* et *De la Conversation*.

1678-1679. Pellisson entreprend l'*Histoire de Louis XIV* (1660-1678), qui restera inachevée et ne sera pas publiée en l'état.

Publication de *La Princesse de Clèves* de Mme de Lafayette, parue anonymement.

La paix de Nimègue met fin à la guerre de Hollande.

Le Brun commence la décoration de la Galerie des Glaces à Versailles (achevée en 1684).

1680. Le Grand Dauphin épouse Marie-Anne-Christine-Victoire de Bavière.

Conversations sur divers sujets, dédiées à la Dauphine.

1682. La Cour s'installe définitivement à Versailles. Naissance du Dauphin Louis, duc de Bourgogne.

1683. Après la mort de Marie-Thérèse d'Autriche, mariage secret de Louis XIV avec Mme de Maintenon, veuve de Scarron.

Madeleine de Scudéry est reçue par Louis XIV en audience particulière ; le roi lui accorde une pension.

1684. Élection de Madeleine de Scudéry, sous le nom de *l'Universelle*, à l'Académie des *Ricovrati* de Padoue (où figuraient déjà Mme de La Suze et Mme de Rambouillet). Parution des *Conversations nouvelles sur divers sujets*.

1686. Mme de Maintenon fonde Saint-Cyr, pour l'éducation de deux cent cinquante jeunes filles nobles sans fortune. Hardouin-Mansart y travaille.

Conversations morales, dédiées au roi.

1687. Madeleine de Scudéry est reçue à Saint-Cyr par Mme de Maintenon.

Lecture à l'Académie française du *Siècle de Louis le Grand* de Charles Perrault, qui ouvre la « Querelle des Anciens et des Modernes ». Bouhours, *De la manière de bien penser dans les ouvrages d'esprit*.

1688. Début de la guerre de la Ligue d'Augsbourg.

Madeleine de Scudéry publie les *Nouvelles conversations de morale*.

Fontenelle, *Digression sur les Anciens et les Modernes* ; Perrault débute ses *Parallèles des Anciens et des Modernes*, achevés en 1697. La Bruyère, première édition des *Caractères*.

1692. *Entretiens de morale*, dédiés au roi.

1693. Mort de Pellisson, soupçonné par certains d'avoir refusé les derniers sacrements. Madeleine de Scudéry s'emploie activement à laver son ami de cette accusation. Elle a l'intention d'en écrire la vie, mais se contentera d'envoyer des mémoires dont se serviront les correspondants du *Journal des Savants* et du *Mercure Galant* dans leurs notices nécrologiques.

1694. Publication de la *Satire X* de Boileau, contre les femmes, qui avait été composée dans les années 1675.

1697. Les traités de Ryswick mettent fin à la guerre de la Ligue d'Augsbourg.

1701. Mort de Madeleine de Scudéry.

NOTE SUR LE TEXTE

Le texte retenu est celui de la première édition du roman, paru chez Augustin Courbé, en dix volumes in-8°, de
1654 à 1660. Pour les quatre derniers tomes (soit les parties IV et V), l'éditeur s'est associé à Jean Blaeu, libraire à
Amsterdam. Les réimpressions ultérieures (partielle en
1656-1658, puis intégrale en 1658-1661), toujours chez
Courbé, ne présentent que très peu de différences avec le
texte initial ; elles permettent cependant parfois de corriger une erreur manifeste (par exemple sur le nom d'un
personnage) ou une coquille.

Nous avons pu profiter, pour ce travail, de l'édition pro-
curée chez Champion par Chantal Morlet Chantalat (à
partir de 2001), envers laquelle notre dette est grande[1].

L'orthographe a été modernisée, y compris pour les
noms propres, ainsi que la présentation matérielle du
texte (division en paragraphes, ajout des signes typo-
graphiques du dialogue : tirets et guillemets, usage des
italiques). Nous avons respecté la distinction entre his-
toire-cadre et récits enchâssés, que des intitulés explici-
tes introduisent, ainsi qu'entre narration et lettres ou
poésies, ces dernières également dotées d'un titre et
composées en italique. Les très rares mots placés entre
crochets droits (ex. p. 149 et 210) signalent la correc-
tion apportée aux erreurs manifestes du texte original.
Nous avons maintenu autant que possible la ponctuation originale, limitant nos interventions aux cas inac-

1. Voir *infra* la Bibliographie sommaire (p. 396).

ceptables pour un usage moderne : il a fallu ainsi systématiser le recours au point d'interrogation pour les séquences relevant de cette modalité, et parfois substituer le point-virgule ou la virgule aux deux-points, dont il est fait un usage très fréquent dans le roman ; en revanche, les virgules qui scandent bien souvent la respiration du texte, témoignage d'une oralité latente de la lecture — fût-elle effectivement solitaire et silencieuse — ont été conservées même lorsqu'elles diffèrent de nos pratiques de ponctuation (séquences énumératives, complétives après verbes de déclaration ou de pensée, etc.).

Pour nous conformer aux contraintes éditoriales de la collection, nous n'avons pu retenir qu'un dixième des 7 300 pages environ de *Clélie*. Il fallait donc opérer une sélection, comme naguère Jean Lafond pour *L'Astrée*[1] : extraire du roman des « morceaux choisis » en nombre aurait certes permis d'offrir une image variée de l'œuvre, sans la réduire à tel ou tel de ses aspects. Mais c'était transformer le plaisir de la lecture en promenade curieuse à travers une anthologie, et refuser par là même d'entrer véritablement dans l'histoire racontée. Nous avons donc pris le parti de présenter le cadre d'ensemble du roman, à travers le récit des amours contrariées de Clélie et d'Aronce, et de tenter de donner à lire aussi souvent que possible des séquences cohérentes. Ainsi, en contrepoint des aventures héroïques de ces parfaits amants, deux histoires enchâssées sont données dans leur version intégrale : celle d'Artaxandre d'une part, de Plotine d'autre part, qui constituent deux alternatives radicales aux amours de nos héros, et dont Madeleine de Scudéry a très souvent pris soin de mettre en évidence le rôle contrastif. L'« Histoire d'Herminius et de Valérie » aurait dû également trouver ici sa place : nous avons dû y renoncer en raison de sa longueur, non sans regrets. Car elle prolongeait une importante réflexion engagée à l'occasion de la Carte de Tendre sur les relations complexes de l'amour et de l'amitié, et ouvrait au lecteur

---

1. Folio classique, 1984.

une porte sur l'atelier littéraire des « Samedis » de Sapho. À côté de ces vastes ensembles, nous proposons quelques passages d'autre facture : réécriture amplifiée de morceaux d'Histoire — telle l'accession de Tarquin au pouvoir ou la mort de Lucrèce —, conversations morales, portraits et descriptions à clé. Lettres et poésies rythment tout le texte, et ne sont donc pas oubliées dans cette sélection.

Bien d'autres options étaient possibles, et légitimes : puisse notre choix donner malgré tout au diligent lecteur l'envie de prolonger la découverte de ces terres inconnues, faisant alors plus long voyage en compagnie de *Clélie*...

ÉPÎTRE DÉDICATOIRE DE *CLÉLIE*

Le roman est dédié à Marie d'Orléans-Longueville (1625-1707), future duchesse de Nemours, fille d'un premier mariage d'Henri d'Orléans-Longueville avec Louise de Bourbon-Soissons. Celui-ci épousera en secondes noces, en 1642, Anne-Geneviève de Bourbon-Condé, duchesse de Longueville, à qui était dédié le roman d'*Artamène ou Le Grand Cyrus*.

La première partie, dont le frontispice portait les armes des Orléans-Longueville, s'ouvrait sur cette épître dédicatoire elle-même précédée d'un portrait gravé de Mlle de Longueville (par Nanteuil, d'après une œuvre de Beaubrun).

Mlle de Longueville entra dans le parti des Frondeurs derrière son père, et poursuivit, après l'arrestation de ce dernier, l'action entreprise en Normandie aux côtés de sa remuante belle-mère. Contre les choix de celle-ci, elle rallie finalement le parti de Mazarin, et se retire ensuite à Coulommiers. En 1657, elle épouse Henri II de Savoie, duc de Nemours, mort en 1659.

CLÉLIE, HISTOIRE ROMAINE
dédiée à Mademoiselle de Longueville
PAR MR DE SCUDÉRY,
GOUVERNEUR DE NOTRE-DAME-DE-LA-GARDE

PREMIÈRE PARTIE

À Mademoiselle de Longueville

Mademoiselle,

C'est une fille à qui Rome a élevé des statues qui s'en va dire à Votre Altesse *que vous méritez d'en avoir et que, si nous étions encore en un temps où la vertu fût récompensée, la vôtre vous ferait obtenir des autels de la reconnaissance publique. En effet comme peu de princesses ont une naissance aussi illustre que vous l'avez, moins encore ont votre vertu et, quoiqu'il y ait eu des restaurateurs de l'État dans votre maison et qu'il y ait des héros dans votre alliance, votre bonté vous rend encore plus considérable que votre grandeur. Oserai-je vous le dire,* Mademoiselle *? la plupart des personnes de votre condition manquent d'une qualité si nécessaire ; elles naissent dans un si grand éclat qu'elles s'en éblouissent elles-mêmes ; et les flatteurs qui les approchent, corrompant leurs belles inclinations, leur persuadent qu'elles ne sont plus ce que nous sommes, qu'elles doivent avoir des règles à part et que la bonté est une vertu populaire qui ne doit point approcher des trônes ni des balustres. Mais comme vos sentiments sont plus nobles et plus équitables, vous suivez des maximes plus humaines ; ayant peu de choses à regarder au-dessus de vous,* V. A. *ne dédaigne pas d'abaisser les yeux au-dessous d'elle et son obligeante facilité la fait autant aimer de tout le monde que le sang des rois dont elle est l'en fait respecter.* V. A. *a de la beauté,* V. A. *a infiniment de l'esprit, et même du plus éclairé. Mais après avoir dit toutes ces choses, je crois encore dire davantage, quand je dis que* V. A. *a de la bonté. C'est donc à cette bonté,* Mademoiselle, *que* Clélie *va demander protection ; et cette illustre Romaine, à qui l'orgueil du Tibre ne fit point de peur quand elle le tra-*

versa à la nage, traverserait l'Océan pour vous aller rendre un devoir si légitime. Il est vrai que si je confonds mes intérêts avec les siens, elle s'y trouve obligée par bien plus d'une raison ; car j'ai eu la gloire d'être aimé de feue Madame votre mère, d'avoir quelque part en l'estime de feu Monseigneur le Comte de Soissons votre oncle et V. A. sait quel est mon attachement pour Madame de Longueville et pour toute sa maison. Que vous dirai-je encore Mademoiselle *? plusieurs gentilshommes de mes parents ont eu l'avantage d'être à Monseigneur votre père ; deux de mes parentes ont eu celui d'être vos dames d'honneur et j'ai eu moi-même la gloire d'être assez longtemps attaché à la suite du grand prince à qui vous devez la vie, quoique je ne fusse pas son domestique. Enfin j'ai reçu sept ans tout entiers les commandements de Monseigneur le Prince de Carignan votre oncle*[1]*, dans les armées du grand Charles-Emmanuel son père*[2]*, de qui j'avais l'honneur d'être aimé ; ainsi,* Mademoiselle, *soit que je vous considère ou soit que je me regarde, je me trouve toujours obligé de faire ce que je fais et de ne chercher point d'autre protection à* Clélie *que celle de V. A. J'espère que vous ne la lui refuserez pas et que vous ajouterez à cette grâce celle d'agréer que je sois toute ma vie,*

Mademoiselle,

de V. A.
Le très humble et très obéissant serviteur
DE SCUDÉRY

1. Il s'agit de Thomas-François de Savoie (mort en 1656), prince de Carignan : fils du duc Charles-Emmanuel Ier et de Catherine d'Autriche. Il avait épousé Marie de Bourbon-Soissons, sœur de Louise, la mère de Mlle de Longueville.
2. Georges de Scudéry avait servi sous les ordres de Charles-Emmanuel Ier pendant les guerres du Piémont, sans doute au cours des deux campagnes de 1620-1627 puis de 1628-1630.

REGARDS SUR *CLÉLIE*

La fortune critique de Madeleine de Scudéry a fait l'objet de plusieurs enquêtes ponctuelles, et d'une utile synthèse pour les années 1660-1789[1]. Nous voudrions présenter ici quelques-uns des jugements les plus notables sur l'œuvre romanesque de notre auteur, nous limitant volontairement aux témoignages contemporains.

Les lectures que le XIXe siècle fit de Madeleine de Scudéry mériteraient à elles seules une étude détaillée, tant la figure de l'illustre *Sapho* fut mise à l'épreuve d'un grand nombre de présupposés, dépassant largement ce cas particulier — mais emblématique : jugements esthétiques, essais de classifications littéraires, réflexions sur le statut des « femmes de lettres », entre autres, vinrent peu à peu se sédimenter dans le complexe chapitre de la *préciosité*, dont le XXe siècle allait hériter avant d'en rouvrir le dossier problématique.

1656-1658 — Michel de PURE, *La Précieuse ou Le Mystère des ruelles*

[Les précieuses comparent entre elles les mérites comparés des romans récents : *Cyrus* a été loué pour « la plus heureuse alliance du monde entre l'amour et la pureté », et Aricie demande à Philonime si elle a lu les premiers volumes de *Clélie*.]

Non, Madame, répondit Philonime, à qui elle s'était encore adressée, et si vous avez la bonté de m'instruire de ce que je ne sais pas, de grâce commencez par ce que je désire le plus de savoir. Je vous avoue, reprit-elle, que vous me surprenez étrangement, car enfin la seconde vie de

---

1. On se reportera à la *Bibliographie des écrivains français* établie, sur Madeleine de Scudéry, par Chantal Morlet-Chantalat pour un repérage exhaustif de ces travaux. L'article d'Alain Niderst auquel nous faisons allusion (« Madeleine de Scudéry de 1660 à 1789 », *Œuvres et critiques*, n° XII/1, 1987, p. 31-41) est le premier essai de synthèse sur la fortune critique de notre auteur. Pour prolonger ces lectures, on pourra consulter les ouvrages de Nathalie Grande et Myriam Maître cités dans notre Bibliographie.

Clélie n'est pas moins illustre, et ne fait pas moins de bruit dans le monde, que la première en avait fait ; aussi faut-il avouer que cette fameuse Romaine-là doit à une personne qui s'entend admirablement bien à faire revivre les héros et les héroïnes, et on n'a qu'à dire que c'est le fameux auteur de *Cyrus*, à qui Clélie doit sa seconde vie, pour croire qu'elle fut très glorieuse à cette héroïne de Rome. Oui, Mesdames, Monsieur de Scudéry veut montrer qu'il est inépuisable, et immédiatement après le merveilleux *Cyrus*, *Cyrus*, dis-je, ce miracle de conduite, de conversation et de douceur, et après le pompeux *Alaric*, il nous veut donner *Clélie*. [...] Au reste si Monsieur de Scudéry a une si grande gloire, et une réputation si bien établie, on n'admire pas moins son illustre sœur, puisqu'il est constant que l'on peut appeler Mademoiselle de Scudéry la Muse de notre siècle, et le prodige de notre sexe ; il faut enfin que l'on rende justice à une partie de son mérite, que sa propre modestie opprime et accable d'un désaveu perpétuel, car nous avons porté tout ce que cette injuste, mais sincère humilité, voulait dérober à notre connaissance. L'obscurité a été dissipée, et l'admirable personne dont je parle, a enfin laissé échapper des rayons qui nous ont ouvert les yeux ; si bien qu'on a ensuite consulté les oracles, c'est-à-dire un certain nombre de personnes choisies, qui visitent cette incomparable fille, et comme on lui a innocemment dérobé mille belles choses qu'on a insensiblement fait voir, toute la terre a donné après son admiration à cette illustre personne [...]. Et en effet nous avons vu depuis de beaux vers et de belle prose ; et bien que ces admirables choses n'eussent été que pour peu de personnes, on a eu moyen de les faire voir, et de les faire admirer : ainsi pour peu que vous me donniez de loisir, je ne me pourrai pas tenir de parler encore de cette incomparable fille, car on ne peut se dispenser d'admirer ni l'effet, ni la cause, c'est-à-dire ni ce que les amis ou les amies de cette admirable personne nous montrent d'elle ni elle-même qui le fait. Je dirai pourtant qu'elle est capable de ternir toutes les belles productions, et d'interrompre le jour de l'admiration qu'elle a donnée, et qu'elle en est capable par sa seule conversation, car elle y est si bonne et si aimable qu'on aime encore mieux la voir que la lire. Ce n'est que bonté, que douceur, l'esprit n'éclate qu'avec tant de modestie, les sentiments n'en sortent qu'avec tant de retenue, elle ne parle qu'avec tant de discrétion, et tout ce qu'elle dit est si à propos et si raisonnable, qu'on ne peut s'empêcher de l'admirer, et de l'aimer tout ensemble ; c'est alors que faisant comparaison de ce qu'on voit d'elle, et de ce qu'elle débite en particulier, de ce qu'elle écrit, ou de ce qu'elle peut dire, on prend aisément le parti du dernier contre le premier, et on préfère sans hésiter sa conversation à ses ouvrages. [...] Après cela, ajouta Mélanire, on ne doit pas s'étonner si cette personne est si généralement et si fort estimée, aussi faut-il que je tâche d'acquérir sa connaissance, car c'est auprès de cette adorable fille que je prétends me former. Il faut cependant, reprit Aracie, que vous lisiez *Cyrus* et *Clélie*, car vous ne pouvez employer votre temps à chose ni plus agréable ni plus utile, et qui vous donne plus de lumière des temps passés, ni plus de conduite pour le temps présent.

1657-1659 — Gédéon TALLEMANT DES RÉAUX, *Historiettes* (publiées en 1834-1835)

Or, il faut dire quand Mlle de Scudéry a commencé à travailler. Elle a fait une partie des harangues des *Femmes illustres* et tout *L'Illustre Bassa*. D'abord elle trouva à propos, par modestie, ou à cause de la réputation de son frère, car ce qu'il faisait, quoique assez méchant, se vendait pourtant bien, de mettre ce qu'elle faisait sous son nom. Depuis, quand elle entreprit *Cyrus*, elle en usa de même, et jusques ici elle ne change point pour *Clélie*.

Ce fou a eu les plus plaisantes jalousies du monde pour sa sœur ; il l'enfermait quelquefois, et ne voulait pas souffrir qu'on la vît. Elle a eu une patience étrange, et j'ai de la peine à concevoir comment elle a pu faire ce qu'elle a fait ; car, quoique pour les aventures ce soit peu de chose, il y a de la belle morale dans ses romans, et les passions y sont bien touchées ; je n'en vois pas même de mieux écrits, hors quelques affectations. [...]

Vous ne sauriez croire combien les dames sont aises d'être dans ses romans, ou, pour mieux dire, qu'on y voie leurs portraits ; car il n'y faut chercher que le caractère des personnes, leurs actions n'y sont point du tout. Il y en a pourtant qui s'en sont plaintes, comme Mme Tallemant, la maîtresse des requêtes, qui s'appelle *Cléocrite*. La comtesse de Fiesque dit là-dessus : « La voilà bien délicate ; je la veux bien être, moi. » Elle en fait une personne qui aime mieux avoir bien des sots que peu d'honnêtes gens chez elle. Mme Cornuel, qu'elle nomme *Zénocrite*, et à qui on ne fait épargner ni amis ni ennemis, s'en plaignit à elle-même, à la promenade. « Madame, lui dit l'autre avec son ton de prédicateur, c'est que quand mon frère rencontre un caractère d'esprit agréable, il s'en sert dans son histoire. » Mme Cornuel, pour se venger, disait que la Providence paraissait en ce que Dieu avait fait suer de l'encre à Mlle de Scudéry, qui barbouillait tant de papier.

1664 — Charles SOREL, *La Bibliothèque française*

L'Ibrahim ou L'Illustre Bassa de M. de Scudéry, est conduit si adroitement, qu'on donne pour marque de sa belle suite, la facilité qu'il y a d'en retenir les incidents pour peu qu'on ait de mémoire. *L'Artamène ou Le Grand Cyrus* du même auteur, a été tellement estimé, que ses dix tomes ayant été donnés les uns après les autres, ils ont causé beaucoup d'impatience, jusques à ce qu'on en ait vu la conclusion. C'est un livre rempli d'aventures héroïques, où les effets de l'amour sont agréablement mêlés à ceux de la valeur, avec tant d'exemples conformes à la galanterie de notre siècle, et de si charmantes conversations, qu'il n'y a guère de lecteurs qui n'en soient touchés. On dira la même chose de la *Clélie* qui a paru ensuite. Sa *Carte de l'amitié tendre* avec plusieurs discours sur ce sujet, font connaître comment on peut aimer d'une honnête amitié, sans se laisser emporter aux frénésies de l'amour. Plusieurs tiennent qu'une sage et savante demoiselle a grande part dans cet ouvrage, et que le frère et la sœur sont également illustres : mais ce n'est pas à nous de découvrir ce qu'ils ont voulu cacher ; il suffit que nous sachions le mérite de l'un et de l'autre.

1668 — Marguerite BUFFET, *Nouvelles observations sur la langue française, où il est traité des termes anciens et inusités, et du bel usage des mots nouveaux. Avec les éloges des Illustres Savantes, tant anciennes que modernes*

Ce serait en vain que j'aurais cherché d'illustres preuves du mérite et du savoir des dames chez les étrangers, si je ne faisais voir que la France n'est pas plus au-dessus des autres nations par la gloire de ses héros, que par la science et la vertu de ses héroïnes. Que la Suède admire son illustre reine, la Hollande sa docte Schurmann ; nous trouverons en la Sapho de nos jours, l'incomparable Mlle Scudéry [*sic*], plus de science, de doctrine, et d'esprit que dans la Sapho des Grecs tant vantée dans l'Antiquité : car soit que nous considérions la beauté et la fécondité de son esprit dans les rares productions de ses ouvrages, ou la source et la délicatesse de son jugement dans la conduite de ses aventures, ou qu'enfin nous nous attachions à l'ornement de ses discours, nous trouverons qu'elle a répandu tant de beautés [...]. Qui est l'orateur qui a mieux su pénétrer le secret des cœurs que cette éloquente fille ? Qui est le poète qui peut égaler la majesté de ses héros avec les siens ? Qui est l'historien qui puisse faire des récits pareils aux siens, ou le peintre qui puisse égaler les vives descriptions de ses palais ? Pour moi quand je vois écrire d'une manière si tendre, je dis qu'elle ne peut pas manquer de persuader l'esprit ; puisqu'elle sait si bien toucher le cœur. Aussi voyons-nous que tous ceux qui savent parler et écrire en français lui ont donné une estime si universelle, qu'ils la prennent pour un modèle achevé de bien parler et de bien écrire. Tout le monde lit ses ouvrages avec autant de profit que de plaisir : en sorte que nous pouvons avancer à son honneur, qu'elle ne peut être inconnue ou méprisée que par des pédants ou des barbares, et que la cour trouverait plus à se plaindre dans le silence de cette éloquente fille, que dans le retranchement d'une des académies du roi.

1669 — Pierre-Daniel HUET, *Lettre-traité de l'origine des romans*

[Après un vibrant éloge de *L'Astrée* d'Honoré d'Urfé, Huet enchaîne.]

Mais quelque merveilleux que fût son roman, il n'ôta pourtant pas le courage à ceux qui vinrent après lui d'entreprendre ce qu'il avait entrepris, et n'occupa pas si fort l'admiration publique qu'il n'en restât encore pour tant de beaux romans qui parurent en France après le sien. L'on n'y vit pas sans étonnement ceux qu'une fille, autant recommandable par sa modestie que par son mérite, avait mis au jour sous un nom emprunté, se privant si généreusement de la gloire qui lui était due, et ne cherchant sa récompense que dans sa vertu, comme si, lorsqu'elle travaillait ainsi à la gloire de notre nation, elle eût voulu épargner cette honte à notre sexe. Mais enfin le temps lui a rendu la justice qu'elle s'était refusée et nous a appris que *L'Illustre Bassa*, *Le Grand Cyrus* et *Clélie* sont les ouvrages de Mlle de Scudéry, afin que désormais l'art de faire des romans qui pouvait se défendre contre les censeurs scrupuleux, non seulement par les louanges que lui donne le patriarche Photius, mais encore par les grands exemples de ceux qui s'y sont appliqués, pût aussi se justifier par le sien, et qu'après avoir été cultivé par des philosophes comme Apulée, par des préteurs romains comme Sisenna, par des proconsuls comme Martianus Capella, par des consuls comme Pétrone, par des empereurs comme Clodius Albinus, par des prêtres comme on dit qu'a été Theodorus Prodromus, par des évêques comme Héliodore et Achille Tatius, par des papes comme Pie II qui avait écrit les *Amours d'Euryale et de Lucrèce*, et par des saints comme Jean Damascène, il eût encore l'avantage d'avoir été exercé par une sage et vertueuse fille.

1668-1669 — Gabriel GUÉRET, *Le Parnasse réformé*

[Tour à tour, sur le Parnasse en révolte, les héros de romans adressent des reproches à leurs créateurs.]

Alors parut un gros de héros, et d'héroïnes, entre lesquels on reconnaissait Orasie, Prasimène, Clytie, Bérénice, Hermiogène, [...] Cythérée, Scipion, Tarsis, Rodogune, Macarise. Apollon étant effrayé du nombre, les remit à une autre fois ; mais Clélie qui se sentait aussi maltraitée, que pas un de ceux qui avaient paru avant elle, voulut faire éclater son ressentiment ; et après avoir salué ce dieu, et les neuf Muses ses sœurs, « De grâce, dit-elle, qu'il me soit permis de me plaindre comme les autres, puisque j'en ai plus de sujet que personne. Il y a, poursuivit-elle, quelques années qu'il court un roman sous mon nom ; on en a parlé dans le monde comme d'un ouvrage admirable, et la cabale lui a fait acquérir une réputation dont je souhaiterais qu'il fût digne. La relation que l'on m'en a faite, répond en quelque chose à cette grande estime qu'on en a conçue. On y remarque plusieurs beaux endroits ; les conversations y sont belles ; il brille de temps en temps des traits de la galanterie la plus délicate. Mais quand j'examine de près le héros de ce roman, je ne puis trouver des termes pour exprimer sa bassesse, et je n'ai jamais ouï parler de cadet de Normandie, qui laissât une moindre idée de sa personne et de sa vertu. Représentez-vous un homme dont la fortune n'a point d'établissement certain ; qui se rend à charge à tous ses amis ; qui dîne aujourd'hui chez l'un, et demain chez l'autre ; qui n'a ni train, ni équipage, [...] qui ne change de cravate que tous les huit jours ; enfin un coureur d'auberges, qui loge à une troisième chambre. Voilà le portrait d'Aronce ; c'est là à peu près comme on le conçoit ; et parce qu'il est fils de Porsenna roi des Étruriens, qui n'avait pas dix mille livres de rente, et qui pouvait, d'un coup de sifflet, appeler tous ses sujets, on me fait devenir sa conquête. S'il en coûtait quelque chose à un auteur pour bien habiller son héros, pour lui donner des équipages magnifiques, pour le loger dans un superbe palais, et pour lui entretenir une table somptueuse, je pourrais croire qu'on n'aurait pas voulu se mettre en si grands frais pour Aronce ; mais quand je considère que cette dépense n'est que d'imagination, je ne comprends pas comment on a refusé si peu de choses à mon héros, si ce n'est pour étouffer sous tant d'indignités la qualité d'héroïne que j'ai si justement méritée.

Apollon eut pitié de cette illustre Romaine, et lui ayant fait un signe de tête obligeant, il se leva de sa place, et rassembla autour de soi les Muses, et les principaux du Parnasse, pour délibérer sur les remèdes nécessaires à ces désordres [...].

1674 — Nicolas BOILEAU, *L'Art poétique*, chant III

Bientôt l'amour, fertile en tendres sentiments,
S'empara du théâtre, ainsi que des romans.
De cette passion la sensible peinture
Est pour aller au cœur la route la plus sûre.
Peignez donc, j'y consens, les héros amoureux ;
Mais ne m'en formez pas des bergers doucereux :
Qu'Achille aime autrement que Thyrsis et Philène ;
N'allez pas d'un Cyrus nous faire un Artamène ;
Et que l'amour, souvent de remords combattu,
Paraisse une faiblesse et non une vertu.
Des héros de roman fuyez les petitesses :
Toutefois aux grands cœurs donnez quelques faiblesses.
Achille déplairait, moins bouillant et moins prompt ;
J'aime à lui voir verser des pleurs pour un affront.
À ces petits défauts marqués dans sa peinture,
L'esprit avec plaisir reconnaît la nature.
Qu'il soit sur ce modèle en vos écrits tracé :
Qu'Agamemnon soit fier, superbe, intéressé ;
Que pour ses dieux Énée ait un respect austère ;
Conservez à chacun son propre caractère.
Des siècles, des pays, étudiez les mœurs.
Les climats font souvent les diverses humeurs.
Gardez donc de donner, ainsi que dans Clélie,
L'air, ni l'esprit français à l'antique Italie ;
Et sous des noms romains faisant votre portrait,
Peindre Caton galant et Brutus dameret.
Dans un roman frivole aisément tout s'excuse ;
Trop de rigueur alors serait hors de saison :
Mais la scène demande une exacte raison,
L'étroite bienséance y veut être gardée.

1693 (1ʳᵉ éd.) et 1694 (2ᵉ éd. augmentée) — Gilles MÉNAGE, *Menagiana*

Mademoiselle de Scudéry a fait dans son *Cyrus* une jolie description de la petite cour de Rambouillet. Il y a mille choses dans les romans de cette savante fille qu'on ne peut trop estimer. Elle a pris dans les Anciens tout ce qu'il y a de bon, et l'a rendu meilleur, comme ce prince de la Fable qui changeait tout en or. On peut lire ses ouvrages avec beaucoup de profit pour peu qu'on ait l'esprit bien fait et qu'on cherche dans la lecture de quoi s'instruire. Ceux qui en blâment la longueur, font voir par ce jugement la petitesse de leur esprit, comme si on devait mépriser Homère et Virgile, parce que leurs ouvrages contiennent plusieurs livres chargés de beaucoup d'épisodes et d'incidents qui en reculent nécessairement la conclusion. Il faut avoir bien peu de connaissance pour ne pas voir que le *Cyrus* et la *Clélie* sont dans le genre du poème épique. Le poème épique doit embrasser une certaine quantité d'événements pour suspendre le cours de la narration, qui ne comprenant qu'une partie de la vie du héros qu'on a choisi, irait trop tôt à sa fin sans cela. On n'y trouverait point sans cet artifice, cet agrément que produit l'espèce de spectacle formé à la fin par la réunion de la plupart des épisodes au sujet principal du roman. Mademoiselle de Scudéry a si bien manié sa matière, et a fait venir à propos tant de belles choses, que rien dans ce genre n'est comparable à ce qu'elle a fait : et à quelques expressions et quelques tours près, mais de peu de conséquence, qui ont vieilli, le reste durera toujours, et plus que les critiques qu'on en a faites.

Ce qu'on a donné depuis dans ce genre d'écrire est une grande marque du mauvais goût de notre temps et du génie médiocre qui le produit : ce ne sont que de petites nouvelles tout au plus, qui ne font rien concevoir à notre idée ni d'utile ni de majestueux. Ce qu'a fait Mademoiselle de Scudéry forme dans notre âme les grands sentiments de vertu que ces sortes de pièces doivent inspirer.

[...] M. de Marolles ne voulait pas qu'elle eût fait ni le *Cyrus* ni la *Clélie*, parce que ces ouvrages sont imprimés sous le nom de M. de Scudéry. Mademoiselle de Scudéry, disait-il, m'a dit qu'elle ne les a point faits, et M. de Scudéry m'a assuré que c'était lui qui les avait composés. « Et moi, lui dis-je, je vous assure que c'est Mademoiselle de Scudéry qui les a faits ; et je le sais bien. » C'est Mademoiselle de Scudéry qui a inventé l'amour de tendresse, et la Carte de Tendre.

1713 — Nicolas BOILEAU, *Discours sur le Dialogue des héros de roman* (dialogue composé en 1664-1665)

Le grand succès de ce roman échauffa si bien les beaux esprits d'alors, qu'ils en firent à son imitation quantité de semblables, dont il y en avait même de dix et de douze volumes; et ce fut quelque temps comme une espèce de débordement sur le Parnasse. On vantait sur tous ceux de Gomberville, de La Calprenède, de Desmarests, et de Scudéry. Mais ces imitateurs s'efforçant mal à propos d'enchérir sur leur original, et prétendant anoblir ses caractères, tombèrent, à mon avis, dans une très grande puérilité. Car au lieu de prendre comme lui pour leurs héros, des bergers occupés du seul soin de gagner le cœur de leurs maîtresses, ils prirent, pour leur donner cette étrange occupation, non seulement des princes et des rois, mais les plus fameux capitaines de l'Antiquité, qu'ils peignirent pleins du même esprit que ces Bergers ; ayant, à leur exemple, fait comme une espèce de vœu de ne parler jamais et de n'entendre jamais parler que d'amour. De sorte qu'au lieu que d'Urfé dans son *Astrée*, de bergers très frivoles, avait fait des héros de roman considérables, ces auteurs au contraire, des héros les plus considérables de l'histoire firent des bergers très frivoles, et quelquefois même des bourgeois[1] encore plus frivoles que ces bergers. Leurs ouvrages néanmoins ne laissèrent pas de trouver un nombre infini d'admirateurs, et eurent longtemps une fort grande vogue. Mais ceux qui s'attirèrent le plus d'applaudissements, ce furent le *Cyrus* et la *Clélie* de Mademoiselle de Scudéry, sœur de l'auteur du même nom. Cependant non seulement elle tomba dans la

---

1. Les auteurs de ces romans, sous le nom de ces héros, peignaient quelquefois le caractère de leurs amis particuliers, gens de peu de conséquence (Note de Boileau).

même puérilité, mais elle la poussa encore à un plus grand
excès. Si bien qu'au lieu de représenter, comme elle devait,
dans la personne de Cyrus, un roi promis par les Prophè-
tes, tel qu'il est exprimé dans la Bible, ou comme le peint
Hérodote, le plus grand conquérant que l'on eût encore vu,
ou tel qu'il est figuré dans Xénophon, qui a fait aussi bien
qu'elle un roman de la vie de ce prince ; au lieu, dis-je, d'en
faire un modèle de toute perfection, elle en composa un Artamène, plus fou que tous les Céladons et tous les Sylvan-
dres, qui n'est occupé que du seul soin de sa Mandane, qui
ne sait du matin au soir que lamenter, gémir, et filer le parfait amour. Elle a encore fait pis dans son autre roman, in-
titulé *Clélie*, où elle représente tous les héros de la
République romaine naissante, les Horatius Coclès, les Mutius Scævola, les Clélies, les Lucrèces, les Brutus, ne s'occu-
pant qu'à tracer des Cartes géographiques d'Amour, qu'à se
proposer les uns aux autres des questions et des énigmes
galantes ; en un mot qu'à faire tout ce qui paraît le plus opposé au caractère et à la gravité héroïque de ces premiers
Romains. Comme j'étais fort jeune dans le temps que tous
ces romans, tant ceux de Mademoiselle de Scudéry, que
ceux de La Calprenède et de tous les autres, faisaient le
plus d'éclat, je les lus, ainsi que les lisait tout le monde,
avec beaucoup d'admiration, et je les regardai comme des
chefs-d'œuvre de notre langue. Mais enfin mes années
étant accrues, et la raison m'ayant ouvert les yeux, je recon-
nus la puérilité de ces ouvrages. Si bien que l'esprit satirique commençant à dominer en moi, je ne me donnai de
repos, que je n'eusse fait contre ces romans un *Dialogue* à
la manière de Lucien, où j'attaquais non seulement leur
peu de solidité, mais, leur afféterie précieuse de langage,
leurs conversations vagues et frivoles, les portraits avantageux faits à chaque bout de champ de personnes de très
médiocre beauté, et quelquefois même laides par excès, et
tout ce long verbiage d'amour qui n'a point de fin. Cependant comme Mademoiselle de Scudéry était alors vivante,
je me contentai de composer ce *Dialogue* dans ma tête ; et
bien loin de le faire imprimer, je gagnai même sur moi de
ne point l'écrire, et de ne le point laisser voir sur le papier,
ne voulant pas donner ce chagrin à une fille, qui après tout

avait beaucoup de mérite, et qui, s'il en faut croire tous ceux qui l'ont connue, nonobstant la mauvaise morale enseignée dans ses romans, avait encore plus de probité et d'honneur que d'esprit. Mais aujourd'hui qu'enfin la Mort l'a rayée du nombre des humains, elle, et tous les autres compositeurs de romans, je crois qu'on ne trouvera pas mauvais que je donne au public mon *Dialogue*, tel que je l'ai retrouvé dans ma mémoire.

BIBLIOGRAPHIE SOMMAIRE

La bibliographie consacrée à Madeleine de Scudéry est de plus en plus importante, signe du dynamisme croissant des recherches sur cet auteur : Chantal MORLET-CHANTALAT a regroupé et commenté une riche moisson de ces études dans un volume de la collection « Bibliographie des écrivains français », n° 10, paru en 1997 aux éditions Memini (Paris-Rome), auquel nous renvoyons le lecteur. En complément de cette recension critique, nous avons publié dans les actes du colloque *Madeleine de Scudéry : une femme de lettres au XVIIᵉ siècle*, une documentation bibliographique sur l'œuvre de la romancière.

On ne trouvera donc ci-dessous que les ouvrages et articles essentiels dont nous nous sommes servi pour cette édition.

ÉDITIONS DE *CLÉLIE*

Édition originale : Paris, Augustin Courbé, 1654-1660, 10 vol. in-8°.

Pour l'histoire éditoriale du roman, on se reportera au travail de Georges MONGRÉDIEN, « Bibliographie des œuvres de Georges et Madeleine de Scudéry », *R.H.L.F.*, n° XL, 1933, p. 546-550, et 550-551 pour les traductions (à compléter avec la « Bibliographie des écrivains français », *op. cit.*, p. 39-43).

La première édition moderne intégrale est récente : *Clélie, histoire romaine*, éd. Chantal MORLET-CHANTALAT, Paris,

H. Champion, coll. « Sources classiques », 5 vol., 2001-2005.

Quelques Conversations de la *Clélie*, souvent reprises et remaniées à l'occasion de leur publication ultérieure par l'auteur (de 1680 à 1692), ont fait l'objet d'une édition critique : « *De l'air galant* » *et autres Conversations (1653-1684). Pour une étude de l'archive galante*, éd. Delphine DENIS, Paris, H. Champion, coll. « Sources classiques », n° 5, 1998. Voir aussi le *Choix de Conversations* de Phillip J. WOLFE, Ravenne, Longo éd., 1977.

ÉTUDES CRITIQUES

Parmi les très nombreux travaux sur le roman du XVIIᵉ siècle, on retiendra notamment

COULET (Henri), *Le Roman jusqu'à la Révolution*, Paris, Armand Colin, 1967-1968.

DEJEAN (Joan), *Tender Geographies. Women and the Origins of the Novel in France*, New York, Columbia Univ. Press, 1991.

ESMEIN (Camille), *L'Essor du roman. Discours théorique et constitution d'un genre littéraire au XVIIᵉ siècle*, Paris, Champion, à paraître en 2007.

GIORGI (Giorgetto), *Romanzo e poetiche del romanzo nel Seicento francese*, Roma, Bulzoni Editore, 2005.

GRANDE (Nathalie), *Stratégies de romancières. De* Clélie *à* La Princesse de Clèves *(1654-1678)*, Paris, H. Champion, coll. « Lumière classique », 1999.

LEVER (Maurice), *Le Roman français au XVIIᵉ siècle*, Paris, P.U.F., 1981 et *Romanciers du Grand Siècle*, Paris, Fayard, 1996.

MOLINIÉ (Georges), *Du roman grec au roman baroque. Un art majeur du genre narratif en France sous Louis XIII*, Toulouse, Presses universitaires du Mirail, 1995 [1ʳᵉ éd. 1982].

PLAZENET (Laurence), *L'Ébahissement et la Délectation. Réception comparée et poétiques du roman grec en France et en Angleterre aux XVIᵉ et XVIIᵉ siècles*, Paris, Champion, 1997.

Et les travaux collectifs suivants :

Les Genres insérés dans le roman, actes du colloque international (10-12 décembre 1992), éd. Claude LACHET, Lyon, Centre d'études des interactions culturelles, 1995.

« L'invention du roman français au XVIIᵉ siècle », *XVIIᵉ siècle*, n° 215, avril-juin 2002.

Perspectives de la recherche sur le genre narratif français du XVIIᵉ siècle, Quaderni del Seminario di filologia francese, n° 8, Pise-Genève, Edizioni Ets-Slatkine, 2000.

Revue d'Histoire littéraire de la France, mai-août 1977.

Le Romanesque, éd. Gilles DECLERCQ et Michel MURAT, Paris, Presses de la Sorbonne nouvelle, 2004.

À compléter en particulier, pour les questions de poétique du genre, avec

Poétiques du roman. Scudéry, Huet, Du Plaisir et autres textes théoriques et critiques du XVIIᵉ siècle sur le genre romanesque, éd. Camille ESMEIN, Paris, H. Champion, coll. « Sources classiques », n° 56, 2004.

Les Poétiques italiennes du « roman ». Simon Fórnari, Jean-Baptiste Giraldi Cinzio, Jean-Baptiste Pigna, introduction, traduction et notes par Giorgetto GIORGI, Paris, H. Champion, 2005.

Pour et contre le roman. Anthologie du discours théorique sur la fiction narrative en prose du XVIIᵉ siècle, introduction, choix de textes et notes par Günter BERGER, Paris-Seattle-Tübingen, *Papers on French Seventeenth Century Literature*, « Biblio 17 », n° 92, 1996.

Sur le roman scudérien, la vie et l'œuvre de Madeleine de Scudéry, on pourra consulter les ouvrages suivants

Les Trois Scudéry, actes du colloque du Havre (1ᵉʳ-5 octobre 1991), éd. Alain NIDERST, Paris, Klincksieck, 1993.

Madeleine de Scudéry : une femme de lettres au XVIIᵉ siècle, actes du colloque international de Paris (28-30 juin 2001), éd. Delphine DENIS et Anne-Élisabeth SPICA, avant-propos de Philippe SELLIER, Artois Presses Université, 2002.

ARONSON (Nicole), *Mademoiselle de Scudéry ou le Voyage au pays de Tendre*, Paris Fayard, 1986.

ARAGONNÈS (Claude), *Madeleine de Scudéry, Reine du Tendre*, Paris, A. Colin, 1934.

DENIS (Delphine), *La Muse galante. Poétique de la conversation dans l'œuvre de Madeleine de Scudéry*, Paris, H. Champion, coll. « Lumière classique », n° 12, 1997.

GODENNE (René), *Les Romans de Mademoiselle de Scudéry*, Genève, Droz, 1983.

KRAJEWSKA (Barbara), *Du Cœur à l'esprit. Mademoiselle de Scudéry et ses samedis*, Paris, Kimé, 1993.

LALLEMAND (Marie-Gabrielle), *La Lettre dans le récit : étude de l'œuvre de Mlle de Scudéry*, Tübingen, G. Narr, coll. « Biblio 17 » n° 120, 2000.

MAGNE (Émile), *Le Salon de Madeleine de Scudéry ou le Royaume de Tendre*, Monaco, Impr. de Monaco, 1927.

MONGRÉDIEN (Georges), *Madeleine de Scudéry et son salon*, Paris, Tallandier, 1946.

MORLET-CHANTALAT (Chantal), *La « Clélie » de Mademoiselle de Scudéry, de l'épopée à la Gazette : un discours féminin de la gloire*, Paris, H. Champion, coll. « Lumière classique », 1994.

NIDERST (Alain), *Madeleine de Scudéry, Paul Pellisson et leur monde*, Paris, P.U.F., 1976.

RATHERY et BOUTRON, *Mademoiselle de Scudéry, sa vie et sa correspondance*, Paris, Techener, 1873.

SPICA (Anne-Élisabeth), *Savoir peindre en littérature. La description dans le roman au XVII*e* siècle : Georges et Madeleine de Scudéry*, Paris, Champion, coll. « Lumière classique », n° 45, 2002.

À compléter avec quelques articles (outre ceux rassemblés dans les ouvrages collectifs cités ci-dessus)

ARONSON (Nicole), « Mademoiselle de Scudéry, du roman à la nouvelle », *Papers on French Seventeenth Century Literature*, n° 22, 1985, p. 169-190 ; « Les héroïnes de Mlle de Scudéry entre *L'Astrée* et *La Princesse de Clèves* », *Papers on French Seventeenth Century Literature*, n° 8, 1978, p. 95-116 ; « Plotine ou la précieuse dans *Clélie* », *Papers on French Seventeenth Century Literature*, n° 4/5, 1976, p. 81-100 ; « Mademoiselle de Scudéry et l'Histoire romaine dans *Clélie* », *Romanische Forschungen*, vol. LXXXVIII, 1976, p. 183-194.

DENIS (Delphine), « Conversation et enjouement au XVIIᵉ siècle : l'exemple de Madeleine de Scudéry », *Du goût, de la conversation et des femmes*, études rassemblées par Alain MONTANDON, Association des Publications de la Faculté des Lettres et Sciences Humaines de Clermont-Ferrand, 1994, p. 111-129 ; « Récit et devis chez Madeleine de Scudéry : la nouvelle entre romans et *Conversations* (1661-1692) », *La Nouvelle de langue française aux frontières des autres genres, du Moyen Âge à nos jours*, actes du colloque international de Louvain-la-Neuve (mai 1997), éd. Vincent ENGEL, Louvain-la-Neuve, Bruylant-Academia, 2001, p. 90-107 ; « Les Samedis de Sapho : figurations littéraires de la collectivité », *Vie des salons et activités littéraires, de Marguerite de Valois à Mme de Staël*, actes du colloque de Nancy (octobre 1999), éd. Roger MARCHAL, Presses Universitaires de Nancy, 2001, p. 107-115 ; « Les inventions de *Tendre* », *Intermédialités. Histoire et théorie des arts, des lettres et des techniques*, n °4, « Aimer », automne 2004, p. 45-66.

GEVREY (Françoise), « *Clélie* et *La Princesse de Clèves* », *XVIIᵉ siècle*, n° 181, oct.-déc. 1993, p. 643-655.

HEPP (Noémi), « À propos de la *Clélie* : mélancolie et perfection féminine », *Mélanges Georges Couton*, Lyon, P. U. L., 1981, p. 161-168.

MAÎTRE (Myriam), « Lettres de Sapho, lettres de Madeleine ? Les lettres dans la *Clélie* et la correspondance de Mademoiselle de Scudéry », in *L'Épistolaire, un genre féminin ?*, éd. Christine PLANTÉ, Paris, Champion, 1998, p. 53-66 ; « Une anti-curiosité : la discrétion chez Mlle de Scudéry et dans la littérature mondaine (1648-1696) », *Curiosité et* Libido sciendi *de la Renaissance aux Lumières*, textes réunis par Nicole JACQUES-CHAQUIN et Sophie HOUDARD, Paris, ENS Éditions, coll. « Theoria », 1998, t. II, p. 333-358.

MESNARD (Jean), « Mademoiselle de Scudéry et la société du Marais », *Mélanges Georges Couton*, Lyon, P.U.L., 1981, p. 169-188.

MORLET-CHANTALAT (Chantal), « Les châteaux dans la *Clélie* », *XVIIᵉ siècle*, n° 118-119, janvier-juin, 1978, p. 103-111, et « Parler du savoir, savoir pour parler : Madeleine de Scudéry et la vulgarisation galante », *Femmes savan-*

tes, savoirs des femmes. Du crépuscule de la Renaissance à l'aube des Lumières*, études réunies par Colette NATI-VEL, actes du colloque de Chantilly (22-24 septembre 1995), Genève, Droz, 1999, p. 177-195.

MUELLER (Marlies), « La production romanesque de Georges et Madeleine de Scudéry des années 1640 à 1653 » et « Clélie », *Les Idées politiques dans le roman héroïque de 1630 à 1670*, Lexington, French Forum, 1984, p. 65-115 et 149-165.

NIDERST (Alain), « Madeleine de Scudéry, construction et dépassement du portrait romanesque », *Le Portrait littéraire*, éd. Kazimierz Kupisz, Gabriel-André Pérouse, Jean-Yves Debreuille, Lyon, P.U.L., 1988, p. 107-112 ; « L'Histoire dans les romans de Madeleine de Scudéry », *Le Roman historique (XVIIᵉ-XXᵉ siècles)*, actes de Marseille réunis par P. Ronzeaud, coll. « Biblio 17 », 1983, p. 11-22 ; « *Clélie* : du roman baroque au roman moderne », *Actes de Baton Rouge*, Paris-Seattle-Tübingen, *PFSCL*, 1986, p. 311-319 ; « Sur les clés de *Clélie* », *Papers on French Seventeenth Century Literature*, n° 41, 1994, p. 471-483.

Et pour un éclairage complémentaire du texte, on pourra prolonger avec

Madeleine de Scudéry, Paul Pellisson et leurs amis, *Chroniques du Samedi. Suivies de pièces diverses (1653-1654)*, éd. Alain NIDERST, Delphine DENIS et Myriam MAÎTRE, Paris, H. Champion, coll. « Sources classiques », 2002.

L'Esthétique galante. Paul Pellisson, Discours sur les Œuvres de Monsieur Sarasin et autres textes. Textes réunis, présentés et annotés sous la direction d'Alain VIALA, par Emmanuelle MORTGAT et Claudine NÉDELEC, avec la collaboration de Marina JEAN, S. L. C., Toulouse, 1989.

La Politesse amoureuse de Marsile Ficin à Madeleine de Scudéry. Idées, codes, représentations, actes du colloque international de Reims (17-19 nov. 1999), éd. Franck GREINER et Jean-Claude TERNAUX, *Franco-Italica*, n° 15-16, 1999.

BAADER (Renate), *Dames de lettres : Autorinnen des preziösen, hocharistocratischen und modernen Salons (1649-1698)*, Stuttgart, J. B. Metzler, 1986.

BASSY (Alain-Marie), « Supplément au voyage de Tendre » *Bulletin du Bibliophile*, 1982 (I), p. 13-33.

BEUGNOT (Bernard), « Œdipe et le Sphinx. Des clés », *La Mémoire du texte. Essais de poétique classique*, Paris, Champion, coll. « Lumière classique », 1994, p. 227-242.

BIANCARDI (Elisa) « La "Carte de Tendre" : eros prezioso e ottica della restrizione », *Eros in Francia nel Seicento, Quaderni del Seicento francese*, n ° 8, Adriatica-Paris, Bari-Nizet, 1987, p. 245-264.

BURY (Emmanuel), *Littérature et politesse. L'invention de l'honnête homme, 1580-1750*, Paris, P.U.F., 1996.

CANIVET (Diane), *L'Illustration de la poésie et du roman français au XVIIe siècle*, Paris, P.U.F., 1957.

DEJEAN (Joan), « L'écriture féminine : sexe, genre et nom d'auteur au XVIIe siècle », *Le Style au XVIIe siècle, Littératures classiques*, n° 28 (automne 1996), p. 137-146 et « De Scudéry à Lafayette : la pratique et la politique de la collaboration littéraire dans la France du dix-septième siècle », *XVIIe siècle*, n° 181, oct.-déc. 1993, p. 673-685.

DENIS (Delphine), « Réflexions sur le "style galant" : une théorisation floue », *Le Style au XVIIe siècle, op. cit.*, p. 147-158 ; « Préciosité et galanterie : vers une nouvelle cartographie », *Les Femmes au Grand Siècle. Le Baroque : musique et littérature. Musique et liturgie*, actes du 33e congrès annuel de la *NASFSSCL*, Arizona State University (Tempe, mai 2001), *Papers on French Seventeenth Century Literature*, coll. « Biblio 17 », Suppl., n° 144, tome II, 2002, p. 17-39 ; *Le Parnasse galant. Institution d'une catégorie littéraire au XVIIe siècle*, Paris, H. Champion, coll. « Lumière classique », 2001.

DESCAMPS (Geneviève), « De l'amour mystique à l'amour idéal dans les romans précieux du XVIIe siècle », *Les Visages de l'amour au XVIIe siècle*, 13e colloque du C.M.R. 17 (28-30 janvier 1983), Université de Toulouse-Le Mirail, 1984, p. 67-77.

DUCHÊNE (Roger), *Les Précieuses ou comment l'esprit vint aux femmes*, Paris, Fayard, 2001.

FILTEAU (Claude), « Le Pays de Tendre. L'enjeu d'une carte », *Littérature*, n° 36, déc. 1979, p. 37-60.

FRANCILLON (Roger), « Mme de La Fayette et la *Clélie* », dans *L'Œuvre romanesque de Mme de La Fayette*, Paris, J. Corti, 1973, p. 239-253.

FUMAROLI (Marc), *La Diplomatie de l'esprit*, Paris, Hermann, coll. « Savoir : Lettres », 1994, et *Le Poète et le Roi. Jean de La Fontaine en son siècle*, Paris, De Fallois, 1997.

GÉNETIOT (Alain), *Poétique du loisir mondain, de Voiture à La Fontaine*, Paris, Champion-Slatkine, collection « Lumière classique », 1997.

GOLDSMITH (Elizabeth C.), *« Exclusive Conversations ». The Art of Interaction in Seventeenth Century France*, Philadelphia, Univ. of Pennsylvania Press, 1988 et « "L'art de détourner les choses" : Sociability as Euphoria in Madeleine de Scudéry's *Conversations* », *Moralistes et mondains*, *Papers on French Seventeenth Century Literature*, n° 24, 1986, p. 17-27.

KROLL (Renate), « *Nouvelle Sapho*. La recherche des terres inconnues dans les romans de Madeleine de Scudéry », *Genre-Sexe-Roman. De Scudéry à Cixous*, dir. B. Heymann et L. Steinbrügge, Frankfurt am Main-Bern New York-Paris-Wien, Peter Lang, 1995, et *Femme poète im Grand Siècle. Zur Lyrik der Madeleine de Scudéry im Kontext der « poésie précieuse »*, Tübingen, 1995.

KRUSE (Margot), « "La gloire du monde" und "la gloire de Dieu" im Werk von Mademoiselle de Scudéry », *Romanistisches Jahrbuch*, n° 34, 1984, p. 101 117.

LATHUILLÈRE (Roger), *La Préciosité, étude historique et linguistique. Tome I. Position du problème, Les Origines*, Genève, Droz, 1966.

MAÎTRE (Myriam), *Les Précieuses. Naissance des femmes de lettres en France au XVIIᵉ siècle*, Paris, Champion, coll. « Lumière classique », 1999.

MAYER (Denise), « Madame du Plessis-Guénégaud, née Élisabeth de Choiseul », *XVIIᵉ siècle*, n° 155, avril-juin 1987, p. 173-187 et n° 156, juillet-septembre 1987, p. 313-319.

PLANTIÉ (Jacqueline), *La Mode du portrait littéraire en France dans la société mondaine (1641-1681)*, Paris, Champion, coll. « Lumière classique », 1994.

SENTER (Enid Paul Mayberry), « Les cartes allégoriques romanesques du XVIIᵉ siècle. Aperçu des gravures créées autour de l'apparition de la *Carte de Tendre* de la *Clélie* en 1654 », *Gazette des Beaux-Arts*, avril 1977, p. 133-144.

TIMMERMANS (Linda), *L'Accès des femmes à la culture (1598-1715). Un débat d'idées de saint François de Sales à la marquise de Lambert*, Paris, Champion, 1993.

VAN DELFT (Louis), *Littérature et anthropologie. Nature humaine et caractère à l'âge classique*, Paris, P.U.F., 1993.

ZUMTHOR (Paul), « La Carte de Tendre et les Précieux », *Trivium*, n° VI, 1941, p. 263-273.

Il convient enfin de signaler le site internet entièrement dédié à *Artamène ou Le Grand Cyrus* (Claude BOURQUI et Alexandre GEFEN : www.artamene.org), ainsi que, des mêmes auteurs, *Artamène ou Le Grand Cyrus*, choix d'extraits, Paris, Flammarion, collection « GF », 2005.

NOTES

Page 33

1. Cette ouverture *in medias res*, constante des grandes fresques romanesques du XVIIᵉ siècle, s'inscrit dans la tradition des *Éthiopiques* d'Héliodore qu'avait traduites Amyot dès 1547, avec une importante préface où était affirmée la nécessité de provoquer le suspense du lecteur. À la différence cependant du roman grec, la première page de *Clélie* présente un paysage certes dévasté, mais apparemment revenu au calme : le tremblement de terre qui survient très vite et sépare les amants déplace ainsi dans le présent du récit le naufrage à la suite duquel débutaient les *Éthiopiques*. Dans *Le Grand Cyrus* (1649-1653), c'est un incendie qui ouvrait le roman.

2. Située en Campanie, Capoue avait été fondée par les Étrusques. La mention du fleuve Vulturne en ce début de roman n'est pas sans rappeler *L'Astrée* : la description du Forez faisait place, dès l'*incipit*, au fleuve Lignon dans lequel se jette le berger Céladon.

3. De même que le terme de *maîtresse*, *amant* est à prendre dans le sens le plus « honnête » qu'impose le genre : il évoque les sentiments suscités ou éprouvés, à l'exclusion de toute relation charnelle entre les personnages.

Page 34

1. *D'ailleurs* : par ailleurs.

2. *Épouvantable* : au sens littéral de « qui provoque l'épouvante ».

3. *Étrange* : « Ce qui est surprenant, rare, extraordinaire » (Furetière). L'adjectif, et l'adverbe qui en dérive, ont très souvent chez Madeleine de Scudéry une valeur intensive.

Page 35

1. *Campagnes* : « vaste étendue de terre où il n'y a ni villes, ni montagnes, ni forêts » (Furetière).

2. Collectée sur l'île de Samos, dans la mer Égée, la *terre samienne*, blanche et molle, avait également des propriétés médicales notoires.

Page 36

1. Rival malheureux d'Aronce, le personnage d'*Horace* renvoie dans l'histoire romaine au fameux Horatius Coclès, dont l'héroïsme patriotique avait été, comme pour Clélie, célébré par l'édification d'une statue (Tite-Live, II, x et Plutarque, *Vie de Publicola*, XVI).

2. *Où* : auquel. L'adverbe connaît une très grande extension d'emploi dans la langue classique. Vaugelas en juge « l'usage [...] élégant, et commode », de préférence à « *lequel*, [...] si rude en tous ses cas ».

3. Accord au pluriel par syllepse de nombre, à partir de l'énumération des diverses couleurs. Cette liberté grammaticale est encore fréquente au XVIIe siècle, mais constitue un point de plus en plus fréquemment débattu par les grammairiens, qui s'efforcent d'en édicter les limites.

4. *Cœur* : courage.

Page 37

1. *Rencontre* : occasion.

Page 38

1. *Sûrement* : en sécurité.

2. *Dis-je* : le narrateur premier du roman héroïque est, comme on le repère aussi aux très nombreuses marques d'évaluation, nettement présent dans son récit. À la fin du siècle, les théoriciens de la « nouvelle » (forme appelée à donner naissance au roman moderne) exigeront au contraire de « l'historien » une totale discrétion, lui imposant de disparaître derrière les personnages et l'intrigue. Pour

prix et rémunération de cet effacement de l'instance narratrice, l'« intérêt » du lecteur envers l'histoire racontée.

Page 41

1. Construction fréquente en français classique : le participe passé dans le groupe nominal a une valeur prédicative, et peut se paraphraser à l'aide d'un nom recteur (*pour leurs maisons ruinées* : pour la ruine de leurs maisons). On a souvent rapproché ce tour du latinisme *Sicilia amissa* (la perte de la Sicile).

2. *Remenée* : ramenée. Furetière enregistre sans commentaire les deux verbes, concurrents en ce sens.

Page 42

1. *Nole* : Nola, autre cité de Campanie.

Page 44

1. *Devant que* : cette conjonction est déjà jugée par Vaugelas moins conforme au « bel usage » que sa concurrente *avant que*, plus moderne.

2. *Pérouse* : en Étrurie. Les cités de Pérouse, Clusium et Cære étaient unies en fédération.

3. *Mander* : « écrire à quelqu'un, ou lui envoyer un message pour lui faire savoir quelque chose, ou pour le prier, le charger, de faire quelque affaire » (Furetière).

Page 45

1. *Succès* : issue, indifféremment bonne ou mauvaise, d'une entreprise.

Page 46

1. Les histoires enchâssées apprendront ensuite au lecteur qu'Adherbal, prince de Numidie et soupirant de Clélie, est en réalité le demi-frère de l'héroïne, sous le véritable nom d'Octave.

2. *Deux milles* : unité de mesure romaine, soit deux mille pas.

Page 47

1. *Oyait* : le verbe n'est pas encore senti comme un archaïsme : les trois dictionnaires du XVIIe siècle lui font place sans commentaires.

2. On apprendra plus loin que le prince de Pérouse est Mézence, beau-frère de Porsenna, roi de Clusium. Chez Tite-Live (I, II), Mezentius est le souverain de Cære, autre cité étrusque.

Page 48

1. *S'habituèrent* : s'établirent, sens attesté par Furetière.
2. *S'amuser à* : perdre son temps à.

Page 49

1. *Joint que* : outre que.

Page 50

1. Personnage appelé à une place importante dans le roman : héritier, par son « inconstance » avouée, d'Hylas dans *L'Astrée* ou du marquis français d'*Ibrahim* (autre roman des Scudéry, paru en 1641), il servira avec Plotine de contrepoint « enjoué » au couple principal. *Amilcar* renvoie, pour la chronique, au poète Jean-François Sarasin, ami de Madeleine de Scudéry. Il avait été le secrétaire du prince de Conti, dont il négocia la rentrée en grâce à la cour après les troubles de la Fronde. Il meurt en 1654, année où paraît le premier tome du roman. Deux ans plus tard, Paul Pellisson et Gilles Ménage rassembleront les œuvres de leur ami en une édition longuement préfacée, où, comme l'a montré Alain Viala dans *L'Esthétique galante* (voir la Bibliographie) s'affirme à travers l'éloge de Sarasin l'invention d'une esthétique nouvelle, placée sous le signe de la *galanterie*.

Page 51

1. Ce voyage italien n'est pas sans rappeler la pratique des humanistes au siècle précédent : pèlerinage où les lettrés allaient puiser aux sources de leur culture.

Page 53

1. *Tyr*, aujourd'hui Sour au Liban : port de la Phénicie, la cité avait fondé (vers le Xe s. av. J.-C.) de nombreux comptoirs sur les rives de la Méditerranée, dont Carthage.

Page 54

1. Sur l'origine de Carthage et ses liens avec Tyr, voir Justin, *Histoire universelle*, XVIII. Mais l'historien se contente de rapporter qu'un tribut annuel est imposé à la cité, sans en préciser les modalités.

Page 55

1. *Dans quoi* : dans lequel. Cet emploi du relatif *quoi* renvoyant à un groupe nominal défini (non animé) est encore fréquent en français classique. Vaugelas le préfère à *lequel*.

Page 56

1. *Connurent* : reconnurent.

Page 57

1. *Interdit* : c'est-à-dire troublé au point de ne pouvoir parler.

Page 59

1. Qualité mondaine par excellence, *l'air galant* qu'avait déjà tenté de définir Vaugelas dans ses *Remarques* avait fait l'objet d'une longue conversation au tome X de *Cyrus*, paru juste un an avant la publication du premier volume de *Clélie*. C'est alors Sapho, sous le nom duquel il faut retrouver la figure de Madeleine de Scudéry, qui incarnait cet « air galant » dont elle élucidait les composantes pour ses amis : Sapho et Clélie se répondent ainsi, d'un roman à l'autre. Quant à la *modestie*, apanage de l'honnêteté féminine, elle vient dans ce portrait neutraliser la connotation péjorative que pouvait prendre l'adjectif *galant*, appliqué à une femme : les devisants de *Cyrus* s'y étaient d'ailleurs arrêtés.

Page 60

1. C'est donc aussi en « Femme héroïque », telle qu'une longue tradition encore vivante dans le premier tiers du siècle en avait campé la posture (par exemple dans *La Galerie des femmes fortes* du P. Le Moyne, en 1647), que doit se lire le portrait de Clélie, en filigrane de la convention romanesque et de l'idéal mondain.

2. *L'action* désigne, de manière globale, la manière de se mouvoir, port et gestuelle. Le terme est directement issu du vocabulaire de la rhétorique.

Page 61

1. Le genre du mot *amour* n'est pas encore fixé en ce milieu du siècle (sauf en matière de mythologie ou de dévotion religieuse, où il est masculin). Sans trancher, Vaugelas avoue sa préférence pour le féminin, « selon l'inclination de notre langue, qui se porte d'ordinaire au féminin plutôt qu'à l'autre genre, et selon l'exemple de nos plus élégants écrivains »…

2. *La liberté* : c'est-à-dire celle des rencontres entre hommes et femmes. Selon Pierre-Daniel Huet, c'est à cette particularité spécifiquement française nommée *galanterie* que l'on doit l'éclatante réussite du genre romanesque en France : « nous devons cet avantage, écrit-il en 1669, à la politesse de notre galanterie qui vient à mon avis de la grande liberté dans laquelle les hommes vivent en France avec les femmes » (*Lettre-traité de l'origine des romans*, en tête de *Zayde* : Paris, S. Mabre-Cramoisy).

Page 63

1. Esquive adroite d'une requête dont la syllepse sur le terme de *maîtresse* trahit l'ambiguïté : c'est le signe de la sagesse de Clélie, et de son esprit.

Page 64

1. Le choix du subjonctif ici, là où un indicatif était également possible, marque une nouvelle fois la prudence de l'héroïne qui tient à distance l'idée même de cette passion.

Page 66

1. *Après-dînée* : après-midi (le repas du dîner se prenait autrefois à la mi-journée).

2. Voici l'un des nombreux « cas d'amour » examinés dans le roman, sur le modèle de *L'Astrée*. Cette conversation fait écho à une précédente qui avait réuni, dans l'île des Saules, Aronce, la princesse des Léontins, Aurélie et Martia : le débat portait sur « la force de l'inclination », premier jalon d'une importante thématique de *Clélie* dont

la *Carte de Tendre* s'efforcera de dessiner les frontières et les routes concurrentes.

Page 69

1. On reconnaît ici la « rage de définir » (selon une formule de Corbinelli, vingt-cinq ans plus tard) qui s'empare des ruelles au tournant du siècle, encouragée par les débats des Académiciens œuvrant à leur dictionnaire. Clélie s'y révélera, dès cette première conversation qui la met en scène, une experte incontestable : privilège censément féminin que cette naturelle « science du cœur », convertie en savoir linguistique tout aussi instinctif.

Page 70

1. Avec l'introduction de cette notion de *tendresse*, se met en place l'un des thèmes majeurs de l'univers scudérien. On sait qu'il se déploie au-delà de la fiction romanesque : dans les mêmes années 1654, aux Samedis de Madeleine de Scudéry, les productions littéraires du groupe y reconnaissent la marque propre de Sapho, intronisée « Reine de *Tendre* » par ses proches, sujets consentants d'une royauté tant amicale que littéraire. Le manuscrit des *Chroniques du Samedi* et les papiers des Recueils Conrart accueillent de nombreuses pièces composées dans ce contexte.

2. Comme le note Chantal Morlet-Chantalat (éd. citée dans la Bibliographie, t. I, p. 115), le mot de gloire sera commenté de la même manière, plus loin dans le texte (ci-dessous, p. 226 *sqq.*). C'est essentiellement autour de ces deux pôles en effet, *tendresse* du lien sentimental et *gloire* féminine, que s'organisent les valeurs du roman.

Page 71

1. À la circulation inflationniste du terme correspond donc une dangereuse dévaluation : seul un travail de resémantisation, le rendant à sa juste définition, permettra d'en rétablir la pertinence distinctive pour un sentiment accessible aux seules âmes d'élite.

2. Le partage des rôles argumentatifs est net, et ménage la modestie féminine tout en tissant les liens subtils entre amour, amitié et tendresse qui constituent le maillage propre au roman.

Page 72

1. *Une certaine léthargie de cœur* : le recours, au demeurant timide comme l'exige le bel usage, à l'expression métaphorique, au sein de laquelle le substantif supporte la figure, est l'un des procédés dont les contemporains feront très vite la caricature, les dénonçant comme « précieux ». Il accompagne à coup sûr l'effort de définition (du côté des *verba*) et de nuances dans l'analyse psychologique (du côté des *res*).

2. *Et qui en chercherait* : et si l'on en cherchait. La valeur indéfinie du relatif explique la syllepse grammaticale sur le pronom réfléchi *eux-mêmes* : le pluriel renvoie, derrière l'indétermination référentielle, aux « amis sans tendresse » évoqués par Clélie.

Page 74

1. *Exagération* : « Ce sont des paroles par lesquelles on augmente et on pousse un peu au-delà de la vérité, la valeur des choses, ou le mérite des gens » (Richelet). Mais le mot n'a pas de valeur péjorative.

Page 75

1. *Charme* : ici au sens étymologique d'*enchantement*, *envoûtement*.

Page 76

1. Célère confirme ainsi le projet d'Aronce : répartition des tâches conforme aux bienséances, ainsi qu'à l'expérience des personnages dans la fiction. Dès lors la tendresse, préalablement assignée à l'amitié véritable, peut convenir aussi bien au sentiment amoureux. L'ambiguïté de cette notion est au cœur du roman, et au-delà sans doute, de toute l'éthique scudérienne. Elle invite dès à présent à une lecture complexe de la *Carte*, itinéraire sentimental tout autant que guide de la sociabilité galante aux couleurs de *Tendre*.

2. Hommage discret mais sensible à l'« honnête amitié » dont *L'Astrée* avait décliné les formes et les contre-modèles. Mais dans ce nouveau baptême, l'amour tendre semble bien désigner une modulation nouvelle du lien sentimental, plus intime peut-être que socialisé.

Page 77

1. Ici se définit, dans cette *tendresse* et *douceur* parta-
gées, le caractère mélancolique des parfaits amants
comme le seront Aronce et Clélie : ils trouveront plus loin
dans le roman leur modulation critique dans le couple
d'Amilcar et de Plotine, sous le signe de l'*enjouement*.

2. *Où* : tandis que.

Page 82

1. On reconnaît dans les liens tissés ici entre mélancolie, héroïsme et passion amoureuse, les échos d'une très
ancienne anthropologie, tant morale que physiologique.
Madeleine de Scudéry y reviendra fréquemment : voir ci-
dessous, p. 278 et n. 1.

2. *Persuader* : les dictionnaires de Richelet (1680) et de
l'Académie (1694) mentionnent tous deux cette construction du verbe (*persuader quelque chose à quelqu'un*), en
concurrence avec notre tour moderne. Richelet s'efforce
d'y voir une nuance de sens : « Lorsque persuader signifie
conseiller, porter à croire, faire croire, il semble qu'il
veuille un datif » (ce qui est ici le cas) ; tandis qu'« il semble qu'il régisse l'accusatif [de la personne] quand il signifie amener une personne au sentiment qu'on désire,
convaincre une personne à force de raisons, l'entraîner
par de puissantes considérations ».

Page 87

1. *Lors qu'ils* : maintenant qu'ils.

2. Derrière le personnage d'*Herminius*, il faut reconnaître Paul Pellisson, qui était devenu depuis l'été 1653 un fa-
milier de Madeleine de Scudéry, comme en témoigne le
manuscrit des *Chroniques du Samedi* où il figure sous le
nom d'*Acante*. Entre *Sapho* et ce dernier se noue très vite
une « amitié tendre », qui fera de Pellisson le tout premier
citoyen de *Tendre*, au terme d'une mise à l'épreuve de six
mois rythmée par l'abondante correspondance conservée
dans les *Chroniques*.

Page 88

1. Aux premiers temps de leur rencontre, Pellisson est
l'« amant » déclaré de Geneviève Perricquet qu'il célèbre

en vers et en prose sous le nom d'*Alphise*. L'incompatibilité entre cette posture galante et l'exigence de l'amitié tendre telle que la conçoit Madeleine de Scudéry est maintes fois affirmée dans les *Chroniques*. Pour prétendre entrer au royaume de *Tendre*, *Acante*-Pellisson, ici *Herminius*, devra entièrement renoncer à ce service amoureux.

2. Les Recueils Conrart nous ont conservé notamment deux pièces de Pellisson composées dans ce contexte : une épître galante s'essayant aux « vers en prose », ainsi qu'une ingénieuse « Énigme ». Toutes deux sont publiées dans *L'Esthétique galante*, éd. Alain Viala, Emmanuelle Mortgat et Claudine Nédélec (éd. citée *supra* dans la Bibliographie), p. 45-81.

Page 90

1. Le manuscrit des *Chroniques* fait état de cette conversation, dans une note rédigée par le « chroniqueur » (Pellisson lui-même, chargé de cette fonction d'archiviste du groupe) : questionnée par *Acante* sur la longueur du trajet qui sépare *Particulier* de *Tendre*, *Sapho* aurait esquissé une première version de la *Carte de Tendre*, qui ne nous a pas été conservée. Voir les *Chroniques du Samedi* (éd. citée dans la Bibliographie), p. 126.

2. L'expression *savoir la carte* est déjà pleinement lexicalisée, pour signifier au figuré « [connaître] les intrigues d'une cour, le train des affaires d'un état, les détours d'une maison, [...] les secrets d'une famille, d'un quartier » (Furetière). Mais la vogue des cartes allégoriques ne battra son plein qu'à partir de la publication de ce premier volume de *Clélie*, et pour une décennie au moins. L'abbé d'Aubignac, auteur d'une satirique *Relation du royaume de Coquetterie* (1659), engagea à ce sujet une vive polémique avec Madeleine de Scudéry, revendiquant pour son propre compte la priorité de l'invention littéraire.

Page 92

1. On doit à François Chauveau la première gravure de cette carte (ici en tête de notre ouvrage), insérée dans le roman sous la forme d'un dépliant. En 1659, à la faveur d'une réédition du premier volume, paraît une seconde

version (due à Jacques Destrevaulx) qu'un cartouche dédie alors à la marquise de Rambouillet.

2. *L'artifice* : c'est-à-dire à la fois l'adresse du geste, et la subtilité de la représentation allégorique. Le commentaire de *Clélie* à Herminius, que redouble ici Célère pour la princesse des Léontins, a lui aussi une double valeur d'*ecphrasis*, représentation verbale d'une œuvre d'art, et de glose herméneutique, élucidation du sens caché de la carte.

3. La langue classique ne distingue pas orthographiquement le *dessein*, projet qui préside à l'invention artistique, du *dessin*, réalisation graphique de cette intention créatrice.

Page 94

1. La bonté est en effet l'une des qualités dont Madeleine de Scudéry aime à se prévaloir auprès de ses amis. La postérité aura retenu, non sans justice, cette image de la romancière.

Page 95

1. *Tout contre* : juste à côté.

Page 96

1. Les *Chroniques du Samedi* témoignent de cet effort — vain — pour contrôler la circulation de la *Carte* dans un cercle choisi. La méfiance de Madeleine de Scudéry était fondée : satires et parodies en accompagnèrent la diffusion, tout autant que les réécritures et variations galantes sur le même thème. Les Recueils Conrart, ainsi que le manuscrit des *Chroniques*, nous ont conservé quelques-unes de ces dernières : plusieurs billets, un « discours géographique » en prose, une églogue, des vers où parlent les trois rivières, un « Caprice contre l'Estime », une gazette allégorique, etc.

Page 101

1. Tarquin vient de faire assassiner le roi Servius Tullius. Le récit de Madeleine de Scudéry, pour cet épisode célèbre, suit fidèlement celui de Tite-Live (I, XLVIII). L'historien romain ne dit rien du cocher qui aurait tenté

de détourner le chariot : le détail figure en revanche chez Denys d'Halicarnasse (*Antiquités romaines*, IV, XXXIX).

Page 104

1. *Une illustre mère* : il s'agit de Sivélia, qui sera nommée quelques lignes plus loin. L'identification d'Herminius à Pellisson impose de reconnaître Jeanne Fontanier derrière cette « illustre mère ». L'attachement de Pellisson envers celle-ci était bien réel, au point qu'il avait signé sa *Relation contenant l'Histoire de l'Académie française* (1653) du nom de Pellisson-Fontanier.

Page 105

1. *Le fils aîné de Tarquin* : le prince Sextus, dont Herminius avait campé un inquiétant portrait.

Page 110

1. Cette réplique d'Amilcar fait écho à une conversation du *Grand Cyrus*, où Madeleine de Scudéry avait précisément défini les règles et les écueils de la belle conversation.

Page 113

1. Nouvelle étude de casuistique amoureuse, qui met en place de manière explicite l'opposition structurante dans le roman entre amour enjoué ou galant, et passion mélancolique : les couples d'Amilcar-Plotine et d'Aronce-Clélie en fourniront tout au long les modèles opposés.

Page 118

1. On reconnaît dans cette énumération plaisante les étapes majeures de la *Carte de Tendre*, dont Amilcar présente ainsi le contrepoint ironique.

2. *Vous ne sauriez répondre* : vous ne sauriez gager.

Page 124

1. *Les ris* : les rires. La forme ancienne *ris* se maintient encore au XVIIe siècle dans cette formule. Associée à la matière amoureuse, elle définit aussi le cadre littéraire d'une esthétique, qu'emblématise le nom du poète grec Anacréon.

Page 125

1. *Observer* : « Obéir, suivre une règle, une loi », et aussi « prendre garde à ce qu'on fait, à ce qu'on dit » (Furetière). *N'observer rien* est le contraire de l'*exactitude*, qui témoigne d'une scrupuleuse attention aux autres : Madeleine de Scudéry a souvent insisté sur l'importance de cette attitude dans les rapports humains.

Page 130

1. *Dispute* : débat contradictoire.

Page 131

1. Les « histoires tragiques » constituaient un genre narratif à part entière, surtout florissant dans les années 1620-1630 : François de Rosset, ou encore Jean-Pierre Camus, évêque de Belley, s'y étaient notamment illustrés.

2. Ce ne sera donc pas non plus une « histoire sentimentale », ni peut-être même héroïque — comme le sont les romans scudériens eux-mêmes : illustrée par la narration de l'enjoué Amilcar, c'est une poétique de la nouvelle galante qui s'ébauche ici, avant l'heure. Deux ans plus tard, *Les Nouvelles françaises* de Segrais pourront en approfondir les suggestions, au détriment de l'esthétique de l'éloignement (dans le temps, l'espace, et l'idéalisation des personnages) qui encadre encore, ici, le récit à venir.

Page 132

1. *Supposés* : c'est-à-dire inventés pour déguiser les vrais noms des protagonistes d'une narration qui s'inscrit donc sous le signe de l'« histoire véritable » ou de la nouvelle. Derrière chaque personnage se cacherait donc, cryptée par la clé de l'onomastique littéraire, une personne historique dont le témoignage d'Amilcar garantit l'existence.

Page 133

1. *Crète* désigne donc dans le texte tout à la fois l'île (voir quelques lignes plus bas la référence à « cette île, qui [...] est une des plus belles de toute la mer Égée ») et, au cœur de cette dernière, une ville particulière, nécessairement située en bord de mer, puisque plus tard (voir, p. 166) Artaxandre et son ami Philionte s'y rendent par voie

maritime, tandis que leurs domestiques les rejoignent par terre. Aucun géographe n'a jamais signalé l'existence d'une telle ville, qui semble donc entièrement imaginée par l'auteur : on peut s'étonner du choix de ce toponyme par la romancière, qui ne pouvait ignorer le risque d'ambiguïté.

Page 139

1. *Un jour de réflexion* : c'est-à-dire une lumière indirecte.

2. *Où elle n'avait jamais entré* : la concurrence des deux auxiliaires *être* et *avoir* dans la conjugaison des formes composées de certains verbes intransitifs, parfois encore attestée en français moderne, est un fait courant de la langue classique. Une réelle mais ténue nuance de sens y préside : tandis qu'avec *être*, on envisage le terme du procès, l'auxiliaire *avoir* le présente sous l'angle cumulatif de sa durée. C'est ici le cas, s'agissant d'un constat rétrospectif établissant que « cette dame » n'entra jamais dans la chambre de son amie.

3. Le rituel de la ruelle, où l'on reçoit publiquement, entraîne ainsi des questions de préséance et de présentation de soi : on est bien loin de l'intimité à laquelle notre conception moderne de l'espace associe la chambre à coucher, lieu privé par excellence.

Page 140

1. La satire de la coquetterie féminine est fréquente dans l'œuvre de Madeleine de Scudéry, où elle entre en résonance critique avec les plaidoyers de la romancière en faveur de l'instruction féminine.

Page 142

1. *Propre* : c'est-à-dire nette et soignée.

2. *Sidon* (aujourd'hui Saïda au Liban) : ancienne ville de Phénicie, fut longtemps la principale rivale de Tyr.

Page 143

1. Souplesse et sens de l'adaptation entrent ainsi dans la définition de la séduction galante, incarnée par Artaxandre.

2. *Une partie* : « ... se dit aussi de tous les divertissements où on engage certaines personnes, et à certains jours » (*Dictionnaire universel* de Furetière) ; *mettre quelqu'un d'une partie*, c'est donc l'y convier.

Page 146

1. *En se jouant* : en badinant, pour s'amuser.

Page 147

1. *Ne faisant d'abord aucun semblant de savoir rien* : faisant mine de ne rien savoir.

Page 154

1. *Du monde* : ici, de la société mondaine.

Page 161

1. *Contribuer quelque chose à* : cette ancienne construction transitive du verbe, la seule attestée au XVIᵉ siècle, est encore signalée en 1694 par le Dictionnaire de l'Académie, en concurrence avec notre usage moderne qui exige un complément d'objet indirect.

Page 166

1. *Des carreaux* : des coussins.

Page 168

1. *S'amuser à lui* : perdre du temps avec lui.
2. *Magnifique* : qui manifeste de la magnificence.

Page 169

1. La description de cette belle endormie, placée sous le signe de la peinture, doit donc se lire comme une *ecphrasis*. L'intérêt des Scudéry frère et sœur pour la peinture était notoire ; à ce goût particulier s'ajoute ici la reprise d'un important motif romanesque, dont *L'Astrée* offrait plus d'un exemple.

Page 170

1. Accessoire de mode, la *boîte de portrait* permet de porter en pendant de bracelet les miniatures peintes, telles que les réalisaient à la même époque des artistes comme Juste ou Beaubrun.

Page 178

1. Talent mondain par excellence, l'art de *tourner* des impromptus est aussi la cible des satiristes qui démasquent derrière l'aisance et la facilité apparentes, la prépa-

ration investie dans l'entreprise, voire la duperie qu'elle constitue.

Page 197

1. *À la géhenne*, ou gêne : à la torture.

Page 215

1. La *curiosité* est bien présentée comme le ressort d'un mode de lecture moderne, à la recherche des référents historiques cachés sous le voile de la fable, du substrat anecdotique que l'intrigue narrative refigure.

2. Des clés circulaient aussi bien pour *Le Grand Cyrus* que pour *Clélie* ; les *Chroniques du Samedi* attestent la validité de cette pratique, tant du point de vue de l'écriture que du déchiffrement herméneutique. Madeleine de Scudéry n'en a avoué aucune, mais ses contemporains persistaient à les lui demander, tout comme ils s'amusaient entre eux à des conjectures plus ou moins fondées.

Page 216

1. Ainsi le roman livre-t-il de l'intérieur l'un de ses propres modes de lecture, appelant par cette clé redoublée le même geste de déchiffrement attendu au premier niveau de la narration.

Page 218

1. Sur le modèle de l'épopée homérique, sur lequel se fondent les premières théories du roman en France, la narration est donc nécessairement à la troisième personne d'une part, et localement déléguée à un confident d'autre part, chargé de raconter pour son auditoire les aventures passées du héros. Ce procédé fut très vite la cible des critiques, qui lui reprochèrent son invraisemblance : l'abandon de ce montage narratif au profit d'une prise en charge globale du récit par l'« historien », est l'un des points essentiels de la poétique de la nouvelle qui supplantera, à compter des années 1660, celle du roman héroïque.

2. C'est donc d'une autre logique de vraisemblance qu'Amilcar se réclame : les bienséances imposent leur propre « raison », de même que le procédé de délégation

narrative rend possible l'évaluation morale qui garantit l'« utilité » du roman, au-delà du seul principe de plaisir.

3. Réponse explicite aux critiques condamnant l'invraisemblance du procédé, cet argument est à prendre au sérieux : il fonde le plaisir de la lecture sur un pacte librement consenti, assumant comme telle la convention romanesque sans chercher l'illusion du vrai.

Page 220

1. C'est l'autre modalité du plaisir du récit : à la curiosité pour l'histoire véritable, ce parti pris d'une lecture « mélancolique » opposée au goût des « enjoués » substitue l'intérêt pour la leçon morale, et l'admiration esthétique pour l'œuvre d'art.

Page 222

1. Cette amorce de débat sur le caractère indécidable du goût et des plaisirs sera partiellement reprise et prolongée au tome I des *Conversations sur divers sujets* (Paris, Cl. Barbin, 1680) par une conversation précisément intitulée « Des plaisirs ».

2. Vérénie est la grande Vestale, sœur de Clélius, et donc tante de Clélie. Elle avait en vain demandé à Tarquin la libération des captives, dès leur arrivée à Rome.

Page 226

1. C'est là qu'a été dressé le festin qui couronne la fête.

2. Plusieurs membres de la *gens aquiliana*, parente de la maison de Collatin, participent à la cérémonie.

Page 227

1. Comme l'a fait remarquer Chantal Morlet-Chantalat (éd. citée dans la Bibliographie), cette conversation d'une part fait écho à celle de la première partie sur la notion de *tendresse* (voir ci-dessus, p. 70), d'autre part est tout aussi capitale pour comprendre l'univers moral de la romancière. Son importance se mesure, entre autres, à sa persistance dans l'œuvre de Madeleine de Scudéry : en 1671, celle-ci se vit couronnée par l'Académie française pour son *Discours de la gloire*, et en 1684 elle remania cette conversation ro-

manesque pour la publier dans les *Conversations nouvelles sur divers sujets* (*op. cit.*, t. II, p. 555-595).

2. C'est Herminius qui parle.

3. Le personnage de *Mutius* (qui renvoie dans l'histoire romaine au célèbre héros Mutius Scævola) est présenté, un peu plus loin dans le roman, comme un héros guerrier dont l'amour n'a pas encore parfaitement poli les mœurs ni raffiné les sentiments.

Page 228

1. Ainsi se met en place la possibilité d'une gloire féminine, qui ne s'identifie pas aux exploits masculins mais relèverait d'une vertu intériorisée, et cependant éclatante : on a souvent voulu reconnaître dans cette revendication l'un des aspects fondamentaux de la *préciosité*.

2. Outre les échos personnels qui résonnent dans cette réplique (la laideur de Madeleine de Scudéry et de Paul Pellisson était proverbiale), cette disjonction entre mérite et beauté rend un son plutôt moderne pour l'époque : une longue tradition, notamment néoplatonicienne — très présente encore dans *L'Astrée* —, voyait dans la beauté des femmes le signe de leur valeur, et au-delà encore, l'Idée même du Beau, conduisant de la créature incarnée à Dieu. Il n'est pas indifférent que cette tirade soit placée dans la bouche d'*Herminius*-Pellisson, lui-même soucieux de défendre une conception moderne du mérite, sur le seul critère de l'esprit.

Page 229

1. Le vocabulaire conventionnel de la galanterie se voit ainsi fortement motivé : les métaphores usées empruntées à la thématique guerrière participent en réalité d'un héroïsme aux modulations variées.

Page 231

1. Madeleine de Scudéry donne une version romanesque du récit traditionnel des origines de Servius Tullius (Tite-Live, I, XXXIX et Denys d'Halicarnasse, *Antiquités romaines*, IV, I) : son père avait été tué par les Romains lors de la prise de Corniculum, et sa mère Ocrisie, alors enceinte de l'enfant, conduite en captivité à Rome par le roi Tarquin

l'Ancien, qui la réservait en présent à son épouse Tanaquil. Celle-ci rendit très vite justice à l'illustre origine d'Ocrisie, et la remit en liberté tout en la gardant auprès d'elle au palais royal : un prodige annonça le destin exceptionnel de l'enfant, qui fut alors élevé avec soin au palais, et choisi enfin pour successeur du roi après l'assassinat de ce dernier.

Page 233

1. Le lien entre vertu et gloire est donc constitutif, et non accidentel : c'est lui qui rend possible l'intériorisation de la gloire, préférée à sa publication. On peut reconnaître là une conception chrétienne de la notion, en définitive assez incompatible avec sa lecture aristocratique longtemps dominante.

2. Selon l'ancienne partition, les sept « arts libéraux » (grammaire, rhétorique, dialectique d'une part, arithmétique, astronomie, géométrie et musique d'autre part) s'opposent aux modestes activités artisanales que regroupent les « arts mécaniques ».

Page 237

1. Il y a là des traces manifestes de l'idéal courtois de la *fin'amors* : derrière les allégories conventionnelles de l'Envie et de la Médisance, on peut retrouver la figure honnie du *losengier*. Madeleine de Scudéry reviendra notamment dans *La Promenade de Versailles* (1669) sur la nécessité du secret en amour.

Page 238

1. Le pronom *il* renvoie ici à Collatin, rival de Brutus. Ces « équivoques » référentielles sont fermement condamnées par Vaugelas au nom de la « netteté » de l'expression : fréquentes encore dans la première moitié du siècle, elles iront disparaissant peu à peu dans la prose littéraire.

Page 241

1. *Spurius Lucrétius* : père de Lucrèce.

Page 243

1. La figure légendaire de Lucrèce compte depuis l'Antiquité parmi les « femmes illustres » de l'Histoire. La scène attendue de son suicide avait été bien souvent réécrite sous

les formes les plus diverses, depuis le récit de Tite-Live (I, LVIII-LVIX). On rencontre le personnage notamment dans les *Fastes* d'Ovide (livre II), dans les réflexions de saint Augustin sur la chasteté féminine et le suicide païen (*La Cité de Dieu*, I, XIX), le recueil de Boccace (*De Claris Mulieribus*, traduit dès le XVe siècle). Elle reste tout aussi fascinante au XVIIe siècle, pour le théâtre en particulier (Chevreau puis Du Ryer lui consacrent une tragédie à un an d'intervalle, en 1637 et 1638) ; plus proche de notre texte, le jésuite Le Moyne l'avait placée dans sa *Galerie des Femmes fortes* (1647), faisant écho aux harangues publiées sous le nom du frère de Madeleine de Scudéry, dans la première partie des *Femmes illustres* (1642). Héroïne martyre de la chasteté féminine, celle-ci pose l'importante question du suicide, inacceptable en contexte chrétien. Notre auteur y reviendra, pour le condamner par la bouche de la religieuse Clarinte dans une conversation de *Célinte* (1661).

Page 248

1. On retrouve ici les réticences exprimées par Amilcar envers les récits à la première personne.

2. C'est en 1651, dans *Le Grand Cyrus*, que Madeleine de Scudéry avait édifié la première galerie de portraits à clé, en hommage à Mme de Rambouillet et son cercle : elle allait en grande partie lancer une véritable « mode » littéraire. Dans *L'Astrée* déjà, le portrait était d'usage à la cour du Forez, où la Nymphe Amasis dispose à cet effet des services d'un peintre attitré.

Page 249

1. Il faut reconnaître ici Mme du Plessis-Guénégaud, née Élisabeth de Choiseul, fille du marquis de Praslin, maréchal de France. Elle avait épousé en 1642 Henri de Guénégaud (*Anaxandre* dans le roman), issu d'une famille de grands commis de l'État, lui-même futur secrétaire d'État à la Maison du roi et garde des Sceaux (il fut appelé à cette fonction en 1656) ; son frère Claude, trésorier de l'Épargne, était un proche de Nicolas Foucquet. Henri et Élisabeth, très dévots, avaient de nombreuses amitiés à Port-Royal. Ils manifestèrent à plusieurs reprises leur appui — financier notamment — à Madeleine de Scudéry.

L'hôtel de Nevers, où ils résidaient à Paris, fut un centre important de la vie littéraire et politique.

Page 250

1. On retrouve la traditionnelle émulation entre *poesis* et *pictura* — arts verbaux et figuratifs. En exprimant sa volonté d'être représentée fidèlement, Plotine semble vouloir rompre avec l'impératif idéalisant qui dominait au siècle dernier, qu'il s'agisse des portraits poétiques ou de la mode du portrait peint allégorique, toujours vivace dans l'aristocratie parisienne depuis les années 1630. Madeleine de Scudéry, pour son compte, a nettement conscience d'inaugurer avec ses portraits littéraires une forme inédite, puisque l'exigence de fidélité au modèle historique, hors fiction, n'est nullement incompatible avec une figuration allégorique du personnage dans le roman. Elle peut ainsi tout à la fois prétendre représenter « au naturel » les traits de son modèle, et cacher sous le voile de la fable l'identité de celui-ci : mieux encore, cette forme en apparence déguisée se révèle parfois la plus apte à dire le véritable caractère du modèle.

Page 251

1. Idéal de mixité pertinent aussi bien en matière sociale (Madeleine de Scudéry avait déjà insisté dans *Le Grand Cyrus* sur la stérilité des conversations exclusivement féminines) que littéraire : la tradition des *Galeries* de personnages illustres, dans leurs différents avatars depuis l'Antiquité (*Vies*, *Éloges*, *Promptuaires*, *Portraits*, *Prosopographies*, etc.) ne mêlait jamais les figures féminines et masculines, témoignant en cela du caractère irréductible des critères de leur célébrité. Madeleine de Scudéry a bien le sentiment d'innover en ce domaine. Deux ans plus tard, le recueil des *Divers portraits* composé dans l'entourage de la Grande Mademoiselle (et sa deuxième version, sous le titre de *Recueil des portraits et éloges en vers et en prose* : Paris, Ch. de Sercy et Cl. Barbin, 1659) en retiendra la leçon, prolongeant dans la forme même ce souci de diversité, puisque pièces en vers et en prose s'y trouvaient rassemblées. On ajoutera enfin que Madeleine de Scudéry transpose peut-être ici un critère d'évaluation technique

de la peinture : pour de nombreux théoriciens en effet, dont Nicolas Poussin, la qualité d'un tableau tient, entre autres, à la richesse du nombre de figures représentées sur la toile, qui assure ainsi la variété de l'expression.

2. L'énumération de ces « peintures » possibles, du portrait aux topographies, signale la contiguïté qui les unit sur le plan symbolique, au-delà du seul projet encomiastique : la description des belles demeures et des jardins prolonge celle des qualités morales du modèle, dont elle fait paraître l'éclat.

3. Madeleine de Scudéry avait déjà raillé dans une conversation du *Grand Cyrus* la manie des récits généalogiques, aussi ennuyeux que stériles.

Page 252

1. Le romancier selon les Scudéry, héritiers en cela de la poétique de l'épopée, doit maîtriser un savoir universel : ses connaissances en histoire et en géographie permettront d'accréditer « le mensonge avec la vérité », c'est-à-dire de donner aux inventions du récit ce caractère de vraisemblance nécessaire à l'adhésion du lecteur. Au tome VIII de *Clélie* (1658), une longue conversation sera consacrée à la juste « manière d'inventer une fable », qui résume l'essentiel de l'esthétique romanesque défendue et illustrée, depuis la parution d'*Ibrahim* (1642), par Madeleine de Scudéry et son frère.

Page 253

1. *Qu'elle leur die* : qu'elle leur dise. Au subjonctif surtout, la concurrence entre ces deux formes se maintient. Vaugelas note ainsi dans ses *Remarques* : « Au singulier, *quoi que l'on die*, est fort en usage, et en parlant, et en écrivant, bien que *quoi que l'on dise*, ne soit pas mal dit. »

Page 254

1. Cette scrupuleuse discrétion, en accord avec la définition bienséante de l'honnêteté féminine, est constamment louée par Madeleine de Scudéry qui se défend elle aussi de « faire la savante », tout en défendant avec chaleur le droit des femmes à la culture ; elle avait au contraire dressé une féroce satire de la pédanterie au féminin à travers le portrait de Damophile, dans le dernier tome de *Cyrus*.

Quant à Mme du Plessis-Guénégaud, on sait qu'elle avait appris le latin..

Page 255

1. Sans doute faut-il voir en cette « fille » « infortunée » Madeleine de Scudéry elle-même, qui avait à plusieurs reprises bénéficié des libéralités de sa protectrice.

2. Présents déguisés et anonymes, surprises en tous genres étaient d'usage dans la belle société, à l'exemple de Mme de Rambouillet qui aimait elle aussi à divertir ses amis de cette manière. On peut penser de plus que Madeleine de Scudéry fait allusion à l'habitude qu'avait prise Mme du Plessis-Guénégaud — comme tous ses autres protecteurs — de faire déposer chez elle, au petit matin, les présents qui lui étaient destinés. Tallemant des Réaux rapporte notamment dans ses *Historiettes* que Mme du Plessis-Guénégaud lui offrit par cette voie le mobilier complet d'une petite salle.

Page 256

1. L'hôtel de Nevers, sur le quai de la porte de Nesle (rive gauche), avait été acheté en 1646 par Henri du Plessis-Guénégaud, qui avait fait réaliser par François Mansart d'importants travaux, d'abord entre 1650 et 1652, puis vers 1660 pour la dernière tranche : Madeleine de Scudéry évoque de nouveau cette somptueuse demeure dans la dernière partie de *Clélie*, précisément en 1660.

2. Cette fois, c'est le château de Fresnes (sur la Marne), résidence secondaire du couple depuis 1641, que décrit la romancière ; lui aussi avait été transformé par Mansart, entre 1644 et 1650. Le roman se fait ici gazette publicitaire : la description élogieuse s'inscrit dans le prolongement du portrait, publiant l'éclat des protecteurs de Madeleine de Scudéry, leurs vertus profanes (libéralité, magnificence) aussi bien que chrétiennes (charité, piété). Dans le texte-cadre de *La Promenade de Versailles* (1669), la romancière revient longuement sur le statut des descriptions dans l'Histoire et le roman, réaffirmant son goût pour celles-ci, qu'elles présentent des espaces inventés ou se fondent, comme ici et dans maints autres passages de *Clélie*, sur des lieux réels.

3. *Je n'aurais jamais fait* : jamais fini.

Page 258

1. La chapelle du château de Fresnes avait été édifiée sur les plans de Mansart. Ceux-ci étaient initialement destinés à l'église du Val-de-Grâce : mais le contrat fut révoqué en octobre 1646. L'accent mis sur la « dépense » qu'occasionna cette construction témoigne de la libéralité du couple, vertu aristocratique majeure.

Page 259

1. Alain Niderst propose de reconnaître dans ce portrait Marie-Louise de Bellenave, fille de Claude Le Loup et de Marie de Guénégaud, alors âgée de dix-sept ans.

2. Madeleine de Scudéry reprend la peinture du cercle des Du Plessis-Guénégaud au tome IX du roman. La jeune nièce y reparaît alors, sous le nom de *Clariste*.

Page 270

1. On se souvient que Clélie suspecte Aronce d'aimer la princesse des Léontins : celle-ci avait accepté de feindre un projet de mariage avec le fils de Porsenna, afin de couper court aux projets matrimoniaux que le roi méditait pour Aronce.

2. Issue du droit romain (*jus gentium*) et théorisée notamment par Thomas d'Aquin, Suarez puis Grotius, l'expression est à l'origine de la notion de droit international : le *droit des gens* est fondé sur le droit naturel (*jus naturale*), édicté par la raison pour tous les hommes ; il relève cependant moins de ces lois universelles et imprescriptibles que de la coutume, établie par le consentement des hommes, susceptible par conséquent de variations selon les temps et les lieux. Valérie rappelle ici l'inviolabilité de l'accord passé entre les deux cités, qui s'impose à l'ensemble des acteurs concernés, contractants (Porsenna et les consuls romains) ou otages.

Page 273

1. Depuis l'Antiquité, la harangue est l'un des ornements majeurs du récit historique : son statut nécessairement fictif et sa dimension rhétorique pleinement assumée facilitaient son importation dans le roman héroïque, comme la Préface

d'*Ibrahim* l'avait affirmé. Le discours de Clélie à ses compagnes est cependant une invention de Madeleine de Scudéry : les historiens anciens qui rapportent la fuite des otages (Tite-Live, II, XIII, 6-11 ; Denys d'Halicarnasse, *Antiquités romaines*, V, XXXIV ; Plutarque, *Vie de Publicola*, XIX) se contentent d'un bref récit, sans donner la parole à l'héroïne.

2. *Claie* : treillis d'osier, plat et large, à claire-voie. *Fascine* : sorte de fagot serré de branchages, dont on se sert pour des travaux de terrassement ou de fortification.

Page 274

1. La construction du verbe *aider*, parmi bien d'autres, n'est pas encore fixée au XVIIᵉ siècle, l'usage hésitant entre transitivité directe et indirecte.

Page 278

1. Corrélation traditionnelle du tempérament mélancolique et des âmes d'exception, depuis le fameux Problème XXX, 1 du pseudo-Aristote : mais comme l'a montré Noémi Hepp, Madeleine de Scudéry est sans doute la première à l'avoir illustrée par des portraits féminins. On se souvient de la conversation qui opposait, au tome II de *Clélie*, Amilcar partisan des belles enjouées, Artémidore des fières et des capricieuses, et Célère défenseur des mélancoliques (ci-dessus, p. 113-128).

Page 280

1. Pour la première version de cette légende de la fondation d'Ardée, voir Virgile, *Énéide*, VII, 411. Le roi Danaus, à qui un oracle avait prédit qu'il périrait de la main du fils qui naîtrait de sa fille Danaé, la jeta à la mer enfermée dans un coffre. Le flot la conduisit sur les côtes du Latium : elle épousa Pilumnus, aïeul de Turnus, et fonda Ardée (au sud de Rome), future capitale des Rutules. Une autre tradition rapporte qu'Ardias, l'un des trois fils nés d'Ulysse et de Circé, aurait donné son nom à la cité (Denys d'Halicarnasse, *Antiquités romaines*, I, LXXII, et aussi Strabon, *Histoire romaine*, V, III, II et IV).

Page 286

1. *Alentir* : « rendre un mouvement plus lent, une action plus lente » (Furetière). Le dictionnaire de Richelet (1680)

donne cependant le verbe, ainsi que sa forme pronominale, comme vieilli, et note que *ralentir* est plus en usage.

Page 296

1. On rencontre dans *Clélie* deux autres élégies. Cette pièce ne semble pas avoir été publiée ailleurs que dans le roman.

Page 300

1. Ces deux vers n'ont pas été retrouvés ailleurs que dans le roman.

Page 308

1. *Serrer* : « Enfermer, arranger, mettre à couvert, en lieu sûr » (Furetière).

Page 318

1. *Cachet :* « petit sceau qui porte une gravure particulière de quelques armes ou chiffres qu'on imprime sur de la cire [...] pour empêcher qu'on n'ouvre un paquet fermé et marqué de cette empreinte » (Furetière).

Page 319

1. *Lui* : c'est-à-dire Lycaste.

Page 320

1. *Nélante* : Madeleine de Scudéry rend ici hommage au célèbre peintre et graveur Robert Nanteuil (mort en 1678) qui fit son propre portrait ; elle l'en remercia dans un célèbre madrigal :

> *Nanteuil, en faisant mon image*
> *A de son art divin signalé le pouvoir ;*
> *Je hais mes yeux dans mon miroir,*
> *Je les aime dans son ouvrage.*

(*Délices de la poésie galante, des plus célèbres auteurs de ce temps*, Paris, J. Ribou, 1667, t. I, p. 113.)

En avril 1658, Nanteuil s'était vu confier la charge de dessinateur et graveur ordinaire du Roi, par une ordonnance qui célébrait chaleureusement ses talents, évoquant

« son génie pour la portraiture, sa capacité pour la connaissance des belles-lettres aussi bien que des règles de
son art, et son secret pour rendre infaillible par le crayon
et le burin la ressemblance des sujets ». La cour et toute
la belle société parisienne se pressait à l'atelier de l'artiste.

2. Ce terme de *bosse* est ici employé au sens technique :
dans le vocabulaire de la sculpture, il désigne une taille en
relief ; « on dit aussi en peinture, travailler d'après la bosse,
pour dire, copier ou dessiner une figure de relief » (Furetière). On reconnaît à ce souci de précision lexicale le goût
des Scudéry pour les beaux-arts, et leur indéniable compétence d'amateurs éclairés en ce domaine. La Préface d'*Ibrahim* et la conversation de *Clélie* « De la manière d'inventer
une fable » avaient d'ailleurs souligné qu'il fallait au romancier la maîtrise d'un savoir bien supérieur à celui exigé
de l'historien.

3. On ne connaît aucun ouvrage imprimé de Nanteuil
sur ce domaine : mais son élève Domenico Tempesti avait
recueilli dans un volume manuscrit les *Réflexions et maximes* de son maître sur la peinture et la gravure (les textes
sont de la main de Nanteuil), prolongées de ses propres
observations rédigées d'après les longs entretiens des deux
artistes. On peut penser que Nanteuil ne faisait pas mystère de ses maximes, non plus que des courtes pièces en
vers qu'il avait composées sur les techniques de gravure.

Page 321

1. *Crayon* : au sens technique là encore, ce sont « les
portraits et dessins qu'on fait avec le crayon. Les crayons
de Du Montier, de Nanteuil sont fort estimés » (Furetière).

2. Cette capacité qu'avait Nanteuil de converser avec af-
fabilité tout en poursuivant son travail, pour saisir au vif
son modèle, était de notoriété publique.

Page 325

1. *Fourbe* : fourberie. « Tromperie, déguisement de la
vérité fait avec adresse » (Furetière).

Page 326

1. *Dépit* : L'emploi adjectival du mot est encore attesté
au XVII⁰ siècle (Vaugelas et Furetière), mais ni le *Diction-*

naire de Richelet, ni celui de l'Académie française ne le signalent, ne retenant que sa valeur substantive.

Page 332

1. *Préoccupation* : « préjugé, prévention, impression
qu'on s'est mise d'abord dans l'esprit » (Furetière), et qui
entrave la liberté de jugement.

Page 333

1. *La résolution de vivre en liberté* : on reconnaît, dans
cette déclaration de principe réitérée contre le mariage,
les positions assignées aux « Précieuses », telles que les
avait notamment représentées l'abbé de Pure dans son
roman *La Précieuse ou les Mystères de la ruelle*, paru en
1656-1658. Madeleine de Scudéry elle-même a maintes
fois exprimé son aversion envers le lien conjugal ; elle déclare d'ailleurs à l'une de ses correspondantes avoir refusé
à trois reprises pareille proposition.

Page 336

1. Pour plusieurs critiques, Plotine apparaît comme le
type même de la Précieuse, dont elle défendrait les idéaux
féministes : revendication de la « gloire » personnelle,
soin jaloux de sa liberté, aversion pour les liens matrimoniaux, refus des tourments inquiets de la passion amoureuse, adhésion enfin aux valeurs mondaines de la « belle
galanterie » et à ses manifestations sociales. À aucun moment cependant, pas plus qu'ailleurs dans l'œuvre de Madeleine de Scudéry, le terme de *précieuse* ne se rencontre
dans cette acception. Qu'on interprète ce silence comme
mesure de prudence face à la satire organisée dont les
Précieuses font les frais, et volonté de ne pas être assimi-
lée à cette cible tout en revendiquant le statut de modèle
culturel, ou bien signe de l'inconsistance historique, référentielle, des Précieuses — mythe noir de l'histoire littéraire —, pareille discrétion invite à prendre quelque
distance avec une lecture trop univoque du personnage,
comme à ne pas replier le roman sur la « question précieuse » qu'il permet cependant de poser.

On a pu également, avec raison, souligner les éléments
qui annoncent dans ce portrait moral de Plotine la figure,

dessinée d'un crayon plus pessimiste, de la princesse de Clèves. Mme de Lafayette fut, on le sait, une lectrice attentive de *Clélie*.

Page 338

1. Ces séquences récapitulatives constitueraient, parmi d'autres, une marque définitoire du roman baroque : elles sont à l'évidence liées à la structure complexe du genre, que le modèle épique imposait d'unifier par une disposition organique de la masse narrative. Voir Georges Molinié, *Du roman grec au roman baroque. Un art majeur du genre narratif en France sous Louis XIII*, Toulouse, Presses universitaires du Mirail, 1995 [1ʳᵉ éd. 1982] et Laurence Plazenet, *L'Ébahissement et la Délectation. Réception comparée et poétiques du roman grec en France et en Angleterre aux XVIᵉ et XVIIᵉ siècles*, Paris, Champion, 1997.

Page 339

1. *Lui vingtième* : en vingtième position. *Amuser* : faire perdre du temps, en l'occurrence par une manœuvre de diversion.

Page 342

1. *Insulter à* : braver de manière méprisante, en renchérissant sur l'infortune de la situation.

Page 344

1. *Cœur* : au sens classique de *courage*.

Page 345

1. *Vite* : rapide. Le mot est ici adjectif.

Page 348

1. *Une intelligence* : un espion.

Page 349

1. *La porte Névie* : près de l'Aventin, au sud de Rome.

Page 354

1. Nouvelle amplification de la romancière à partir de ses sources historiques (voir ci-dessus, n. 1, p. 273), qui ne relatent pas le détail de cette confrontation, mais se

contentent de rapporter que, saisi d'admiration pour le geste héroïque de Clélie, Porsenna lui offrit la liberté et lui fit présent d'un cheval de valeur. Le recueil des *Femmes illustres*, signé par Georges de Scudéry en 1642, comportait déjà une harangue de Clélie à Porsenna.

Page 356

1. *La plus redoutable de toutes les divinités* : c'est-à-dire la Fortune, qui rend l'oracle des Sorts de Préneste.

Page 358

1. La cité de *Cumes* (au sud-ouest de l'Italie), fondée au VIIIe s. av. J.-C.) par des Grecs de l'île d'Eubée, est l'une des plus anciennes colonies grecques en Méditerranée occidentale.

Page 359

1. *Aider à* : voir ci-dessus, n. 1, p. 274.

Page 360

1. *Cœur* : voir ci-dessus, n. 1, p. 344.

Carte de Tendre

*Romans et nouvelles du XVIIᵉ siècle français
dans Folio classique*

Charles PERRAULT : *Contes* suivi de *Le Miroir ou la Métamorphose d'Orante*, *La Peinture* et *Le Labyrinthe de Versailles*. Édition critique présentée et établie par Jean-Pierre Collinet.

Charles PERRAULT : *Contes*. Édition présentée par Nathalie Froloff. Texte établi par Jean-Pierre Collinet.

SCARRON : *Le Roman comique*. Édition présentée et établie par Jean Serroy.

Madeleine de SCUDÉRY : *Clélie*. Textes choisis, présentés, établis et annotés par Delphine Denis.

Charles SOREL : *Histoire comique de Francion*. Édition présentée par Fausta Garavini, établie par Anne Schoysman et annotée par Anna Lia Franchetti.

TRISTAN L'HERMITE : *Le Page disgracié*. Édition présentée et établie par Jacques Prévot.

Honoré d'URFÉ : *L'Astrée*. Textes choisis et présentés par Jean Lafond.

COLLECTION FOLIO

Dernières parutions

Composition Nord Compo.
Impression CPI Bussière
à Saint-Amand (Cher), le 10 juin 2013.
Dépôt légal : juin 2013.
1ᵉʳ dépôt légal dans la collection : avril 2006.
Numéro d'imprimeur : 2003380.
ISBN 978-2-07-041884-8./Imprimé en France.